HANS CHRISTIAN

ANDERSEN

Contes

ILLUSTRÉS PAR JIŘÍ TRNKA

GRÜND — PARIS

HANS CHRISTIAN ANDERSEN

Contes

Traduits du danois par Anne-Mathilde Paraf
Arrangement graphique par Gabrielle Dubská
© 1962 by Artia, Prague
Illustrations © 1969 Jiří Trnka héritiers, c/o DILIA, Praha
Traduction française © 1962 by Gründ, Paris
ISBN 2-7000-1105-8
Dix-septième édition 1980
Printed in Czechoslovakia by Polygrafia, Prague
1/01/06-53-17
Loi n° 49-956 du 16 juillet 1949
sur les publications destinées à la jeunesse

LE BRIQUET

Un soldat s'en venait d'un bon pas sur la route. Une deux, une deux! sac au dos et sabre au côté. Il avait été à la guerre et maintenant, il rentrait chez lui.

Sur la route, il rencontra une vieille sorcière. Qu'elle était laide!! sa lippe lui pendait jusque sur la poitrine.

— Bonsoir soldat, dit-elle. Ton sac est grand et ton sabre est beau, tu es un vrai soldat. Je vais te donner autant d'argent que tu voudras.

— Merci, vieille, dit le soldat.

— Vois-tu ce grand arbre? dit la sorcière. Il est entièrement creux. Grimpe au sommet, tu verras un trou, tu t'y laisseras glisser jusqu'au fond. Je t'attacherai une corde autour du corps pour te remonter quand tu m'appelleras.

Mais qu'est-ce que je ferai au fond de l'arbre?

— Tu y prendras de l'argent, dit la sorcière. Quand tu seras au fond tu te trouveras dans une grande galerie éclairée par des centaines de lampes. Devant toi il y aura trois portes. Tu pourras les ouvrir, les clés sont dessus. Si tu entres dans la première chambre, tu verras un grand chien assis au beau milieu sur un coffre. Il a des yeux grands comme des soucoupes, mais ne t'inquiète pas de ça. Je te donnerai mon tablier à carreaux bleus que tu étendras par terre, tu saisiras le chien et tu le poseras sur mon tablier. Puis tu ouvriras le coffre et tu prendras autant de pièces que tu voudras. Celles-là sont en cuivre... Si tu préfères des pièces d'argent, tu iras dans la deuxième chambre! Un chien y est assis avec des yeux grands comme des roues de moulin.

5

Ne t'inquiète encore pas de ça. Pose-le sur mon tablier et prends des pièces d'argent, autant que tu en veux.

Mais si tu préfères l'or, je peux aussi t'en donner — et combien! — tu n'as qu'à entrer dans la troisième chambre. Ne t'inquiète toujours pas du chien assis sur le coffre. Celui-ci a les yeux grands chacun comme la «Tour Ronde» de Copenhague[1] et je t'assure que pour un chien, c'en est un. Pose-le sur mon tablier et n'aie pas peur, il ne te fera aucun mal. Prends dans le coffre autant de pièces d'or que tu voudras.

— Ce n'est pas mal du tout ça, dit le soldat. Mais qu'est-ce qu'il faudra que je te donne à toi, la vieille? Je suppose que tu veux quelque chose.

— Pas un sou, dit la sorcière. Rapporte-moi seulement le vieux briquet que ma grand-mère a oublié la dernière fois qu'elle est descendue dans l'arbre.

— Bon, dit le soldat, attache-moi la corde autour du corps.

— Voilà — et voici mon tablier à carreaux bleus.

Le soldat grimpa dans l'arbre, se laissa glisser dans le trou, et le voilà, comme la sorcière l'avait annoncé, dans la galerie où brillaient des centaines de lampes. Il ouvrit la première porte. Oh! le chien qui avait des yeux grands comme des soucoupes le regardait fixement.

— Tu es une brave bête, lui dit le soldat en le posant vivement sur le tablier de la sorcière. Il prit autant de pièces de cuivre qu'il put en mettre dans sa poche, referma le couvercle du coffre, posa le chien dessus et entra dans la deuxième chambre.

Brrr!! le chien qui y était assis avait, réellement, les yeux grands comme des roues de moulin.

— Ne me regarde pas comme ça, lui dit le soldat, tu pourrais te faire mal.

Il posa le chien sur le tablier, mais en voyant dans le coffre toutes ces pièces d'argent, il jeta bien vite les sous en cuivre et remplit ses poches et son sac d'argent. Puis il passa dans la troisième chambre.

Mais quel horrible spectacle! Les yeux du chien qui se tenait là étaient vraiment grands chacun comme la «Tour Ronde» de Copenhague et ils tournaient dans sa tête comme des roues.

— Bonsoir, dit le soldat en portant la main à son képi, car de sa vie, il n'avait encore vu un chien pareil et il l'examina quelque peu. Mais bientôt il se ressaisit, posa le chien sur le tablier, ouvrit le coffre.

Dieu!... que d'or! Il pourrait acheter tout Copenhague avec ça, tous les cochons en sucre des pâtissiers et les soldats de plomb et les fouets et les chevaux à bascule du monde entier. Quel trésor!

Il jeta bien vite toutes les pièces d'argent et prit de l'or. Ses poches, son sac, son képi et ses bottes, il les remplit au point de ne presque plus pouvoir marcher. Eh! bien, il en avait de l'argent cette fois! Vite il replaça le chien sur le coffre, referma la porte et cria dans le tronc de l'arbre :

[1] Tour célèbre située dans la ville de Copenhague.

— Remonte-moi, vieille.

— As-tu le briquet? demanda-t-elle.

— Ma foi, je l'avais tout à fait oublié, fit-il et il retourna le prendre.

Puis la sorcière le hissa jusqu'en haut et le voilà sur la route avec ses poches, son sac, son képi, ses bottes pleines d'or!

— Qu'est-ce que tu vas faire de ce briquet? demanda-t-il.

— Ça ne te regarde pas, tu as l'argent, donne-moi le briquet!

— Taratata, dit le soldat. Tu vas me dire tout de suite ce que tu vas faire de ce briquet ou je tire mon sabre et je te coupe la tête.

— Non, dit la vieille sorcière.

Alors, il lui coupa le cou. La pauvre tomba par terre et elle y resta. Mais lui serra l'argent dans le tablier, en fit un baluchon qu'il lança sur son épaule, mit le briquet dans sa poche et marcha vers la ville.

Une belle ville c'était. Il alla à la meilleure auberge, demanda les plus belles chambres, commanda ses plats favoris. Puisqu'il était riche...

Le valet qui cira ses chaussures se dit en lui-même que pour un monsieur aussi riche, il avait de bien vieilles bottes. Mais dès le lendemain, le soldat acheta des souliers neufs et aussi des vêtements convenables.

Alors il devint un monsieur distingué. Les gens ne lui parlaient que de tout ce qu'il y avait d'élégant dans la ville et de leur roi, et de sa fille, la ravissante princesse.

— Où peut-on la voir? demandait le soldat.

— On ne peut pas la voir du tout, lui répondait-on. Elle habite un grand château aux toits de cuivre entouré de murailles et de tours. Seul le roi peut entrer chez elle à sa guise car on lui a prédit que sa fille épouserait un simple soldat; et un roi n'aime pas ça du tout.

— Que je voudrais la connaître, dit le soldat, mais il savait bien que c'était tout à fait impossible.

Alors il mena une joyeuse vie, alla à la comédie, roula carrosse dans le jardin du roi, donna aux pauvres beaucoup d'argent — et cela de grand cœur — se souvenant des jours passés et sachant combien les indigents ont de peine à avoir quelques sous.

Il était riche maintenant et bien habillé, il eut beaucoup d'amis qui, tous, disaient de lui: quel homme charmant, quel vrai gentilhomme. Cela le flattait.

Mais comme il dépensait tous les jours beaucoup d'argent et qu'il n'en rentrait jamais dans sa bourse, le moment vint où il ne lui resta presque plus rien. Il dut quitter les belles chambres, aller loger dans une mansarde sous les toits, brosser lui-même ses chaussures, tirer l'aiguille à repriser. Aucun ami ne venait plus le voir... trop d'étages à monter.

Par un soir très sombre — il n'avait même plus les moyens de s'acheter une chandelle — il se souvint qu'il en avait un tout petit bout dans sa poche et aussi le briquet trouvé dans l'arbre creux où la sorcière l'avait fait descendre. Il battit le silex du briquet et au moment où l'étincelle jaillit, voilà que la porte s'ouvre. Le chien aux yeux grands comme des soucoupes est devant lui.

— Qu'ordonne mon maître? demande le chien.

— Quoi! dit le soldat. Voilà un fameux briquet s'il me fait avoir tout ce que je veux. Apporte-moi un peu d'argent. Hop! voilà l'animal parti et hop! le voilà revenu portant, dans sa gueule, une bourse pleine de pièces de cuivre.

Alors le soldat comprit quel briquet miraculeux il avait là. S'il le battait une fois, c'était le chien assis sur le coffre aux monnaies de cuivre qui venait, s'il le battait deux fois, c'était celui qui gardait les pièces d'argent et s'il battait trois fois son briquet, c'était le gardien des pièces d'or qui apparaissait. Notre soldat put ainsi redescendre dans les plus belles chambres, remettre ses vêtements luxueux. Ses amis le reconnurent immédiatement et même ils avaient beaucoup d'affection pour lui.

Cependant un jour, il se dit: C'est tout de même dommage qu'on ne puisse voir cette princesse. On dit qu'elle est si charmante... A quoi bon si elle doit toujours rester prisonnière dans le grand château aux toits de cuivre avec toutes ces tours? Est-il vraiment impossible que je la voie? Où est mon briquet?

Il fit jaillir une étincelle et le chien aux yeux grands comme des soucoupes apparut.

— Il est vrai qu'on est au milieu de la nuit, lui dit le soldat, mais j'ai une envie folle de voir la princesse.

En un clin d'œil, le chien était dehors et l'instant d'après, il était de retour portant la princesse couchée sur son dos. Elle dormait et elle était si gracieuse qu'en la voyant, chacun aurait reconnu que c'était une vraie princesse. Le jeune homme n'y tint plus, il ne put s'empêcher de lui donner un baiser car, lui, c'était un vrai soldat.

Vite le chien courut ramener la jeune fille au château, mais le lendemain matin, comme le roi et la reine prenaient le thé avec elle, la princesse leur dit qu'elle avait rêvé la nuit d'un chien et d'un soldat et que le soldat lui avait donné un baiser.

— Eh! bien, en voilà une histoire! dit la reine.

Une des vieilles dames de la cour reçut l'ordre de veiller toute la nuit suivante auprès du lit de la princesse pour voir si c'était vraiment un rêve ou bien ce que cela pouvait être!

Le soldat se languissait de revoir l'exquise princesse! Le chien revint donc la nuit, alla la chercher, courut aussi vite que possible... mais la vieille dame de la cour avait mis de grandes bottes et elle courait derrière lui et aussi vite. Lorsqu'elle les vit disparaître dans la grande maison, elle pensa: «Je sais maintenant où elle va» et, avec un morceau de craie, elle dessina une grande croix sur le portail. Puis elle rentra se coucher.

Le chien, en revenant avec la princesse, vit la croix sur le portail et traça des croix sur toutes les portes de la ville. Et ça, c'était très malin de sa part; ainsi la dame de la cour ne pourrait plus s'y reconnaître.

Au matin, le roi, la reine, la vieille dame et tous les officiers sortirent pour voir où la princesse avait été.

— C'est là, dit le roi dès qu'il aperçut la première porte avec une croix.

— Non, c'est ici mon cher époux, dit la reine en s'arrêtant devant la deuxième porte.

— Mais voilà une croix... en voilà une autre, dirent-ils tous, il est bien inutile de chercher davantage.

Cependant, la reine était une femme rusée, elle savait bien d'autres choses que de monter en carrosse. Elle prit ses grands ciseaux d'or et coupa en morceaux une pièce de soie, puis cousit un joli sachet qu'elle remplit de farine de sarrasin très fine. Elle attacha cette bourse sur le dos de sa fille et perça au fond un petit trou afin que la farine se répande tout le long du chemin que suivrait la princesse.

Le chien revint encore la nuit, amena la princesse sur son dos auprès du soldat qui l'aimait tant et qui aurait voulu être un prince pour l'épouser.

Mais le chien n'avait pas vu la farine répandue sur le chemin depuis le château jusqu'à la fenêtre du soldat.

Le lendemain, le roi et la reine n'eurent aucune peine à voir où leur fille avait été.

Le soldat fut saisi et jeté dans un cachot lugubre !... Oh ! qu'il y faisait noir !

— Demain, tu seras pendu, lui dit-on. Ce n'est pas une chose agréable à entendre, d'autant plus qu'il avait oublié son briquet à l'auberge.

Derrière les barreaux de fer de sa petite fenêtre, il vit le matin suivant les gens qui se dépêchaient de sortir de la ville pour aller le voir pendre. Il entendait les roulements de tambours, les soldats défilaient au pas cadencé. Un petit apprenti cordonnier courait à une telle allure qu'une de ses savates vola en l'air et alla frapper le mur près des barreaux au travers desquels le soldat regardait.

— Hé ! ne te presse pas tant. Rien ne se passera que je ne sois arrivé. Mais si tu veux courir à l'auberge où j'habitais et me rapporter mon briquet, je te donnerai quatre sous. Mais en vitesse.

Le gamin ne demandait pas mieux que de gagner quatre sous. Il prit ses jambes à son cou, trouva le briquet...

En dehors de la ville, on avait dressé un gibet autour duquel se tenaient les soldats et des centaines de milliers de gens. Le roi, la reine étaient assis sur de superbes trônes et en face d'eux, les juges et tout le conseil.

Déjà le soldat était monté sur l'échelle, mais comme le bourreau allait lui passer la corde au cou, il demanda la permission — toujours accordée, dit-il, à un condamné à mort avant de subir sa peine — d'exprimer un désir bien innocent, celui de fumer une pipe, la dernière en ce monde.

Le roi ne voulut pas le lui refuser et le soldat se mit à battre son briquet : une fois, deux fois, trois fois ! et hop ! voilà les trois chiens : celui qui avait des yeux comme des soucoupes, celui qui avait des yeux comme des roues de moulin et celui qui avait des yeux grands chacun comme la «Tour Ronde» de Copenhague.

— Empêchez-moi maintenant d'être pendu! leur cria le soldat.

Alors les chiens sautèrent sur les juges et sur tous les membres du conseil, les prirent dans leur gueule, l'un par les jambes, l'autre par le nez, les lancèrent en l'air si haut qu'en tombant, ils se brisaient en mille morceaux.

— Je ne tolérerai pas... commença le roi. Mais le plus grand chien le saisit ainsi que la reine et les lança en l'air à leur tour.

Les soldats en étaient épouvantés et la foule cria :

— Petit soldat, tu seras notre roi et tu épouseras notre délicieuse princesse.

On fit monter le soldat dans le carrosse royal et les trois chiens gambadaient devant en criant «bravo». Les jeunes gens sifflaient dans leurs doigts, les soldats présentaient les armes.

La princesse fut tirée de son château aux toits de cuivre et elle devint reine, ce qui lui plaisait beaucoup.

La noce dura huit jours, les chiens étaient à table et roulaient de très grands yeux.

LE ROSSIGNOL

Vous savez qu'en Chine l'empereur est un Chinois et tous ceux qui l'entourent sont Chinois.

Il y a de longues années — et justement parce qu'il y a longtemps —, je veux vous conter cette histoire, avant qu'on ne l'oublie.

Le palais de l'empereur était le plus beau du monde, entièrement construit en fine porcelaine — il fallait même faire bien attention...

Dans le jardin poussaient des fleurs merveilleuses, aux plus belles d'entre elles on accrochait une clochette d'argent qui tintait à la moindre brise afin qu'on ne puisse passer devant elles sans les admirer. Oui, tout était étudié dans le jardin du roi et il était si vaste que le jardinier lui-même n'en connaissait pas la fin. Si l'on marchait très, très longtemps, on arrivait à une forêt avec des arbres superbes et des lacs profonds. Cette forêt descendait jusqu'à la mer bleue, les plus grands navires pouvaient s'avancer jusque sous les arbres et dans leurs branches vivait un rossignol dont le chant merveilleux charmait jusqu'au plus pauvre des pêcheurs. Quoiqu'ils eussent bien d'autres soucis, ils restaient silencieux à l'écouter et lorsque, la nuit, dans leur barque, ils relevaient leurs filets, ils s'écriaient : «Dieu que c'est beau!»; ensuite, ils devaient s'occuper de leurs affaires et ils n'y pensaient plus. Mais la nuit suivante, tandis que l'oiseau chantait et que les pêcheurs étaient à nouveau dehors, ils disaient encore : «Dieu que c'est beau!»

De tous les pays du monde, les voyageurs venaient admirer la ville de l'empereur, le château, le jardin, mais quand on les menait entendre le rossignol, tous s'écriaient: «Ça, c'est encore ce qu'il y a de mieux!»

Les voyageurs, rentrés chez eux, en parlaient et les érudits écrivaient des livres sur la ville, le château et le jardin, sans oublier le rossignol qu'ils mettaient au-dessus de tout. Ceux qui savaient faire des vers composaient des poèmes exquis sur le rossignol, dans la forêt, près de la mer profonde.

Ces livres faisaient le tour du monde et quelques-uns arrivèrent un jour jusque chez l'empereur de Chine. Assis sur son trône doré, il les lisait et les relisait et, de la tête, il approuvait les descriptions prestigieuses de la ville, du château, du jardin. «Mais le rossignol est tout de même ce qu'il y a de mieux,» lisait-il.

— Qu'est-ce que c'est que ça? dit l'empereur, le rossignol! je ne le connais même pas! Y a-t-il un oiseau pareil dans mon empire et, par-dessus le marché, dans mon jardin! et je n'en ai jamais entendu parler, et il faut que j'apprenne ça dans un livre!

Il fit venir son chancelier d'honneur, un homme si distingué que si quelqu'un d'un rang inférieur à lui-même osait lui parler ou lui poser une question, il répondait seulement : «P.p. p.» ce qui ne veut rien dire du tout. «Il paraît qu'il y a ici un oiseau extraordinaire qui s'appelle rossignol,» lui dit l'empereur, «on prétend que c'est ce qu'il y a de mieux dans mon empire! pourquoi ne m'en a-t-on jamais rien dit.»

— Je n'en ai jamais entendu parler, répondit le chancelier, il n'a jamais été présenté à la cour!

— Je veux qu'il vienne ici, ce soir, et chante pour moi. Toute la terre est au courant de ce que je possède, et moi non!

— Je ne sais rien de lui, dit le chancelier, mais je le chercherai, je le trouverai.

Mais où le trouver? Le chancelier courut en haut et en bas des escaliers, à travers les salons, le long des couloirs, personne parmi ceux qu'il rencontrait n'avait entendu parler du rossignol. Alors il retourna auprès de l'empereur et suggéra qu'il s'agissait sans doute d'une fable inventée par les écrivains. «Votre Majesté ne doit pas y croire, ce ne sont que des inventions, ce qu'on appelle la magie noire!»

— Mais le livre où je l'ai lu m'a été envoyé par le puissant empereur du Japon, ça ne peut donc pas être faux. Je veux entendre le rossignol, il faut qu'il soit ici ce soir, je lui accorderai mes plus grandes faveurs! Et, s'il ne vient pas, toute la cour sera bâtonnée sur le ventre après le repas du soir!

— Tsing-Pe! fit le chancelier, et il courut de nouveau en haut et en bas des escaliers, à travers les salons et le long des couloirs. La moitié de la cour le suivait, car ils préféraient évidemment ne pas être bâtonnés sur le ventre. Ils s'enquéraient tous du merveilleux rossignol, connu du monde entier, mais de personne à la cour.

Enfin, ils trouvèrent dans la cuisine une petite fille pauvre : «Oh! Dieu, dit-elle, le rossignol, je le connais, il chante si bien! J'ai la permission d'apporter chaque soir à ma mère malade quelques restes de la table. Elle habite au bord de la mer, et quand je reviens, je suis fatiguée, je me repose dans la forêt et j'écoute le rossignol. Les larmes me viennent aux yeux, c'est doux comme un baiser de ma mère.»

— Petite fille de cuisine, dit le chancelier, tu auras un engagement et le droit de regarder l'empereur manger, si tu nous conduis auprès du rossignol, car il est convoqué pour ce soir.

Alors, ils partirent vers la forêt où le rossignol avait l'habitude de chanter. La moitié de la cour était de la partie. Sur la route, une vache se mit à meugler.

— Oh! dit un des gentilshommes, nous le tenons cette fois. Quelle force extraordinaire dans une si petite bête. Je suis certain de l'avoir déjà entendu.

— Non, ce sont seulement les vaches qui meuglent! dit la petite, nous sommes encore loin!

Les grenouilles coassaient dans le marais.

— Ravissant, dit le chapelain chinois du palais, maintenant, je l'entends, on dirait des petites cloches d'église.

— Non, ce sont seulement les crapauds, dit la petite fille, mais je crois que nous allons l'entendre bientôt.

Soudain, le rossignol se mit à chanter.

— C'est lui, écoutez, écoutez… et le voilà, dit la fillette, en montrant du doigt un petit oiseau gris dans le feuillage.

— Pas possible? dit le chancelier. Je ne me le serais jamais représenté ainsi. Comme il a l'air ordinaire, il a dû perdre ses couleurs de frayeur en voyant tant de hautes personnalités chez lui!

— Petit rossignol! cria très fort la petite fille, notre gracieux empereur voudrait que tu chantes pour lui.

— Avec le plus grand plaisir, répondit le rossignol.

Et il chanta, c'en était un délice.

— C'est comme des clochettes de verre, dit le chancelier. Regardez-moi ce petit gosier, comme il travaille! c'est extraordinaire que nous ne l'ayons jamais entendu, il aura un grand succès à la cour.

— Dois-je chanter encore une fois pour mon empereur? demandait le rossignol qui croyait que l'empereur était présent.

— Mon excellent petit rossignol, lui dit le chancelier, j'ai le grand plaisir de vous inviter pour ce soir à une fête à la cour où vous charmerez Sa Majesté Impériale par votre chant.

— Il fait bien meilleur effet dans la verdure, dit le rossignol.

Mais il les suivit de bonne grâce puisque c'était le désir de l'empereur.

On fit de grands préparatifs au château. Les murs et les parquets de porcelaine étincelaient à la lumière de plusieurs milliers de lampes d'or, les plus belles fleurs garnissaient les couloirs, on galopait au milieu des courants d'air et, tout d'un coup, les pendules se mirent à sonner, on ne s'entendait plus.

Au milieu de la grande salle où était assis l'empereur, on avait installé un perchoir d'or sur lequel le rossignol devait se tenir. Toute la cour était présente et la petite fille avait eu la permission de rester derrière la porte car elle avait reçu le titre de vraie cuisinière. Tous portaient leurs habits de cérémonie et ils regardaient le petit oiseau gris auquel l'empereur souriait.

Le rossignol chanta si merveilleusement que l'empereur en eut les larmes aux yeux, les pleurs coulaient même le long de ses joues. Alors, l'oiseau se surpassa, son chant allait droit au cœur. Le roi en était ravi, il voulait que le rossignol reçût la grande décoration de la pantoufle d'or pour la porter autour de son cou. Le petit oiseau remercia poliment, mais se trouvait déjà assez récompensé :

— J'ai vu des larmes dans les yeux de mon empereur, c'est mon plus riche trésor, dit-il. Les larmes d'un empereur ont un inestimable pouvoir... Et il chanta encore une fois de sa douce voix.

— C'est la plus charmante coquetterie que je connaisse! disaient les dames, et elles prenaient de l'eau dans la bouche afin de faire des glouglous si quelqu'un leur parlait, elles croyaient ainsi être un peu rossignol. Même les laquais et les femmes de chambre déclarèrent qu'ils étaient contents, et ils sont bien les plus difficiles à satisfaire. Ah! oui, le rossignol avait du succès! Dorénavant, il resta à la cour, dans sa cage, avec permission de sortir deux fois le jour et une fois la nuit, mais douze domestiques devaient tenir chacun un fil de soie attaché à sa patte, et il n'y a aucun plaisir à se promener dans ces conditions.

Toute la ville parlait de l'oiseau miraculeux. Quand deux personnes se rencontraient, l'une disait «ross»... et l'autre «gnol»... elles soupiraient et elles s'étaient comprises. Onze enfants de charcutiers portèrent même le nom de Rossignol, quoiqu'ils n'eussent point le plus petit filet de voix.

Un jour, arriva à la cour un grand paquet sur lequel était écrit «rossignol».

— Voilà un nouveau livre sur notre célèbre oiseau, pensa l'empereur; mais ce n'était pas un livre, c'était une petite œuvre d'art : dans une boîte il y avait un rossignol mécanique qui aurait pu ressembler à l'autre, mais qui était incrusté sur tout le corps de diamants, de rubis et de saphirs. Dès que l'on remontait l'automate, il chantait comme l'oiseau véritable, sa queue battait la mesure et étincelait d'or et d'argent. Autour de son cou, il portait un petit ruban, sur lequel était écrit : «Le rossignol de l'empereur du Japon est peu de chose à côté de celui de l'empereur de Chine».

— Charmant! s'écrièrent-ils tous. Et celui qui avait apporté cet oiseau reçut aussitôt le titre de Grand livreur impérial de rossignols.

Alors, on voulut faire chanter les deux oiseaux ensemble, mais ça n'allait pas très bien, le véritable rossignol roucoulait à sa façon et l'autre chantait des valses.

— Ce n'est nullement de sa faute, affirmait le maître de musique, il a beaucoup de rythme et il est tout à fait de mon école.

L'automate chanta donc seul. Il connut la gloire, d'autant plus qu'il était bien plus joli à regarder, il étincelait comme un bracelet ou une broche.

16

Trente-trois fois il chanta le même air sans être fatigué — les gens l'auraient bien écouté encore, mais l'empereur estima que c'était à présent au tour du véritable rossignol. Où était-il donc passé?

Personne n'avait remarqué qu'il s'était envolé par la fenêtre ouverte, bien loin, vers sa verte forêt.

— Qu'est-ce que c'est que ça? dit l'empereur, et tous les courtisans unanimes blâmèrent le rossignol et le jugèrent extrêmement ingrat.

— Le plus bel oiseau nous reste, pensait chacun... et l'automate chanta encore.

A la trente-quatrième fois, les courtisans ne savaient pas encore tout à fait l'air par cœur, car il était très difficile. Cependant, le maître de musique vantait l'automate, affirmant qu'il était bien supérieur au véritable oiseau, non seulement par sa robe et les merveilleux diamants, mais aussi par sa mécanique intérieure.

— Voyez-vous, messeigneurs, et en tout premier lieu notre grand empereur, avec le vrai rossignol on ne sait jamais d'avance ce qui va venir, tandis qu'avec l'autre tout est prévu. C'est comme ça et pas autrement. On peut expliquer comment il est fait, l'ouvrir, montrer la conception du fabricant, où sont les valses, comment elles se déroulent et comment l'une suit l'autre.

C'est tout à fait ce que je pense, disait chacun des courtisans. Le maître de musique eut même la permission de montrer l'oiseau le dimanche suivant, au peuple, car l'empereur désirait que tous l'entendent.

Le peuple l'entendit. Il y trouva autant de plaisir qu'à s'enivrer de thé — ce qui est très chinois —, il approuvait de la tête en levant en l'air le doigt qui s'appelle «licheur de pot». Cependant, les pauvres pêcheurs qui avaient l'habitude d'entendre leur petit oiseau de la forêt disaient: «C'est joli, ça ressemble... mais il y manque je ne sais quoi!»

Le vrai rossignol fut banni du pays et de l'empire.

Maintenant, l'oiseau mécanique trônait sur un coussin près du lit impérial; tous les cadeaux qu'il avait reçus, or et pierreries étaient rangés tout autour de lui, et il avait le titre de «Grand Chanteur de la table de nuit impériale N° 1, du côté gauche», car l'empereur considérait le côté gauche comme le plus important, le cœur étant à gauche, même chez un empereur.

Le maître de musique écrivit vingt-cinq volumes sur l'oiseau mécanique, si érudits et si longs, en employant les mots chinois les plus terriblement difficiles et les gens affirmaient les avoir lus et les avoir compris, autrement ils auraient passé pour stupides et auraient reçu la bastonnade sur le ventre.

Un an passa. L'empereur, la cour et tous les Chinois savaient par cœur chaque son sorti de la gorge du petit animal, mais ils n'en étaient que plus satisfaits, ils pouvaient chanter avec lui. Les gamins sifflaient: zizizi, kluklukkluk! et l'empereur aussi. C'était vraiment charmant.

Mais un soir... l'automate chantait, l'empereur était couché dans son lit et l'écoutait. Tout à coup, à l'intérieur de l'oiseau, il se fit un «couac», quelque chose sauta «brrrrrr», toutes les roues tournèrent un instant… et la musique s'arrêta! L'empereur sauta du lit, fit appeler son médecin, mais qu'y pouvait-il? Alors, on fit venir l'horloger et, après bien des paroles et des examens sans fin, il réussit à réparer tant bien que mal la mécanique, mais il prévint qu'il fallait beaucoup la ménager car les pivots étaient très usés et il n'était pas capable de les remplacer. Quelle déception! L'oiseau mécanique ne chanta plus qu'une fois par an et encore… Mais le maître de musique fit un petit discours plein de mots très difficiles pour expliquer que c'était aussi bien ainsi… alors c'était aussi bien ainsi.

Cinq ans passèrent et tout le pays eut un grand chagrin — au fond, chacun aimait l'empereur — et maintenant il était très malade, au point de ne pas survivre, disait-on.

Un nouvel empereur était déjà élu que les gens descendaient encore dans la rue pour demander au chancelier comment allait leur cher empereur.

— P.p.p., faisait-il en hochant la tête.

Blême et glacé, l'empereur gisait dans son grand lit magnifique et toute la cour le croyant mort s'empressait de saluer son successeur. Les serviteurs couraient au dehors commenter l'événement; les femmes de chambre donnaient une réception et offraient le café. Dans les salons et les couloirs, des tapis amortissaient le bruit des pas; partout régnait le silence… le silence.

Cependant, l'empereur n'était pas encore mort; immobile, pâle, il était couché dans son lit aux grands rideaux de velours, aux lourds glands d'or. Tout en haut, une fenêtre était ouverte et la lune éclairait le malade et l'oiseau mécanique.

Le pauvre monarque ne pouvait presque plus respirer, il lui semblait avoir un poids énorme sur la poitrine; il ouvrit les yeux et vit que c'était la Mort qui était assise, là. Elle avait mis sa grande couronne d'or et tenait d'une main son sabre d'or, de l'autre son splendide drapeau. Tout autour d'elle, dans les plis des grands rideaux de velours, des têtes étranges perçaient: les unes hideuses, les autres gracieuses et aimables. C'étaient les mauvaises et les bonnes actions de l'empereur qui le regardaient maintenant que la Mort était assise sur son cœur.

— Te souviens-tu de cela? murmuraient-elles. Te souviens-tu de ceci, encore? Et elles lui racontaient tant de choses que la sueur lui perlait sur le front.

—Je n'ai jamais rien su de tout cela, cria l'empereur. Musique! Musique, secouez le grand chapeau chinois, que je n'entende plus ce qu'elles disent!

Mais elles continuaient et la Mort hochait la tête comme un Chinois.

— Musique, musique! cria encore l'empereur. Petit oiseau précieux, chante! chante! Je t'ai donné de l'or et des bijoux, et j'ai moi-même passé à ton cou ma pantoufle d'or, chante! chante!

Mais l'oiseau restait silencieux, personne n'était là pour le remonter et donc il ne pouvait chanter. La Mort regardait le moribond de ses grandes prunelles vides et tout était silencieux, si effroyablement silencieux. Alors, s'éleva soudain près de la fenêtre un chant doux et délicieux, c'était le petit rossignol vivant, assis dans la verdure, au-dehors. Il avait entendu parler de la détresse de son empereur et il venait

lui chanter consolation et espoir. Tandis que son gazouillis s'élevait, les sinistres apparitions s'estompaient, le sang circulait de plus en plus vite dans les membres affaiblis du mourant et la Mort, elle-même, écoutait et disait : «Continue, petit rossignol, continue!»

— Oui, mais donne-moi ce beau sabre d'or, donne-moi ce riche drapeau, donne-moi la couronne de l'empereur.

Et la Mort donna chaque joyau pour un chant. Alors, le rossignol continua de chanter. Il chanta le cimetière paisible où poussent les roses blanches, où le sureau embaume, où l'herbe fraîche est arrosée par les larmes des survivants. La Mort eut la nostalgie de son jardin et se dissipa comme un froid brouillard blanc par la fenêtre.

— Merci, merci, dit l'empereur, petit oiseau du ciel, je te reconnais. Je t'ai chassé de mon pays, de mon empire et, cependant, tu as repoussé de mon lit mes péchés et la Mort de mon cœur! Comment te récompenser?

— Tu m'as déjà récompensé, dit l'oiseau. J'ai vu des larmes dans tes yeux la première fois que j'ai chanté pour toi, et ça je ne l'oublierai jamais. Elles sont le vrai bijou pour le cœur d'un chanteur. Mais dors maintenant, pour redevenir sain et fort! Je vais chanter pour toi.

Et il chanta, et l'empereur s'endormit d'un bon sommeil réparateur.

Le soleil brillait dans sa chambre, lorsqu'il s'éveilla, guéri. Aucun de ses serviteurs n'était auprès de lui, mais le rossignol chantait encore.

— Reste toujours auprès de moi! dit l'empereur. Tu ne chanteras que lorsque tu en auras envie et je briserai l'oiseau mécanique en mille morceaux.

— Non, dit le rossignol, il a fait tout ce qu'il pouvait. Garde-le toujours. Je ne peux pas, moi, bâtir mon nid et vivre dans le château, mais permets-moi de venir quand cela te plaira. Le soir, je serai là sur une branche et je chanterai pour toi afin que tu sois joyeux et pensif à la fois. Je chanterai ceux qui sont heureux et ceux qui souffrent, le bien et le mal qui sont autour de toi et qu'on te cache. Le petit oiseau chanteur peut voler au loin, près des pauvres pêcheurs, sur le toit des paysans, chez tous ceux qui sont loin de toi et de ta cour. J'aime ton cœur plus que ta couronne, et, pourtant, une couronne a comme un parfum sacré autour d'elle. Je viendrai chanter pour toi, mais il faut me promettre une chose...

— Tout ce que tu voudras, dit l'empereur.

Il était debout dans son costume impérial qu'il avait lui-même revêtu, et tenait sur son cœur le sabre alourdi par l'or.

— Je te demande de ne révéler à personne que tu as un petit oiseau qui te dit tout. Alors, tout ira mieux.

Et il s'envola.

Les serviteurs entraient pour voir leur empereur mort. Ils étaient là, debout devant lui, étonnés.

Et lui leur dit, simplement :

— Bonjour!

LA REINE DES NEIGES

Un conte en sept histoires

PREMIÈRE HISTOIRE

qui traite d'un miroir

et de ses morceaux

oilà! Nous commençons. Lorsque nous serons à la fin de l'histoire, nous en saurons plus que maintenant, car c'était un bien méchant sorcier, un des plus mauvais, le «diable» en personne.

Un jour il était de fort bonne humeur: il avait fabriqué un miroir dont la particularité était que le Bien et le Beau en se réfléchissant en lui se réduisaient à presque rien, mais que tout ce qui ne valait rien, tout ce qui était mauvais, apparaissait nettement et empirait encore. Les plus beaux paysages y devenaient des épinards cuits et les plus jolies personnes y semblaient laides à faire peur, ou bien elles se tenaient sur la tête et n'avaient pas de ventre, les visages étaient si déformés qu'ils n'étaient pas reconnaissables, et si l'on avait une tache de rousseur, c'est toute la figure (le nez, la bouche) qui était criblée de son. Le diable trouvait ça très amusant.

Lorsqu'une pensée bonne et pieuse passait dans le cerveau d'un homme, la glace ricanait et le sorcier riait de sa prodigieuse invention.

Tous ceux qui allaient à l'école des sorciers — car il avait créé une école de sorciers — racontaient à la ronde que c'est un miracle qu'il avait accompli là. Pour la première fois, disaient-ils, on voyait comment la terre et les êtres humains sont réellement. Ils couraient de tous côtés avec leur miroir et bientôt il n'y eut pas un pays, pas une personne qui n'ait été déformé là-dedans.

Alors, ces apprentis sorciers voulurent voler vers le ciel lui-même, pour se moquer aussi des anges et de «Notre-Seigneur». Plus ils volaient haut avec le miroir, plus ils

25

ricanaient. C'est à peine s'ils pouvaient le tenir et ils volaient de plus en plus haut, de plus en plus près de Dieu et des anges, alors le miroir se mit à trembler si fort dans leurs mains qu'il leur échappa et tomba dans une chute vertigineuse sur la terre où il se brisa en mille morceaux, que dis-je, en des millions, des milliards de morceaux, et alors, ce miroir devint encore plus dangereux qu'auparavant. Certains morceaux n'étant pas plus grands qu'un grain de sable voltigeaient à travers le monde et si par malheur quelqu'un les recevait dans l'œil, le pauvre accidenté voyait les choses tout de travers ou bien ne voyait que ce qu'il y avait de mauvais en chaque chose, le plus petit morceau du miroir ayant conservé le même pouvoir que le miroir tout entier. Quelques personnes eurent même la malchance qu'un petit éclat leur sauta dans le cœur et, alors, c'était affreux : leur cœur devenait un bloc de glace. D'autres morceaux étaient, au contraire, si grands qu'on les employait pour faire des vitres, et il n'était pas bon dans ce cas de regarder ses amis à travers elles. D'autres petits bouts servirent à faire des lunettes, alors tout allait encore plus mal. Si quelqu'un les mettait pour bien voir et juger d'une chose en toute équité, le Malin riait à s'en faire éclater le ventre, ce qui le chatouillait agréablement.

Mais ce n'était pas fini comme ça. Dans l'air volaient encore quelques parcelles du miroir !

Ecoutez plutôt.

DEUXIÈME HISTOIRE

Un petit garçon

et une petite fille

Dans une grande ville où il y a tant de maisons et tant de monde qu'il ne reste pas assez de place pour que chaque famille puisse avoir son petit jardin et où la plupart des gens doivent se contenter d'avoir des fleurs en pots, deux enfants pauvres avaient un petit jardin tout de même plus grand qu'un simple pot de fleurs. Ils n'étaient pas frère et sœur, mais s'aimaient autant que s'ils l'avaient été. Leurs parents habitaient juste en face les uns des autres, là où le toit d'une maison touchait presque le toit de l'autre, séparés seulement par les gouttières. Une petite fenêtre s'ouvrait dans chaque maison, il suffisait d'enjamber les gouttières pour passer d'un logement à l'autre.

Les familles avaient chacune devant sa fenêtre une grande caisse où poussaient des herbes potagères dont elles se servaient dans la cuisine, et dans chaque caisse poussait aussi un rosier qui se développait admirablement. Un jour, les parents eurent l'idée de placer les caisses en travers des gouttières de sorte qu'elles se rejoignaient presque d'une fenêtre à l'autre et formaient un jardin miniature. Les tiges de pois pendaient autour des caisses et les branches des rosiers grimpaient autour des fenêtres, se penchaient les unes vers les autres, un vrai petit arc de triomphe de verdure et de fleurs. Comme les caisses étaient placées très haut, les enfants savaient qu'ils n'avaient pas le droit d'y grimper seuls, mais on leur permettait souvent d'aller l'un vers l'autre, de s'asseoir chacun sur leur petit tabouret sous les roses, et ils ne jouaient nulle part mieux que là.

L'hiver ce plaisir-là était fini. Les vitres étaient couvertes de givre, mais alors chaque enfant faisait chauffer sur le poêle une pièce de cuivre et la plaçait un instant sur la vitre gelée. Il se formait un petit trou tout rond à travers lequel épiait à chaque fenêtre un petit œil très doux, celui du petit garçon d'un côté, celui de la petite fille de l'autre. Lui s'appelait Kay et elle Gerda.

L'été ils pouvaient d'un bond venir l'un chez l'autre; l'hiver il fallait d'abord descendre les nombreux étages d'un côté et les remonter ensuite de l'autre. Dehors, la neige tourbillonnait.

— Ce sont les abeilles blanches qui papillonnent, disait la grand-mère.

— Est-ce qu'elles ont aussi une reine? demanda le petit garçon qui savait que les véritables abeilles en ont une.

— Mais bien sûr, dit grand-mère. Elle vole là où les abeilles sont les plus serrées, c'est la plus grande de toutes et elle ne reste jamais sur la terre, elle remonte dans les nuages noirs. Souvent, lorsque l'hiver elle voltige dans les rues de la ville et jette un coup d'œil à travers les vitres, celles-ci en gelant se couvrent étrangement de fleurs de glace.

— Nous avons vu ça bien souvent, dirent les enfants et ainsi ils surent que c'était vrai.

— Est-ce que la Reine des Neiges peut entrer ici? demanda la petite fille.

— Elle n'a qu'à venir, dit le petit garçon, je la mettrai sur le poêle brûlant et elle fondra aussitôt.

Mais grand-mère lui caressa les cheveux et parla d'autre chose.

Le soir, le petit Kay, à moitié déshabillé, grimpa sur une chaise près de la fenêtre et regarda par le trou d'observation. Quelques flocons de neige tombaient au-dehors et l'un de ceux-ci, le plus grand, atterrit sur le rebord d'une des caisses de fleurs. Ce flocon grandit peu à peu et finit par devenir une dame vêtue du plus fin voile blanc fait de millions de flocons en forme d'étoiles. Elle était belle, si belle, faite de glace aveuglante et scintillante et cependant vivante. Ses yeux étincelaient comme deux étoiles mais il n'y avait en eux ni calme, ni repos. Elle fit vers la fenêtre un signe de la tête et de la main. Le petit garçon, tout effrayé, sauta à bas de la chaise, il lui sembla alors qu'un grand oiseau, au-dehors, passait en plein vol devant la fenêtre.

Le lendemain fut un jour de froid clair, puis vint le dégel et ensuite le printemps. Le soleil brillait, la verdure commençait à se montrer, les hirondelles bâtissaient leur nid, les fenêtres s'ouvraient et les enfants, de nouveau, s'asseyaient dans leur petit jardin sur la gouttière là-haut, très haut au-dessus des nombreux étages.

Cet été-là les roses fleurirent magnifiquement, Gerda avait appris un psaume où l'on parlait des roses, cela lui faisait penser à ses propres roses et elle chanta cet air au petit garçon qui lui-même chanta avec elle.

Les roses poussent dans les vallées
Où l'Enfant-Jésus vient nous parler.

Les deux enfants se tenaient par la main, ils baisaient les roses, admiraient les clairs rayons du soleil de Dieu et leur parlaient comme si Jésus était là. Quels beaux jours d'été où il était si agréable d'être dehors sous les frais rosiers qui semblaient ne vouloir jamais cesser de donner des fleurs.

Kay et Gerda étaient assis à regarder le livre d'images plein de bêtes et d'oiseaux — l'horloge sonnait cinq heures à la tour de l'église — quand brusquement Kay s'écria :

— Aïe, quelque chose m'a piqué au cœur et une poussière m'est entrée dans l'œil.

La petite le prit par le cou, il cligna des yeux, non, on ne voyait rien.

— Je crois que c'est parti, dit-il, mais ce ne l'était pas du tout ! C'était un de ces éclats du miroir ensorcelé dont nous nous souvenons, cet affreux miroir qui faisait que tout ce qui était grand et beau, réfléchi en lui, devenait petit et laid, tandis que le mal et le vil, le défaut de la moindre chose prenait une importance et une netteté accrue.

Le pauvre Kay avait aussi reçu un éclat juste dans le cœur qui serait bientôt froid comme un bloc de glace. Il ne sentait aucune douleur, mais le mal était fait.

— Pourquoi pleures-tu ? cria-t-il, tu es laide quand tu pleures, est-ce que je me plains de quelque chose ? Oh ! cette rose est dévorée par un ver et regarde celle-là qui pousse tout de travers, au fond ces roses sont très laides, elles ressemblent aux caisses où elles sont plantées.

Il donnait en même temps des coups de pied dans la caisse et arrachait les roses.

— Kay, qu'est-ce que tu fais ! cria la petite, et lorsqu'il vit son effroi, il arracha encore une rose et rentra vite par sa fenêtre, laissant là la charmante petite Gerda.

Quand par la suite elle apportait le livre d'images, il déclarait qu'il était tout juste bon pour les bébés et si grand-mère gentiment racontait des histoires, il avait toujours à redire, parfois il marchait derrière elle, mettait des lunettes et imitait, à la perfection du reste, sa manière de parler, les gens en riaient.

Bientôt il commença à parler et à marcher comme tous les gens de sa rue pour se moquer d'eux. Tout ce qui était singulier et peu joli chez eux, il le faisait remarquer par ses imitations.

On se mit à dire : « Il est intelligent ce garçon-là ! » Mais c'était la poussière du miroir qu'il avait reçue dans l'œil, l'éclat qui s'était fiché dans son cœur qui étaient la cause de sa transformation et de ce qu'il taquinait la petite Gerda, laquelle l'aimait de toute son âme.

Ses jeux changèrent complètement, ils devinrent beaucoup plus réfléchis. Un jour d'hiver comme la neige tourbillonnait au-dehors, il apporta une grande loupe, étala sa veste bleue et laissa la neige tomber dessus.

— Regarde dans la loupe, Gerda, dit-il. Chaque flocon devenait immense et ressemblait à une fleur splendide ou à une étoile à dix côtés.

— Comme c'est curieux, bien plus intéressant qu'une véritable fleur, ici il n'y a aucun défaut, ce serait des fleurs parfaites — si elles ne fondaient pas.

Peu après Kay arriva portant de gros gants, il avait son traîneau sur le dos, il cria aux oreilles de Gerda :

— J'ai la permission de faire du traîneau sur la grande place où les autres jouent! Et le voilà parti.

Sur la place, les garçons les plus hardis attachaient souvent leur traîneau à la voiture d'un paysan et se faisaient ainsi traîner un bon bout de chemin. C'était très amusant. Au milieu du jeu ce jour-là arriva un grand traîneau peint en blanc dans lequel était assis une personne enveloppée d'un manteau de fourrure blanc avec un bonnet blanc également. Ce traîneau fit deux fois le tour de la place et Kay put accrocher rapidement son petit traîneau à ce grand-là et puis en route, il le suivait.

Dans la rue suivante, ils allaient de plus en plus vite. La personne qui conduisait tournait la tête, faisait un signe amical à Kay comme si elle le connaissait. Chaque fois que Kay voulait détacher son petit traîneau, cette personne faisait un signe et Kay ne bougeait plus, ils furent bientôt aux portes de la ville, les dépassèrent même.

Alors la neige se mit à tomber si fort que le petit garçon ne voyait plus rien devant lui, dans cette course folle, il saisit la corde qui l'attachait au grand traîneau pour se dégager, mais rien n'y fit. Son petit traîneau était solidement fixé et menait un train d'enfer derrière le grand. Alors il se mit à crier très fort mais personne ne l'entendit, la neige le cinglait, le traîneau volait, parfois il faisait un bond comme s'il sautait par-dessus des fossés et des mottes de terre. Kay était épouvanté, il voulait dire sa prière et seule sa table de multiplication lui venait à l'esprit.

Les flocons de neige devenaient de plus en plus grands, à la fin on eût dit de véritables maisons blanches, le grand traîneau fit un écart puis s'arrêta et la personne qui le conduisait se leva, son manteau et son bonnet n'étaient faits que de neige et elle était une dame si grande et si mince, étincelante : la Reine des Neiges.

— Nous en avons fait du chemin, dit-elle, mais tu es glacé, viens dans ma peau d'ours. Elle le prit près d'elle dans le grand traîneau, l'enveloppa du manteau. Il semblait à l'enfant tomber dans des gouffres de neige.

— As-tu encore froid? demanda-t-elle en l'embrassant sur le front. Son baiser était plus glacé que la glace et lui pénétra jusqu'au cœur déjà à demi glacé. Il crut mourir, un instant seulement, après il se sentit bien, il ne remarquait plus le froid tout alentour.

— Mon traîneau, n'oublie pas mon traîneau, c'est la dernière chose dont se souvint le petit garçon.

Le traîneau fut attaché à une poule blanche qui vola derrière eux en le portant sur son dos. La Reine des Neiges posa encore une fois un baiser sur le front de Kay, alors il sombra dans l'oubli total, il avait oublié Gerda, la grand-mère et tout le monde à la maison.

— Tu n'auras pas d'autre baiser, dit-elle, car tu en mourrais.

Kay la regarda. Qu'elle était belle, il ne pouvait s'imaginer visage plus intelligent, plus charmant, elle ne lui semblait plus du tout de glace comme le jour où il l'avait aperçue de la fenêtre et où elle lui avait fait des signes d'amitié, à ses yeux elle était aujourd'hui la perfection, il n'avait plus du tout peur, il lui raconta qu'il savait calculer de tête, même avec des chiffres décimaux, qu'il connaissait la superficie du pays et le nombre de ses habitants. Elle lui souriait... Alors il sembla à l'enfant qu'il ne savait au fond que peu de choses et ses yeux s'élevèrent vers l'immensité de l'espace. La reine l'entraînait de plus en plus haut jusqu'à un gros nuage noir. Le vent sifflait et grondait, on eût cru entendre de vieilles chansons.

Ils volèrent par-dessus les forêts et les océans, les jardins et les pays. Au-dessous d'eux le vent glacé sifflait, les loups hurlaient, la neige étincelait, les corbeaux croassaient, mais tout en haut brillait la lune, si grande et si claire, et Kay la regardait tout au long de cette longue nuit d'hiver.

Au matin, il dormait aux pieds de la Reine des Neiges.

TROISIÈME HISTOIRE

Le jardin fleuri de la magicienne

ais que disait la petite Gerda, maintenant que Kay n'était plus là? Où était-il? Personne ne le savait, personne ne pouvait expliquer sa disparition. Les garçons savaient seulement qu'ils l'avaient vu attacher son petit traîneau à un autre, très grand, qui avait tourné dans la rue et était sorti de la ville. Nul ne savait où il était, on versa des larmes, la petite Gerda pleura beaucoup et longtemps, ensuite on dit qu'il était mort, qu'il était tombé dans la rivière coulant près de la ville. Les jours de cet hiver-là furent longs et sombres.

Enfin vint le printemps et le soleil.

— Kay est mort et disparu, disait la petite Gerda.

— Nous ne le croyons pas, répondaient les rayons du soleil.

— Il est mort et disparu, dit-elle aux hirondelles.

— Nous ne le croyons pas, répondaient-elles. A la fin la petite Gerda ne le croyait pas non plus.

— Je vais mettre mes nouveaux souliers rouges, dit-elle un matin, ceux que Kay n'a jamais vus et je vais aller jusqu'à la rivière l'interroger.

Il était de bonne heure, elle embrassa sa grand-mère qui dormait, mit ses souliers rouges et toute seule sortit par la porte de la ville, vers le fleuve.

— Est-il vrai que tu m'as pris mon petit camarade de jeux? Je te ferai cadeau de mes souliers rouges si tu me le rends.

Il lui sembla que les vagues lui faisaient signe, alors elle enleva ses souliers rouges,

32

ceux auxquels elle tenait le plus, et les jeta tous les deux dans l'eau, mais ils tombèrent tout près du bord et les vagues les repoussèrent tout de suite vers elle, comme si la rivière ne voulait pas les accepter, puisqu'elle n'avait pas pris le petit Kay. Gerda crut qu'elle n'avait pas lancé les souliers assez loin, alors elle grimpa dans un bateau qui était là entre les roseaux, elle alla jusqu'au bout du bateau et jeta de nouveau ses souliers dans l'eau. Par malheur le bateau n'était pas attaché et dans le mouvement qu'elle fit il s'éloigna de la rive, elle s'en aperçut aussitôt et voulut retourner à terre, mais avant qu'elle n'y ait réussi, il était déjà loin sur l'eau et il s'éloignait de plus en plus vite.

Alors la petite Gerda fut prise d'une grande frayeur et se mit à pleurer mais personne ne pouvait l'entendre, excepté les moineaux, et ils ne pouvaient pas la porter, ils volaient seulement le long de la rive, en chantant comme pour la consoler : Nous voici! Nous voici! Le bateau s'en allait à la dérive, la pauvre petite était là tout immobile sur ses bas, les petits souliers rouges flottaient derrière mais ne pouvaient atteindre la barque qui allait plus vite.

— Peut-être la rivière va-t-elle m'emporter auprès de Kay, pensa Gerda en reprenant courage. Elle se leva et durant des heures admira la beauté des rives verdoyantes. Elle arriva ainsi à un grand champ de cerisiers où se trouvait une petite maison avec de drôles de fenêtres rouges et bleues et un toit de chaume. Devant elle, deux soldats de bois présentaient les armes à ceux qui passaient.

Gerda les appela croyant qu'ils étaient vivants, mais naturellement ils ne répondirent pas, elle les approcha de tout près et le flot poussa la barque droit vers la terre.

Gerda appela encore plus fort, alors sortit de la maison une vieille, vieille femme qui s'appuyait sur un bâton à crochet, elle portait un grand chapeau de soleil orné de ravissantes fleurs peintes.

— Pauvre petite enfant, dit la vieille, comment es-tu venue sur ce fort courant qui t'emporte loin dans le vaste monde? La vieille femme entra dans l'eau, accrocha le bateau avec le crochet de son bâton, le tira à la rive et en fit sortir la petite fille.

Gerda était bien contente de toucher le sol sec mais un peu effrayée par cette vieille femme inconnue.

— Viens me raconter qui tu es et comment tu es ici, disait-elle.

La petite lui expliqua tout et la vieille branlait la tête en faisant Hm! Hm! et comme Gerda, lui ayant tout dit, lui demandait si elle n'avait pas vu le petit Kay, la femme lui répondit qu'il n'avait pas passé encore, mais qu'il allait sans doute venir, qu'il ne fallait en tout cas pas qu'elle s'en attriste mais qu'elle entre goûter ses confitures de cerises, admirer ses fleurs plus belles que celles d'un livre d'images; chacune d'elles savait raconter une histoire.

Alors elle prit Gerda par la main et elles entrèrent dans la petite maison dont la vieille femme ferma la porte.

Les fenêtres étaient situées très haut et les vitres en étaient rouges, bleues et jaunes, la lumière de jour y prenait des teintes étranges mais sur la table il y avait de délicieuses cerises, Gerda en mangea autant qu'il lui plut. Tandis qu'elle mangeait, la vieille peignait sa chevelure avec un peigne d'or et ses cheveux blonds bouclaient et brillaient autour de son aimable petit visage, tout rond, semblable à une rose.

— J'avais tant envie d'avoir une si jolie petite fille, dit la vieille, tu vas voir comme nous allons bien nous entendre!

A mesure qu'elle peignait les cheveux de Gerda, la petite oubliait de plus en plus son camarade de jeux, car la vieille était une magicienne, mais pas une méchante sorcière, elle s'occupait un peu de magie, comme ça, seulement pour son plaisir personnel et elle avait très envie de garder la petite fille auprès d'elle.

C'est pourquoi elle sortit dans le jardin, tendit sa canne à crochet vers tous les rosiers et quoique chargés des fleurs les plus ravissantes, ils disparurent dans la terre noire, on ne voyait même plus où ils avaient été. La vieille femme avait peur que Gerda en voyant les roses ne vint à se souvenir de son rosier à elle, de son petit camarade Kay et qu'elle ne s'enfuie.

Ensuite, elle conduisit Gerda dans le jardin fleuri. Oh! quel parfum délicieux! toutes les fleurs et les fleurs de toutes les saisons étaient là dans leur plus belle floraison, nul livre d'images n'aurait pu être plus varié et plus beau. Gerda sauta de plaisir et joua jusqu'au moment où le soleil descendit derrière les grands cerisiers. Alors on la mit dans un lit délicieux garni d'édredons de soie rouge bourrés de violettes bleues et elle dormit et rêva comme une princesse au jour de ses noces.

Le lendemain elle joua encore parmi les fleurs, dans le soleil — et les jours passèrent. Gerda connaissait toutes les fleurs par leur nom, il y en avait tant et tant et cependant il lui semblait qu'il en manquait une, laquelle? Elle ne le savait pas.

Un jour elle était là, assise, et regardait le chapeau de soleil de la vieille femme avec les fleurs peintes où justement la plus belle fleur était une rose. La sorcière avait tout à fait oublié de la faire disparaître de son chapeau en même temps qu'elle faisait descendre dans la terre les vraies roses. On ne pense jamais à tout!

— Comment, s'écria Gerda, il n'y a pas une seule rose ici? Elle sauta au milieu de tous les parterres, chercha et chercha, mais n'en trouva aucune. Alors elle s'assit sur le sol et pleura, mais ses chaudes larmes tombèrent précisément à un endroit où un rosier s'était enfoncé, et lorsque les larmes mouillèrent la terre, l'arbre reparut soudain plus magnifiquement fleuri qu'auparavant. Gerda l'entoura de ses bras et pensa tout d'un coup à ses propres roses de chez elle et à son petit ami Kay.

— Oh! comme on m'a retardée, dit la petite fille. Et je devais chercher Kay! Ne savez-vous pas où il est? demanda-t-elle aux roses. Croyez-vous vraiment qu'il soit mort et disparu?

— Non, il n'est pas mort, répondirent les roses, nous avons été sous la terre, tous les morts y sont et Kay n'y était pas!

— Merci, merci à vous, dit Gerda allant vers les autres fleurs, elle regarda dans leur calice en demandant:

— Ne savez-vous pas où se trouve le petit Kay?

Mais chaque fleur debout au soleil rêvait sa propre histoire, Gerda en entendit tant et tant, aucune ne parlait de Kay.

Mais que disait donc le lis rouge?

— Entends-tu le tambour : Boum! Boum! deux notes seulement, boum! boum! écoute le chant de deuil des femmes, l'appel du prêtre. Dans son long sari rouge, la femme hindoue est debout sur le bûcher, les flammes montent autour d'elle et de son époux défunt, mais la femme hindoue pense à l'homme qui est vivant dans la foule autour d'elle, à celui dont les yeux brûlent, plus ardents que les flammes, celui dont le regard touche son cœur plus que cet incendie qui bientôt réduira son corps en cendre. La flamme du cœur peut-elle mourir dans les flammes du bûcher?

— Je n'y comprends rien du tout, dit la petite Gerda.

— C'est là mon histoire, dit le lis rouge.

Et que disait le liseron?

— Là-bas, au bout de l'étroit sentier de montagne est suspendu un vieux castel, le lierre épais pousse sur les murs rongés, feuille contre feuille, jusqu'au balcon où se tient une ravissante jeune fille. Elle se penche sur la balustrade et regarde au loin sur le chemin. Aucune rose dans le branchage n'est plus fraîche que cette jeune fille, aucune fleur de pommier que le vent arrache à l'arbre et emporte au loin n'est plus légère. Dans le froufrou de sa robe de soie, elle s'agite : «Ne vient-il pas?».

— Est-ce de Kay que tu parles? demanda Gerda.

— Je ne parle que de ma propre histoire, de mon rêve, répondit le liseron.

Mais que dit le petit perce-neige?

— Dans les arbres, cette longue planche suspendue par deux cordes, c'est une balançoire. Deux délicieuses petites filles — les robes sont blanches, de longs rubans verts flottent à leurs chapeaux — y sont assises et se balancent. Le frère, plus grand qu'elles, se met debout sur la balançoire, il passe un bras autour de la corde pour se tenir, il tient d'une main une petite coupe, de l'autre une pipe d'écume et il fait des bulles de savon. La balançoire va et vient, les bulles de savon aux teintes irisées s'envolent, la dernière tient encore à la pipe et se penche dans la brise. La balançoire va et vient. Le petit chien noir aussi léger que les bulles de savon se dresse sur ses pattes de derrière et veut aussi monter, mais la balançoire vole, le chien tombe, il aboie, il est furieux, on rit de lui, les bulles éclatent. Voilà! une planche qui se balance, une écume qui se brise, voilà ma chanson...

— C'est peut-être très joli ce que tu dis là, mais tu le dis tristement et tu ne parles pas de Kay.

Que dit la jacinthe?

— Il y avait trois sœurs délicieuses, transparentes et délicates, la robe de la première était rouge, celle de la seconde bleue, celle de la troisième toute blanche. Elles dansaient en se tenant par la main près du lac si calme, au clair de lune. Elles n'étaient pas filles des elfes mais bien enfants des hommes. L'air embaumait d'un exquis parfum, les jeunes filles disparurent dans la forêt. Le parfum devenait de plus en plus fort — trois cercueils où étaient couchées les ravissantes filles glissaient d'un fourré de la forêt dans le lac, les vers luisants volaient autour comme de petites lumières flottantes. Dormaient-elles ces belles filles? Etaient-elles mortes? Le parfum des fleurs dit qu'elles sont mortes, les cloches sonnent pour les défuntes.

— Tu me rends malheureuse, dit la petite Gerda. Tu as un si fort parfum, qui me fait penser à ces pauvres filles. Hélas! le petit Kay est-il vraiment mort? Les roses qui ont été sous la terre me disent que non.

— Ding! Dong! sonnèrent les clochettes des jacinthes. Nous ne sonnons pas pour le petit Kay, nous ne le connaissons pas. Nous chantons notre chanson, c'est la seule que nous sachions.

Gerda se tourna alors vers le bouton d'or qui brillait parmi les feuilles vertes, luisant.

— Tu es un vrai petit soleil! lui dit Gerda. Dis-moi si tu sais où je trouverai mon camarade de jeux?

Le bouton d'or brillait tant qu'il pouvait et regardait aussi la petite fille. Mais quelle chanson savait-il? On n'y parlait pas non plus de Kay:

— Dans une petite ferme, le soleil brillait au premier jour du printemps, ses rayons frappaient le bas du mur blanc du voisin, et tout près poussaient les premières fleurs jaunes, or lumineux dans ces chauds rayons. Grand-mère était assise dehors dans son fauteuil, sa petite fille, la pauvre et jolie servante rentrait d'une courte visite, elle embrassa la grand-mère. Il y avait de l'or du cœur dans ce baiser béni. De l'or sur les lèvres, de l'or au fond de l'être, de l'or dans les claires heures du matin. Voilà ma petite histoire, dit le bouton d'or.

— Ma pauvre vieille grand-mère, soupira Gerda. Elle me regrette sûrement et elle s'inquiète comme elle s'inquiétait pour Kay. Mais je rentrerai bientôt et je ramènerai Kay. Cela ne sert à rien que j'interroge les fleurs, elles ne connaissent que leur propre chanson, elles ne savent pas me renseigner.

Elle retroussa sa petite robe pour pouvoir courir plus vite, mais le narcisse lui fit un croc en jambe au moment où elle sautait par-dessus lui. Alors elle s'arrêta, regarda la haute fleur et demanda:

— Sais-tu par hasard quelque chose? Elle se pencha très bas pour être près de lui. Et que dit-il?

— Je me vois moi-même, je me vois moi-même! Oh! Oh! quel parfum je répands! Là-haut dans la mansarde, à demi vêtue, se tient une petite danseuse, tantôt sur une jambe, tantôt sur les deux, elle envoie promener le monde entier de son pied, au fond elle n'est qu'une illusion visuelle, pure imagination. Elle verse l'eau de la théière sur un morceau d'étoffe qu'elle tient à la main, c'est son corselet — la propreté est une bonne chose — la robe blanche est suspendue à la patère, elle a aussi été lavée dans la théière et séchée sur le toit. Elle met la robe et un fichu jaune safran autour du cou pour que la robe paraisse plus blanche. La jambe en l'air! dressée sur une longue tige, c'est moi, je me vois moi-même.

— Mais je m'en moque, cria Gerda, pourquoi me raconter cela?

Elle courut au bout du jardin. La porte était fermée, mais elle remua la charnière rouillée qui céda, la porte s'ouvrit. Alors la petite Gerda sans chaussures, s'élança sur ses bas dans le monde.

Elle se retourna trois fois, mais personne ne la suivait; à la fin, lasse de courir, elle s'assit sur une grande pierre. Lorsqu'elle regarda autour d'elle, elle vit que l'été était passé, on était très avancé dans l'automne ce qu'on ne remarquait pas du tout dans le jardin enchanté où il y avait toujours du soleil et toutes les fleurs de toutes les saisons.

— Mon Dieu que j'ai perdu de temps! s'écria la petite Gerda. Voilà que nous sommes en automne, je n'ai pas le droit de me reposer.

Elle se leva et repartit.

Comme ses petits pieds étaient endoloris et fatigués! Autour d'elle tout était froid et hostile, les longues feuilles du saule étaient toutes jaunes et le brouillard s'égouttait d'elles, une feuille après l'autre tombait à terre, seul le prunellier avait des fruits âcres à vous en resserrer toutes les gencives. Oh! que tout était gris et lourd dans le vaste monde!

QUATRIÈME HISTOIRE

Prince et Princesse

ncore une fois, Gerda dut se reposer, elle s'assit. Alors sur la neige une corneille sautilla auprès d'elle, une grande corneille qui la regardait depuis un bon moment en secouant la tête. Elle fit Kra! Kra! bonjour, bonjour. Elle ne savait dire mieux, mais avait d'excellentes intentions. Elle demanda à la petite fille où elle allait ainsi, toute seule, à travers le monde.

Le mot *seule*, Gerda le comprit fort bien, elle sentait mieux que quiconque tout ce qu'il pouvait contenir, elle raconta toute sa vie à la corneille et lui demanda si elle n'avait pas vu Kay.

La corneille hochait la tête et semblait réfléchir.

— Mais, peut-être bien, ça se peut...

— Vraiment! tu le crois? cria la petite fille.

Elle aurait presque tué la corneille tant elle l'embrassait.

— Doucement, doucement, fit la corneille. Je crois que ce pourrait bien être Kay, mais il t'a sans doute oubliée pour la princesse.

— Est-ce qu'il habite chez une princesse? demanda Gerda.

— Oui, écoute, mais je m'exprime si mal dans ta langue. Si tu comprenais le parler des corneilles, ce me serait plus facile.

— Non, ça je ne l'ai pas appris, dit Gerda, mais grand-mère le savait, elle savait tout. Si seulement je l'avais appris!

— Ça ne fait rien, je raconterai comme je pourrai, très mal sûrement.

Et elle se mit à raconter.

Dans ce royaume où nous sommes habite une princesse d'une intelligence extraordinaire, mais il est vrai qu'elle a lu tous les journaux qui existent au monde (elle a tout oublié du reste) tellement elle est intelligente.

L'autre jour qu'elle était assise sur le trône — ce n'est pas si amusant d'après ce qu'on dit — elle se mit à fredonner une chanson «Pourquoi ne pas me marier?»

— Tiens, ça me donne une idée! s'écria-t-elle, et elle eut envie de se marier, mais elle voulait un mari capable de répondre avec esprit quand on lui parlait, un mari qui ne se contenterait pas d'avoir l'air distingué — car c'est très ennuyeux. Elle convoqua toutes les dames de la cour et lorsqu'elles eurent entendu de quoi il retournait, elles furent enchantées.

— Ça, ça me plaît, dirent-elles, j'y avais déjà pensé.

— Chaque mot que je dis est la pure vérité, interrompit la corneille. J'ai une fiancée qui est apprivoisée et se promène librement dans le château, c'est elle qui m'a tout raconté.

Sa fiancée était naturellement aussi une corneille, car une corneille mâle cherche toujours une fiancée de son espèce.

Tout de suite les journaux parurent avec une bordure de cœurs et l'initiale de la princesse. On y lisait que tout jeune homme de bonne apparence pouvait monter au château et parler à la princesse et celui qui parlerait de façon à ce que l'on comprenne tout de suite qu'il était bien à sa place dans un château, que celui enfin qui parlerait le mieux, la princesse le prendrait pour époux.

— Oui! oui! tu peux m'en croire, c'est aussi vrai que me voilà, dit la corneille, les gens accouraient, quelle foule, quelle presse, mais sans succès le premier, ni le second jour. Ils parlaient tous très facilement dans la rue, mais quand ils avaient dépassé les grilles du palais, vu les gardes en uniformes brodés d'argent, les laquais en livrée d'or sur les escaliers et les grands salons illuminés, ils étaient tout déconcertés, ils se tenaient devant le trône où la princesse était assise et ne savaient que dire sinon répéter le dernier mot qu'elle avait prononcé, et ça elle ne se souciait nullement de l'entendre répéter. On aurait dit que tous ces prétendants avaient avalé du tabac à priser et étaient tombés en léthargie — jusqu'à ce qu'ils se retrouvent dehors, dans la rue, alors ils retrouvaient la parole. Il y avait queue depuis les portes de la ville jusqu'au château, je l'ai vu moi-même, affirma la corneille. Quand ils arrivaient au château, ils avaient faim et soif mais on ne leur offrait même pas un verre d'eau tiède.

Les plus avisés avaient bien apporté des tartines mais ils ne partageaient pas avec leurs voisins, ils pensaient:

— S'il a l'air affamé, la princesse ne le prendra pas.

— Mais Kay, mon petit Kay, quand m'en parleras-tu? Etait-il parmi tous ces gens-là?

— Patience! patience! nous y sommes. Le troisième jour arriva un petit personnage sans cheval ni voiture, il monta d'un pas décidé jusqu'au château, ses yeux brillaient comme les tiens, il avait de beaux cheveux longs, mais ses vêtements étaient bien pauvres.

— C'était Kay, jubila Gerda. Enfin je l'ai trouvé et elle battit des mains.

— Il avait un petit sac sur le dos, dit la corneille.

— Non, c'était sûrement son traîneau, dit Gerda, il était parti avec.

— Possible, répondit la corneille, je n'y ai pas regardé de si près, mais ma fiancée apprivoisée m'a dit que lorsqu'il entra par le grand portail, qu'il vit les gardes en uniformes brodés d'argent, les laquais des escaliers vêtus d'or, il ne fut pas du tout intimidé, il les salua, disant :

— Comme ce doit être ennuyeux de rester sur l'escalier, j'aime mieux entrer.

Les salons étaient brillamment illuminés, les Conseillers particuliers et les Excellences marchaient pieds nus et portaient des plats en or, c'était quelque chose de très imposant. Il avait des souliers qui craquaient très fort, mais il ne se laissa pas impressionner.

— C'est sûrement Kay, dit Gerda, je sais qu'il avait des souliers neufs et je les entendais craquer dans la chambre de grand-maman.

— Oui, pour craquer, ils craquaient, mais plein d'assurance, il s'avança jusque devant la princesse qui était assise sur une perle grande comme une roue de rouet.

Toutes les dames de la cour avec leurs servantes et les servantes de leurs servantes, et tous les chevaliers avec leurs serviteurs et les serviteurs de leurs serviteurs qui eux-mêmes avaient droit à un petit valet, se tenaient debout tout autour et plus ils étaient près de la porte, plus ils avaient l'air fier. Le valet du domestique du premier serviteur qui se promène toujours en pantoufles, on ose à peine le regarder tellement il a l'air fier debout dans la porte.

— Ça doit être affreux, dit Gerda. Mais est-ce que Kay a tout de même eu la princesse ?

— Si je n'étais pas corneille, je l'aurais prise et cela bien que je sois fiancé. Il a, paraît-il, parlé aussi bien que je parle dans ma langue, c'est ma fiancée qui me l'a dit. Il était décidé et charmant, il n'était pas du tout venu en prétendant mais seulement pour juger de l'intelligence de la princesse et il la trouva remarquable... et elle le trouva très bien aussi.

— C'était lui, c'était Kay, s'écria Gerda, il était si intelligent, il savait calculer de tête même avec les chiffres décimaux. Oh ! conduis-moi au château...

— C'est vite dit, répartit la corneille, mais comment ? J'en parlerai à ma fiancée apprivoisée, elle saura nous conseiller car il faut bien que je te dise qu'une petite fille comme toi ne peut pas entrer là régulièrement.

— Si, j'irai, dit Gerda. Quand Kay entendra que je suis là il sortira tout de suite pour venir me chercher.

— Attends-moi là près de l'escalier, elle secoua la tête et s'envola.

Il faisait nuit lorsque la corneille revint.

— Kra! Kra! fit-elle. Ma fiancée te fait dire mille choses et voici pour toi un petit pain qu'elle a pris à la cuisine. Ils ont assez de pain là-dedans et tu dois avoir faim. Il est impossible que tu entres au château — tu n'as pas de chaussures — les gardes en argent et les laquais en or ne le permettraient pas, mais ne pleure pas, tu vas tout de même y aller. Ma fiancée connaît un petit escalier dérobé qui conduit à la chambre à coucher et elle sait où elle peut en prendre la clé.

Alors la corneille et Gerda s'en allèrent dans le jardin, dans les grandes allées où les feuilles tombaient l'une après l'autre, puis au château où les lumières s'éteignaient l'une après l'autre et la corneille conduisit Gerda jusqu'à une petite porte de derrière qui était entrebâillée.

Oh! comme le cœur de Gerda battait d'inquiétude et de désir, comme si elle faisait quelque chose de mal, et pourtant elle voulait seulement savoir s'il s'agissait bien de Kay — oui, ce ne pouvait être que lui, elle pensait si intensément à ses yeux intelligents, à ses longs cheveux, elle le voyait vraiment sourire comme lorsqu'ils étaient à la maison sous les roses. Il serait sûrement content de la voir, de savoir quel long chemin elle avait fait pour le trouver et combien tout le monde avait eu du chagrin quand il n'était pas revenu. Oh! quelle crainte elle ressentait mais aussi quelle joie!

Les voilà dans l'escalier où brûlait une petite lampe sur un buffet, au milieu du parquet se tenait la corneille apprivoisée qui tournait la tête de tous les côtés et considérait Gerda laquelle fit une révérence comme grand-mère le lui avait appris.

— Mon fiancé m'a dit tant de bien de vous, ma petite demoiselle, dit la corneille apprivoisée, du reste votre curriculum vitae, comme on dit, est si touchant. Voulez-vous tenir la lampe, je marcherai devant. Nous irons tout droit, ici nous ne rencontrerons personne.

— Il me semble que quelqu'un marche juste derrière nous, dit Gerda. Quelque chose passa près d'elle en bruissant, sur les murs glissaient des ombres : chevaux aux crinières flottantes et aux jambes fines, jeunes chasseurs, cavaliers et cavalières.

— Rêves que tout cela, dit la corneille. Ils viennent seulement orienter vers la chasse les rêves de nos princes, nous pourrons d'autant mieux les contempler dans leur lit. Mais autre chose : si vous entrez en grâce et prenez de l'importance ici, vous montrerez-vous reconnaissante?

— Ne parlons pas de ça, dit la corneille de la forêt. Ils entrèrent dans la première salle tendue de satin rose à grandes fleurs, les rêves les avaient dépassés et couraient si vite que Gerda ne put apercevoir les hauts personnages. Les salles se succédaient l'une plus belle que l'autre, on en était impressionné... et ils arrivèrent à la chambre à coucher.

Le plafond ressemblait à un grand palmier aux feuilles de verre précieux, et au milieu du parquet se trouvaient, accrochés à une tige d'or, deux lits qui ressemblaient à des lis, l'un était blanc et la princesse y était couchée, l'autre était rouge et c'est dans celui-là que Gerda devait chercher le petit Kay. Elle écarta quelques pétales rouges et aperçut une nuque brune.

— Oh! c'est Kay! cria-t-elle tout haut en élevant la lampe vers lui. Les rêves à cheval bruissaient dans la chambre. Il s'éveilla, tourna la tête vers elle — et ce n'était pas le petit Kay...

Le prince ne lui ressemblait que par la nuque mais il était jeune et beau.

Alors la petite Gerda se mit à pleurer, elle raconta toute son histoire et ce que les corneilles avaient fait pour l'aider.

— Pauvre petite, s'exclamèrent le prince et la princesse. Ils louèrent grandement les corneilles, déclarant qu'ils n'étaient pas du tout fâchés mais qu'elles ne devaient tout de même pas recommencer. Cependant ils voulaient leur donner une récompense.

— Voulez-vous voler librement? demanda la princesse, ou voulez-vous avoir la charge de corneilles de la cour ayant droit à tous les déchets de la cuisine?

Les deux corneilles firent la révérence et demandèrent une charge fixe; elles pensaient à leur vieillesse et qu'il est toujours bon d'avoir quelque chose de sûr pour ses vieux jours.

Le prince se leva de son lit et permit à Gerda d'y dormir. Il ne pouvait vraiment faire plus. Elle joignit ses petites mains et pensa :

— Comme il y a des êtres humains et aussi des animaux qui sont bons. Là-dessus elle ferma les yeux et s'endormit délicieusement.

Tous les rêves voltigèrent à nouveau autour d'elle, cette fois ils avaient l'air d'anges du Bon Dieu, ils portaient un petit traîneau sur lequel était assis Kay qui saluait. Mais tout ceci n'était que rêve et disparut dès qu'elle s'éveilla.

Le lendemain on la vêtit de la tête aux pieds de soie et de velours, elle fut invitée à rester au château et à couler des jours heureux mais elle demanda seulement une petite voiture attelée d'un cheval et une paire de petites bottines, elle voulait repartir de par le monde pour retrouver Kay.

On lui donna de petites bottines et un manchon, on l'habilla à ravir et au moment de partir un carrosse d'or pur attendait devant la porte. Les armes du prince et de la princesse y brillaient, cocher, domestiques et postillons — car il y avait aussi des postillons — portaient des livrées brodées de couronnes d'or. Le prince et la princesse la firent eux-mêmes monter en voiture et lui souhaitèrent bonne chance. La corneille de la forêt, mariée maintenant, les accompagna pendant trois lieues assise à côté de la petite fille car elle ne pouvait supporter de rouler à reculons, la deuxième corneille, debout à la porte, battait des ailes, souffrant d'un grand mal de tête pour avoir trop mangé depuis qu'elle avait obtenu un poste fixe, elle ne pouvait les accompagner. Le carrosse était bourré de craquelins sucrés, de fruits et de pains d'épice.

— Adieu! Adieu! criaient le prince et la princesse. Gerda pleurait, la corneille pleurait, les premières lieues passèrent ainsi, puis la corneille fit aussi ses adieux et ce fut la plus dure séparation. Elle s'envola dans un arbre et battit de ses ailes noires aussi longtemps que fut en vue la voiture qui rayonnait comme le soleil lui-même.

La petite fille des brigands

On roulait à travers la sombre forêt et le carrosse luisait comme un flambeau. Des brigands qui se trouvaient là en eurent les yeux blessés, ils ne pouvaient le supporter.

— De l'or! de l'or! criaient-ils.

S'élançant à la tête des chevaux, ils massacrèrent les petits postillons, le cocher et les valets et tirèrent la petite Gerda hors de la voiture.

— Elle est grassouillette, elle est mignonne et nourrie d'amandes, dit la vieille brigande qui avait une longue barbe broussailleuse et des sourcils qui lui tombaient sur les yeux. C'est joli comme un petit agneau gras, ce sera délicieux à manger.

Elle tira son grand couteau et il luisait d'une façon terrifiante.

— Aïe! criait en même temps cette mégère.

Sa propre petite fille qu'elle portait sur le dos et qui était sauvage et mal élevée à souhait, venait de la mordre à l'oreille.

— Sale petite! fit la mère. Elle n'eut pas le temps de tuer Gerda, sa petite fille lui dit:

— Elle jouera avec moi, qu'elle me donne son manchon, sa jolie robe et je la laisserai coucher dans mon lit.

Elle mordit de nouveau sa mère qui se débattait et se tournait de tous les côtés. Les brigands riaient.

— Voyez comme elle danse avec sa petite!

— Je veux monter dans le carrosse, dit la petite fille des brigands.

Et il fallut en passer par où elle voulait, elle était si gâtée et si difficile. Elle s'assit auprès de Gerda et la voiture repartit par-dessus les souches et les broussailles plus profondément encore dans la forêt. La fille des brigands était de la taille de Gerda mais plus forte, plus large d'épaules, elle avait le teint sombre et des yeux noirs presque tristes. Elle prit Gerda par la taille, disant :

— Ils ne te tueront pas tant que je ne serai pas fâchée avec toi. Tu es sûrement une princesse.

— Non, répondit Gerda.

Et elle lui raconta tout ce qui lui était arrivé et combien elle aimait le petit Kay.

La fille des brigands la regardait d'un air sérieux, elle fit un signe de la tête.

— Ils ne te tueront pas, même si je me fâche avec toi, dans ce cas, je le ferai bien moi-même.

Elle essuya les yeux de Gerda et mit ses deux mains dans le manchon. Qu'il était doux et chaud !

Le carrosse s'arrêta, elles étaient au milieu de la cour d'un château de brigands, tout lézardé du haut en bas, des corbeaux, des corneilles s'envolaient de tous les trous et les grands bouledogues qui avaient chacun l'air capable d'avaler un homme, bondissaient mais n'aboyaient pas, cela leur était défendu.

Dans la grande vieille salle noire de suie, brûlait sur le dallage de pierres un grand feu, la fumée montait vers le plafond et cherchait une issue, une grande marmite de soupe bouillait et sur des broches rôtissaient lièvres et lapins.

— Tu vas dormir avec moi et tous mes petits animaux préférés ! dit la fille des brigands.

Après avoir bu et mangé elles allèrent dans un coin où il y avait de la paille et des couvertures. Au-dessus, sur des lattes et des barreaux se tenaient une centaine de pigeons qui avaient tous l'air de dormir mais ils tournèrent un peu la tête à l'arrivée des fillettes.

— Ils sont tous à moi, dit la petite fille des brigands.

Elle attrapa un des plus proches, le tint par les pattes tandis qu'il battait des ailes.

— Embrasse-le ! cria-t-elle en le claquant à la figure de Gerda.

— Et voilà toutes les canailles de la forêt, continua-t-elle, en montrant une quantité de barreaux masquant un trou très haut dans le mur.

— Ce sont les canailles de la forêt, ces deux-là, ils s'envolent tout de suite si on ne les enferme pas bien. Et voici le plus chéri, mon vieux Bée !

Elle tira par une corne un renne qui portait un anneau de cuivre poli autour du cou et qui était attaché.

— Il faut aussi l'avoir à la chaîne celui-là, sans quoi il bondit et s'en va. Tous les soirs je lui caresse le cou avec mon couteau aiguisé, il en a une peur terrible, ajouta-t-elle.

Elle prit un couteau dans une fente du mur et le fit glisser sur le cou du pauvre renne qui ruait, mais la fille des brigands ne faisait qu'en rire. Elle entraîna Gerda vers le lit.

— Est-ce que tu le gardes près de toi pour dormir? demanda Gerda avec un regard effrayé vers le couteau.

— Je dors toujours avec un couteau, dit la fille des brigands. On ne sait jamais ce qui peut arriver. Mais répète-moi ce que tu me racontais de Kay et pourquoi tu es partie à l'aventure.

Tandis que la petite Gerda racontait, les pigeons de la forêt roucoulaient là-haut dans leur cage, les autres pigeons dormaient. La fille des brigands dormait et ronflait, une main passée autour du cou de Gerda et le couteau dans l'autre, mais Gerda ne put fermer l'œil, ne sachant si elle allait vivre ou mourir.

Les bandits étaient venus s'asseoir autour du feu, ils chantaient et buvaient et la vieille faisait des culbutes. Oh! c'était affreux!

Alors, les pigeons de la forêt dirent :

— Crouou! Crouou! nous avons vu le petit Kay. Une poule blanche portait son traîneau, lui était assis dans celui de la Reine des Neiges, qui volait bas au-dessus de la forêt, nous étions dans notre nid, la Reine a soufflé sur tous les jeunes et tous sont morts, sauf nous deux. Crouou! Crouou!

— Que dites-vous là-haut? cria Gerda. Où la Reine des Neiges est-elle partie? Le savez-vous?

— Elle allait sûrement vers la Laponie où il y a toujours de la neige et de la glace. Demande au renne qui est attaché à la corde.

— Il y a de la glace et de la neige, c'est agréable et bon, dit le renne. Là, on peut sauter, libre, dans les grandes plaines brillantes, c'est là que la Reine des Neiges a sa tente d'été, mais son véritable château est près du Pôle Nord, sur une île appelée Spitzberg.

— Oh! mon Kay, mon petit Kay, soupira Gerda.

— Si tu ne te tiens pas tranquille, dit la fille des brigands à demi réveillée, je te plante le couteau dans le ventre.

Au matin Gerda raconta à la fillette ce que les pigeons, le renne, lui avaient dit et la fille des brigands avait un air très sérieux, elle disait :

— Ça m'est égal! ça m'est égal!

— Sais-tu où est la Laponie? demanda-t-elle au renne.

— Qui pourrait le savoir mieux que moi, répondit l'animal dont les yeux étincelèrent. C'est là que je suis né, que j'ai joué et bondi sur les champs enneigés.

— Ecoute, dit la fille des brigands à Gerda, tu vois que maintenant tous les hommes sont partis, la mère est toujours là et elle restera, mais bientôt elle va se mettre à boire à même cette grande bouteille là-bas et elle se paiera ensuite un petit somme supplémentaire — alors je ferai quelque chose pour toi.

Elle sauta du lit, se précipita au cou de sa mère, lui tira la barbe et dit :

— Bonjour mon gentil bouc...

Et la mère lui donna dans le nez une chiquenaude qui le fit devenir bleu et rouge — mais tout cela était pure tendresse.

Lorsque la mère eut bu la bouteille et se fut rendormie, la fille des brigands alla vers le renne et lui dit :

— Cela m'aurait amusé de te chatouiller encore souvent le cou avec mon couteau aiguisé car tu es si amusant quand tu as peur, mais tant pis, je vais te détacher et t'aider à sortir pour que tu puisses courir jusqu'en Laponie mais il faudra prendre tes jambes à ton cou et m'apporter cette petite fille au château de la Reine des Neiges où est son camarade de jeux. Tu as sûrement entendu ce qu'elle a raconté, elle parlait assez fort et tu es toujours à écouter.

Le renne sauta en l'air de joie. La fille des brigands souleva Gerda et prit la précaution de l'attacher fermement sur le dos de la bête, elle la fit même asseoir sur un petit coussin.

— Ça m'est égal, dit-elle. Prends tes bottines fourrées car il fera froid, mais le manchon je le garde, il est trop joli. Et comme je ne veux pas que tu aies froid, voilà les immenses moufles de ma mère, elles te monteront jusqu'au coude — fourre-moi tes mains là-dedans. Et voilà, par les mains tu ressembles à mon affreuse mère.

Gerda pleurait de joie.

— Assez de pleurnicheries, je n'aime pas ça, tu devrais avoir l'air contente au contraire, voilà deux pains et un jambon, tu ne souffriras pas de la faim. Elle attacha les deux choses sur le renne, ouvrit la porte, enferma les grands chiens, puis elle coupa avec son couteau la corde du renne et lui dit :

— Va maintenant, cours, mais fais bien attention à la petite fille.

Gerda tendit ses mains gantées des immenses moufles vers la fille des brigands pour dire adieu et le renne détala par-dessus les buissons et les souches, à travers la grande forêt par les marais et par la steppe, il courait tant qu'il pouvait. Les loups hurlaient, les corbeaux croassaient. Le ciel faisait pfut! pfut! comme s'il éternuait rouge.

— C'est la chère vieille aurore boréale, dit le renne, regarde cette lumière! Et il courait, il courait, de jour et de nuit.

On mangea les pains, et le jambon aussi. Et ils arrivèrent en Laponie.

SIXIÈME HISTOIRE

La Femme lapone et la Finnoise

Ils s'arrêtèrent près d'une petite maison très misérable, le toit descendait jusqu'à terre et la porte était si basse que la famille devait ramper sur le ventre pour y entrer. Il n'y avait personne au logis qu'une vieille femme lapone qui faisait cuire du poisson sur une lampe à huile de foie de morue. Le renne lui raconta toute l'histoire de Gerda, mais d'abord la sienne qui semblait être beaucoup plus importante et Gerda était si transie de froid qu'elle ne pouvait pas parler.

— Hélas! pauvres de vous, s'écria la femme, vous avez encore beaucoup à courir, au moins cent lieues encore pour atteindre le Finmark, c'est là qu'est la maison de campagne de la Reine des Neiges et les aurores boréales s'y allument chaque soir. Je vais vous écrire un mot sur un morceau de morue, je n'ai pas de papier, et vous le porterez à la femme finnoise là-haut, elle vous renseignera mieux que moi.

Lorsque Gerda fut un peu réchauffée quand elle eut bu et mangé, la femme lapone écrivit quelques mots sur un morceau de morue séchée, recommanda à Gerda d'y faire bien attention, attacha de nouveau la petite fille sur le renne — et en route. Pfut! pfut! entendait-on dans l'air, la plus jolie lumière bleue brûlait là-haut.

Ils arrivèrent au Finmark et frappèrent à la cheminée de la femme finnoise car là il n'y avait même pas de porte.

Quelle chaleur dans cette maison! la Finnoise y était presque nue, petite et malpropre. Elle défit rapidement les vêtements de Gerda, lui enleva les moufles et les bottines pour qu'elle n'ait pas trop chaud, mit un morceau de glace sur la tête du renne et commença à lire ce qui était écrit sur la morue séchée. Elle lut et relut trois fois, ensuite, comme elle le savait par cœur, elle mit le morceau de poisson à cuire dans la marmite, c'était bon à manger et elle ne gaspillait jamais rien.

Le renne raconta d'abord sa propre histoire puis celle de Gerda. La Finnoise clignait de ses yeux intelligents mais ne disait rien.

— Tu es très remarquable, dit le renne, je sais que tu peux attacher tous les vents du monde avec un simple fil à coudre, si le marin défait un nœud il a bon vent, s'il défait un second nœud, il vente fort, et s'il défait le troisième et le quatrième, la tempête est si terrible que les arbres des forêts sont renversés. Ne veux-tu pas donner à cette petite fille un breuvage qui lui assure la force de douze hommes et lui permette de vaincre la Reine des Neiges?

— La force de douze hommes, dit la Finnoise, oui, ça suffira bien.

Elle alla vers une tablette, y prit une grande peau roulée, la déroula. D'étranges lettres y étaient gravées, la Finnoise les lisait et des gouttes de sueur tombaient de son front.

Le renne la pria encore si fort pour Gerda et la petite la regarda avec des yeux si suppliants, si pleins de larmes que la Finnoise se remit à cligner des siens. Elle attira le renne dans un coin et lui murmura quelque chose tout en lui mettant de la glace fraîche sur la tête.

— Le petit Kay est en effet chez la Reine des Neiges et il y est parfaitement heureux, il pense qu'il se trouve là dans le lieu le meilleur du monde, mais tout ceci vient de ce qu'il a reçu un éclat de verre dans le cœur et une poussière de verre dans l'œil, il faut que ce verre soit extirpé sinon il ne deviendra jamais un homme et la Reine des Neiges conservera son pouvoir sur lui.

— Mais ne peux-tu faire prendre à Gerda un breuvage qui lui donnerait un pouvoir magique sur tout cela?

— Je ne peux pas lui donner un pouvoir plus grand que celui qu'elle a déjà. Ne vois-tu pas comme il est grand, ne vois-tu pas comme les hommes et les animaux sont forcés de la servir, comment pieds nus elle a réussi à parcourir le monde? Ce n'est pas par nous qu'elle peut gagner son pouvoir qui réside dans son cœur d'enfant innocente et gentille. Si elle ne peut pas par elle-même entrer chez la Reine des Neiges et arracher les morceaux de verre du cœur et des yeux de Kay, nous, nous ne pouvons l'aider.

Le jardin de la Reine commence à deux lieues d'ici, conduis la petite fille jusque là, fais-la descendre près du buisson qui, dans la neige, porte des baies rouges, ne tiens pas de parlotes inutiles et reviens au plus vite.

Ensuite la femme finnoise souleva Gerda et la replaça sur le dos du renne qui repartit à toute allure.

— Oh! Je n'ai pas mes bottines, je n'ai pas mes moufles, criait la petite Gerda, s'en apercevant dans le froid cuisant.

Le renne n'osait pas s'arrêter, il courait, il courait... Enfin il arriva au grand buisson qui portait des baies rouges, là il mit Gerda à terre, l'embrassa sur la bouche. De grandes larmes brillantes roulaient le long des joues de l'animal et il se remit à courir, aussi vite que possible pour s'en retourner.

Et voilà! la pauvre Gerda, sans chaussures, sans gants, dans le terrible froid du Finmark.

Elle se mit à courir en avant aussi vite que possible mais un régiment de flocons de neige venaient à sa rencontre, ils ne tombaient pas du ciel qui était parfaitement clair et où brillait l'aurore boréale, ils couraient sur la terre et à mesure qu'ils s'approchaient, ils devenaient de plus en plus grands. Gerda se rappelait combien ils étaient grands et bien faits le jour où elle les avait regardés à travers la loupe, mais ici ils étaient encore bien plus grands, effrayants, vivants, l'avant-garde de la Reine des Neiges. Ils prenaient les formes les plus bizarres, quelques-uns avaient l'air de grands hérissons affreux, d'autres semblaient des nœuds de serpents avançant leurs têtes, d'autres ressemblaient à de gros petits ours au poil luisant. Ils étaient tous d'une éclatante blancheur.

Alors la petite Gerda se mit à dire sa prière. Le froid était si intense que son haleine sortait de sa bouche comme une vraie fumée, cette haleine devint de plus en plus dense et se transforma en petits anges lumineux qui grandissaient de plus en plus en touchant la terre, ils avaient tous des casques sur la tête, une lance et un bouclier dans les mains, ils étaient de plus en plus nombreux.

Lorsque Gerda eut fini sa prière ils formaient une légion autour d'elle. Ils combattaient de leurs lances les flocons de neige et les faisaient éclater en mille morceaux et la petite Gerda s'avança d'un pas assuré, intrépide. Les anges lui tapotaient les pieds et les mains, elle ne sentait plus le froid et marchait rapidement vers le château.

Maintenant il nous faut d'abord voir comment était Kay. Il ne pensait absolument pas à la petite Gerda et encore moins qu'elle pût être là devant le château.

Ce qui s'était passé au château de la Reine des Neiges

et ce qui eut lieu par la suite

Les murs du château étaient faits de neige pulvérisée, les fenêtres et les portes de vents coupants, il y avait plus de cent salles formées par des tourbillons de neige. La plus grande s'étendait sur plusieurs lieues, toutes étaient éclairées de magnifiques aurores boréales, elles étaient grandes, vides, glacialement froides et étincelantes.

Aucune gaieté ici, pas le plus petit bal d'ours où le vent aurait pu souffler et les ours blancs marcher sur leurs pattes de derrière en prenant des airs distingués. Pas la moindre partie de cartes amenant des disputes et des coups, pas la moindre invitation au café de ces demoiselles les renardes blanches, les salons de la Reine des Neiges étaient vides, grands et glacés. Les aurores boréales luisaient si vivement et si exactement que l'on pouvait prévoir le moment où elles seraient à leur apogée et celui où, au contraire, elles seraient à leur décrue la plus marquée. Au milieu de ces salles neigeuses, vides et sans fin, il y avait un lac gelé dont la glace était brisée en mille morceaux, mais en morceaux si identiques les uns aux autres que c'était une véritable merveille. Au centre trônait la Reine des Neiges quand elle était à la maison. Elle disait qu'elle siégerait là sur le miroir de la raison, l'unique et le meilleur au monde.

Le petit Kay était bleu de froid, même presque noir, mais il ne le remarquait pas, un baiser de la reine lui avait enlevé la possibilité de sentir le frisson du froid et son cœur était un bloc de glace — ou tout comme. Il cherchait à droite et à gauche quelques morceaux de glace plats et coupants qu'il disposait de mille manières, il voulait obtenir quelque chose comme nous autres lorsque nous voulons obtenir une image en assemblant de petites plaques de bois découpées (ce que nous appelons jeu chinois ou puzzle). Lui aussi voulait former des figures et les plus compliquées ce qu'il appelait le «jeu de glace de la raison» qui prenait à ses yeux une très grande importance, par suite de l'éclat de verre qu'il avait dans l'œil. Il formait avec ces morceaux de glace un mot mais n'arrivait jamais à obtenir le mot exact qu'il aurait voulu, le mot «Eternité». La Reine des Neiges lui avait dit :

— Si tu arrives à former ce mot, tu deviendras ton propre maître, je t'offrirai le monde entier et une paire de nouveaux patins. Mais il n'y arrivait pas...

— Maintenant je vais m'envoler vers les pays chauds, dit la Reine, je veux jeter un coup d'œil dans les marmites noires.

Elle parlait des volcans qui crachent le feu, l'Etna et le Vésuve.

— Je vais les blanchir; un peu de neige, cela fait partie du voyage et fait très bon effet sur les citronniers et la vigne.

Elle s'envola et Kay resta seul dans les immenses salles vides. Il regardait les morceaux de glace et réfléchissait, il réfléchissait si intensément que tout craquait en lui, assis là raide, immobile, on aurait pu le croire mort, gelé.

Et c'est à ce moment que la petite Gerda entra dans le château par le grand portail fait de vents aigus. Elle récita sa prière du soir et le vent s'apaisa comme s'il allait s'endormir. Elle entra dans la grande salle vide et glacée... Alors elle vit Kay, elle le reconnut, elle lui sauta au cou, le tint serré contre elle et elle criait :

— Kay! mon gentil petit Kay! je te retrouve enfin.

Mais lui restait immobile, raide et froid — alors Gerda pleura de chaudes larmes qui tombèrent sur la poitrine du petit garçon, pénétrèrent jusqu'à son cœur, firent fondre le bloc de glace, entraînant l'éclat de verre qui se trouvait là. Il la regarda, elle chantait le psaume :

Les roses poussent dans les vallées
Où l'Enfant-Jésus vient nous parler.

Alors Kay éclata en sanglots. Il pleura si fort que la poussière de glace coula hors de son œil. Il reconnut Gerda et cria débordant de joie :

— Gerda, chère petite Gerda, où es-tu restée si longtemps? Où ai-je été moi-même? Il regarda alentour. Qu'il fait froid ici, que tout est vide et grand.

Il se serrait contre sa petite amie qui riait et pleurait de joie. Un infini bonheur s'épanouissait, les morceaux de glace eux-mêmes dansaient de plaisir, et lorsque les enfants s'arrêtèrent, fatigués, ils formaient justement le mot que la Reine des Neiges avait dit à Kay de composer : «Eternité». Il devenait donc son propre maître, elle devait lui donner le monde et une paire de patins neufs.

Gerda lui baisa les joues et elles devinrent roses, elle baisa ses yeux et ils brillèrent comme les siens, elle baisa ses mains et ses pieds et il redevint sain et fort. La Reine des Neiges pouvait rentrer, la lettre de franchise de Kay était là écrite dans les morceaux de glace étincelants : Eternité...

Alors les deux enfants se prirent par la main et sortirent du grand château. Ils parlaient de grand-mère et des rosiers sur le toit, les vents s'apaisaient, le soleil se montrait. Ils atteignirent le buisson aux baies rouges, le renne était là et les attendait. Il avait avec lui une jeune renne femelle dont le pis était plein, elle donna aux enfants son lait chaud et les baisa sur la bouche.

Les deux animaux portèrent Kay et Gerda d'abord chez la femme finnoise où ils se réchauffèrent dans sa chambre et qui leur donna des indications pour le voyage de retour, puis chez la femme lapone qui leur avait cousu des vêtements neufs et avait préparé son traîneau.

Le renne et la jeune renne bondissaient à côté d'eux tandis qu'ils glissaient dans le traîneau, ils les accompagnèrent jusqu'à la frontière du pays où se montraient les premières verdures, là ils firent leurs adieux aux rennes et à la femme lapone.

— Adieu! Adieu! dirent-ils tous.

Les premiers petits oiseaux se mirent à gazouiller, la forêt était pleine de pousses vertes. Et voilà que s'avançait vers eux sur un magnifique cheval que Gerda reconnut aussitôt (il avait été attelé devant le carrosse d'or), s'avançait vers eux une jeune fille portant un bonnet rouge et tenant des pistolets devant elle, c'était la petite fille des brigands qui s'ennuyait à la maison et voulait voyager, d'abord vers le nord, ensuite ailleurs si le nord ne lui plaisait pas.

— Tu t'y entends à faire trotter le monde, dit-elle au petit Kay, je me demande si tu vaux la peine qu'on coure au bout du monde pour te chercher.

Gerda lui caressa les joues et demanda des nouvelles du prince et de la princesse.

— Ils sont partis à l'étranger, dit la fille des brigands.

— Et la corneille? demanda Gerda.

— La corneille est morte, répondit-elle. Sa chérie apprivoisée est veuve et porte un bout de laine noire à la patte, elle se plaint lamentablement, quelle bêtise! Mais raconte-moi cc qui t'est arrivé et comment tu l'as retrouvé?

Gerda et Kay racontaient tous les deux en même temps.

— Et patati, et patata, dit la fille des brigands, elle leur serra la main à tous les deux et promit, si elle traversait leur ville, d'aller leur rendre visite... et puis elle partit dans le vaste monde.

Kay et Gerda allaient la main dans la main et tandis qu'ils marchaient, un printemps délicieux plein de fleurs et de verdure les enveloppait. Les cloches sonnaient, ils reconnaissaient les hautes tours, la grande ville où ils habitaient. Ils allèrent à la porte de grand-mère, montèrent l'escalier, entrèrent dans la chambre où tout était à la même place qu'autrefois. La pendule faisait tic-tac, les aiguilles tournaient, mais en passant la porte, ils s'aperçurent qu'ils étaient devenus des grandes personnes.

Les rosiers dans la gouttière étendaient leurs fleurs à travers les fenêtres ouvertes. Leurs petites chaises d'enfants étaient là, Kay et Gerda s'assirent chacun sur la sienne en se tenant toujours la main, ils avaient oublié, comme on oublie un rêve pénible, les splendeurs vides du château de la Reine des Neiges.

Grand-mère était assise dans le clair soleil de Dieu et lisait la Bible à voix haute, «Si vous n'êtes pas semblables à des enfants, vous n'entrerez pas dans le royaume de Dieu».

Kay et Gerda se regardèrent dans les yeux et comprirent tout d'un coup le vieux psaume :

Les roses poussent dans les vallées
Où l'Enfant-Jésus vient nous parler.

Ils étaient assis là, tous deux, adultes et cependant enfants, enfants par le cœur... C'était l'été, le doux été béni.

LA BERGÈRE ET LE RAMONEUR

As-tu jamais vu une très vieille armoire de bois noircie par le temps et sculptée de fioritures et de feuillages? Dans un salon, il y en avait une de cette espèce, héritée d'une aïeule, ornée de haut en bas de roses, de tulipes et des plus étranges volutes entremêlées de têtes de cerfs aux grands bois. Au beau milieu de l'armoire se découpait un homme entier, tout à fait grotesque; on ne pouvait vraiment pas dire qu'il riait, il grimaçait; il avait des pattes de bouc, des cornes sur le front et une longue barbe. Les enfants de la maison l'appelaient le «sergentmajorgénéral-commandantenchefauxpiedsdebouc».

Evidemment, peu de gens portent un tel titre et il est assez long à prononcer, mais il est rare aussi d'être sculpté sur une armoire.

Quoi qu'il en soit, il était là! Il regardait constamment la table placée sous la glace car sur cette table se tenait une ravissante petite bergère en porcelaine, portant des souliers d'or, une robe coquettement retroussée par une rose rouge, un chapeau doré et sa houlette de bergère. Elle était délicieuse! Tout près d'elle, se tenait un petit ramoneur, noir comme du charbon, lui aussi en porcelaine. Il était aussi propre et soigné que quiconque; il représentait un ramoneur, voilà tout, mais le fabricant de porcelaine aurait aussi bien pu faire de lui un prince, c'était tout comme.

Il portait tout gentiment son échelle, son visage était rose et blanc comme celui d'une petite fille, ce qui était une erreur, car pour la vraisemblance il aurait pu être un peu noir aussi de visage. On l'avait posé à côté de la bergère, et, puisqu'il en était ainsi, ils s'étaient fiancés, ils se convenaient, jeunes tous les deux, de même porcelaine et également fragiles.

Tout près d'eux et bien plus grand, était assis un vieux Chinois en porcelaine qui pouvait hocher de la tête. Il disait qu'il était le grand-père de la petite bergère; il prétendait même avoir autorité sur elle, c'est pourquoi il inclinait la tête vers le «sergentmajorgénéralcommandantenchefauxpiedsdebouc» qui avait demandé la main de la bergère.

— Tu auras là, dit le vieux Chinois, un mari qu'on croirait presque fait de bois d'acajou, qui peut te donner un titre ronflant, qui possède toute l'argenterie de l'armoire, sans compter ce qu'il garde dans des cachettes mystérieuses.

— Je ne veux pas du tout aller dans la sombre armoire, protesta la petite bergère, je me suis laissé dire qu'il y avait là-dedans onze femmes en porcelaine!

— Eh bien! tu seras la douzième. Cette nuit, quand la vieille armoire se mettra à craquer, vous vous marierez, aussi vrai que je suis Chinois. Et il s'endormit.

La petite bergère pleurait, elle regardait le ramoneur de porcelaine, le chéri de son cœur.

— Je crois, dit-elle, que je vais te demander de partir avec moi dans le vaste monde. Nous ne pouvons plus rester ici.

— Je veux tout ce que tu veux, répondit-il; partons immédiatement, je pense que mon métier me permettra de te nourrir.

— Je voudrais déjà que nous soyons sains et saufs au bas de la table, dit-elle, je ne serai heureuse que quand nous serons partis.

Il la consola de son mieux et lui montra où elle devait poser son petit pied sur les feuillages sculptés longeant les pieds de la table; son échelle les aida du reste beaucoup.

Mais quand ils furent sur le parquet et qu'ils levèrent les yeux vers l'armoire, ils y virent une terrible agitation. Les cerfs avançaient la tête, dressaient leurs bois et tournaient le cou, le sergentmajorgénéralcommandantenchefauxpiedsdebouc bondit et cria :

— Ils se sauvent! Ils se sauvent!

Effrayés, les jeunes gens sautèrent rapidement dans le tiroir du bas de l'armoire.

Il y avait là quatre jeux de cartes incomplets et un petit théâtre de poupées, monté tant bien que mal. On y jouait la comédie, les dames de carreau et de cœur, de trèfle et de pique, assises au premier rang, s'éventaient avec leurs tulipes, les valets se tenaient debout derrière elles et montraient qu'ils avaient une tête en haut et une en bas, comme il sied quand on est une carte à jouer. La comédie racontait l'histoire de deux amoureux qui ne pouvaient pas être l'un à l'autre. La bergère en pleurait, c'était un peu sa propre histoire.

— Je ne peux pas le supporter, dit-elle, sortons de ce tiroir.

Mais dès qu'ils furent à nouveau sur le parquet, levant les yeux vers la table, ils aperçurent le vieux Chinois réveillé qui vacillait de tout son corps. Il s'effondra comme une masse sur le parquet.

— Voilà le vieux Chinois qui arrive, cria la petite bergère, et elle était si contrariée qu'elle tomba sur ses jolis genoux de porcelaine.

— Une idée me vient, dit le ramoneur. Si nous grimpions dans cette grande potiche qui est là dans le coin, nous serions couchés sur les roses et la lavande et pourrions lui jeter du sel dans les yeux quand il approcherait.

— Cela ne va pas, dit la petite. Je sais que le vieux Chinois et la potiche ont été fiancés, il en reste toujours un peu de sympathie. Non, il n'y a rien d'autre à faire pour nous que de nous sauver dans le vaste monde.

— As-tu vraiment le courage de partir avec moi, as-tu réfléchi combien le monde est grand, et que nous ne pourrons jamais revenir?

— J'y ai pensé, répondit-elle.

Alors, le ramoneur la regarda droit dans les yeux et dit :

— Mon chemin passe par la cheminée, as-tu le courage de grimper avec moi

à travers le poêle, d'abord, le foyer, puis le tuyau où il fait nuit noire? Après la cheminée, nous devons passer dans la cheminée elle-même; à partir de là, je m'y entends, nous monterons si haut qu'ils ne pourront pas nous atteindre, et tout en haut, il y a un trou qui ouvre sur le monde.

Il la conduisit à la porte du poêle.

— Oh! que c'est noir, dit-elle. Mais elle le suivit à travers le foyer et le tuyau noirs comme la nuit.

— Nous voici dans la cheminée, cria le garçon. Vois, vois, là-haut brille la plus belle étoile.

Et c'était vrai, cette étoile semblait leur indiquer le chemin. Ils grimpaient et rampaient. Quelle affreuse route! Mais il la soutenait et l'aidait, il lui montrait les bons endroits où appuyer ses fins petits pieds, et ils arrivèrent tout en haut de la cheminée, où ils s'assirent, épuisés. Il y avait de quoi.

Au-dessus d'eux, le ciel et toutes ses étoiles, en dessous, les toits de la ville; ils regardaient au loin autour d'eux, apercevant le monde. Jamais la bergère ne l'aurait imaginé ainsi. Elle appuya sa petite tête sur la poitrine du ramoneur et se mit à sangloter si fort que l'or qui garnissait sa ceinture craquait et tombait en petits morceaux.

— C'est trop, gémit-elle, je ne peux pas le supporter. Le monde est trop grand. Que ne suis-je encore sur la petite table devant la glace, je ne serai heureuse que lorsque j'y serai retournée. Tu peux bien me ramener à la maison, si tu m'aimes un peu.

Le ramoneur lui parla raison, lui fit souvenir du vieux Chinois, du sergentmajorgénéralcommandantenchefauxpiedsdebouc, mais elle pleurait de plus en plus fort, elle embrassait son petit ramoneur chéri, de sorte qu'il n'y avait rien d'autre à faire que de lui obéir, bien qu'elle eût grand tort.

Alors ils rampèrent de nouveau avec beaucoup de peine pour descendre à travers la cheminée, le tuyau et le foyer; ce n'était pas du tout agréable. Arrivés dans le poêle sombre, ils prêtèrent l'oreille à ce qui se passait dans le salon. Tout y était silencieux; alors ils passèrent la tête et... horreur! Au milieu du parquet gisait le vieux Chinois, tombé en voulant les poursuivre et cassé en trois morceaux; il n'avait plus de dos et sa tête avait roulé dans un coin. Le sergent-major général se tenait là où il avait toujours été, méditatif.

— C'est affreux, murmura la petite bergère, le vieux grand-père est cassé et c'est de notre faute; je n'y survivrai pas. Et, de désespoir, elle tordait ses jolies petites mains.

— On peut très bien le requinquer, affirma le ramoneur. Il n'y a qu'à le recoller, ne sois pas si désolée. Si on lui colle le dos et si on lui met une patte de soutien dans la nuque, il sera comme neuf et tout prêt à nous dire de nouveau des choses désagréables.

— Tu crois vraiment?

Ils regrimpèrent sur la table où ils étaient primitivement.

— Nous voilà bien avancés, dit le ramoneur, nous aurions pu nous éviter le dérangement.

— Pourvu qu'on puisse recoller le grand-père. Crois-tu que cela coûterait très cher? dit-elle.

La famille fit mettre de la colle sur le dos du Chinois et un lien à son cou, et il fut comme neuf, mais il ne pouvait plus hocher la tête.

— Que vous êtes devenu hautain depuis que vous avez été cassé, dit le sergent-majorgénéralcommandantenchefauxpiedsdebouc. Il n'y a pas là de quoi être fier. Aurai-je ou n'aurai-je pas ma bergère?

Le ramoneur et la petite bergère jetaient un regard si émouvant vers le vieux Chinois, ils avaient si peur qu'il dise oui de la tête; mais il ne pouvait plus la remuer. Et comme il lui était très désagréable de raconter à un étranger qu'il était obligé de porter un lien à son cou, les amoureux de porcelaine restèrent l'un près de l'autre, bénissant le pansement du grand-père et cela jusqu'au jour où eux-mêmes furent cassés.

LE SAPIN

Là-bas, dans la forêt, il y avait un joli sapin. Il était bien placé, il avait du soleil et de l'air; autour de lui poussaient de plus grands camarades, pins et sapins. Mais lui était si impatient de grandir qu'il ne remarquait ni le soleil ni l'air pur, pas même les enfants de paysans qui passaient en bavardant lorsqu'ils allaient cueillir des fraises ou des framboises. Ils en avaient souvent toute une cruche pleine ou bien ils enfilaient les fraises sur une paille, ils s'asseyaient près du petit arbre et disaient:

— Non, comme il est joli, si petit!

L'arbre était vexé d'entendre cela. L'année suivante, son tronc avait grandi jusqu'à avoir un nœud de plus et l'année d'après encore un autre bien plus haut placé, car on compte l'âge d'un sapin d'après le nombre de nœuds de son tronc.

— Oh! si j'étais grand comme les autres, soupirait le petit sapin, je pourrais étendre largement ma verdure et, de mon sommet, contempler le vaste monde. Les oiseaux bâtiraient leur nid dans mes branches et lorsqu'il y aurait du vent je pourrais me balancer avec grâce comme font ceux qui m'entourent.

Le soleil ne lui causait aucun plaisir, ni les oiseaux, ni les nuages roses qui, matin et soir, naviguaient dans le ciel au-dessus de sa tête.

L'hiver, lorsque la neige étincelante entourait son pied de sa blancheur, il arrivait souvent qu'un lièvre bondissait, sautait par-dessus le petit arbre — oh! que c'était agaçant! Mais, deux hivers ayant passé, quand vint le troisième, le petit arbre était assez grand pour que le lièvre soit obligé de le contourner. Oh! pousser, pousser, devenir grand et vieux, c'était là, pensait-il, la seule joie au monde.

En automne, les bûcherons venaient et abattaient quelques-uns des plus grands arbres. Cela arrivait chaque année et le jeune sapin qui avait atteint une bonne taille, tremblait de crainte, car ces arbres magnifiques tombaient à terre dans un fracas de craquements, on coupait ensuite leurs branches, ils semblaient nus, longs et étroits, presque pas à reconnaître, puis ils étaient chargés sur des charrettes que des chevaux tiraient hors de la forêt.

Où allaient-ils? Quel devait être leur sort?

Au printemps, lorsqu'arrivèrent l'hirondelle et la cigogne, le sapin leur demanda:

— Savez-vous où on les a conduits? Les avez-vous rencontrés?

Les hirondelles n'en savaient rien, mais la cigogne eut l'air de réfléchir, hocha la tête et dit:

— Oui, je crois le savoir, j'ai rencontré beaucoup de navires tout neufs en m'envolant vers l'Egypte, sur ces navires il y avait des maîtres-mâts superbes, j'ose dire que c'étaient eux, ils sentaient le sapin. Je te salue de leur part, ils ont fière allure.

— Oh! si j'étais assez grand pour voler au-dessus de la mer! Comment cela a-t-il l'air, la mer? A quoi cela ressemble-t-il?

— Euh! c'est difficile à expliquer, répondit la cigogne. Et elle partit.

— Réjouis-toi de ta jeunesse, dirent les rayons du soleil, réjouis-toi de ta fraîcheur, de la jeune vie qui est en toi.

Le vent baisa le jeune arbre, la rosée versa sur lui des larmes, mais il ne les comprit pas.

Quand vint l'époque de Noël, de tout jeunes arbres furent abattus, n'ayant souvent même pas la taille, ni l'âge de notre sapin, lequel, sans trêve ni repos, désirait toujours partir. Ces jeunes arbres étaient toujours les plus beaux, ils conservaient leurs branches, ceux-là, et on les couchait sur les charrettes que les chevaux tiraient hors de la forêt.

— Où vont-ils? demanda le sapin, ils ne sont pas plus grands que moi, il y en avait même un beaucoup plus petit. Pourquoi leur a-t-on laissé leur verdure? Où les conduit-on?

— Nous le savons, nous le savons, gazouillèrent les moineaux. En bas, dans la ville, nous avons regardé à travers les vitres, nous savons où la voiture les conduit. Oh! ils arrivent au plus grand scintillement, au plus grand honneur que l'on puisse imaginer. A travers les vitres, nous les avons vus, plantés au milieu du salon chauffé et garnis de ravissants objets, pommes dorées, gâteaux de miel, jouets et des centaines de lumières.

— Et puis… demandait le sapin, tremblant de toutes ses branches, et puis… ensuite?

— Je n'ai rien vu de plus mais c'était superbe.

— Suis-je destiné à atteindre aussi à cette haute fonction? dit le sapin tout enthousiasmé. C'est encore bien mieux que de voler au-dessus de la mer. Je me languis ici, que n'est-ce déjà Noël! je suis aussi grand et développé que ceux qui ont été emmenés l'année dernière. Je voudrais être déjà sur la charrette et puis dans le salon chauffé, au milieu de ce faste. Et, ensuite... il arrive sûrement quelque chose d'encore mieux, de plus beau, sinon pourquoi nous décorer ainsi. Cela doit être quelque chose de grandiose et de merveilleux! Mais quoi?... Oh! je m'ennuie... je languis...

— Sois heureux d'être avec nous, dirent l'air et la lumière du soleil. Réjouis-toi de ta fraîche et libre jeunesse.

Mais le sapin n'arrivait pas à se réjouir. Il grandissait et grandissait. Hiver comme été, il était vert, d'un beau vert foncé et les gens qui le voyaient s'écriaient :

— Quel bel arbre!

Avant Noël il fut abattu, le tout premier. La hache trancha d'un coup, dans sa moelle; il tomba, poussant un grand soupir, il sentit une douleur profonde. Il défaillait et souffrait. Il n'éprouvait aucune joie, mais seulement la tristesse de quitter son foyer, cette place où il avait poussé. Il savait qu'il ne reverrait plus jamais ses chers vieux compagnons, ni les petits buissons ni les fleurs qui poussaient sous son ombre, ni même, peut-être, les oiseaux. Le voyage n'était pas agréable.

L'arbre ne revint à lui qu'au moment d'être déposé dans la cour avec les autres. Il entendit alors un homme dire :

— Celui-ci est superbe, nous le choisissons.

Alors vinrent deux domestiques en grande tenue qui apportèrent le sapin dans un beau salon. Des portraits ornaient les murs et près du grand poêle de céramique vernie il y avait des vases chinois avec des lions sur leurs couvercles. Plus loin étaient placés des fauteuils à bascule, des canapés de soie, de grandes tables couvertes de livres d'images et de jouets! pour un argent fou — du moins à ce que disaient les enfants.

Le sapin fut dressé dans un petit tonneau rempli de sable, mais on ne pouvait pas voir que c'était un tonneau parce qu'il était enveloppé d'une étoffe verte et posé sur un grand tapis à fleurs! Oh! notre arbre était bien ému! Qu'allait-il se passer?

Les domestiques et des jeunes filles commencèrent à le garnir. Ils suspendaient aux branches de petits filets découpés dans des papiers glacés de couleur, dans chaque filet on mettait quelques fondants, des pommes et des noix dorées pendaient aux branches comme si elles y avaient poussé, et plus de cent petites bougies rouges, bleues et blanches étaient fixées sur les branches. Des poupées qui semblaient vivantes — l'arbre n'en avait jamais vu — planaient dans la verdure et tout en haut, au sommet, on mit une étoile clinquante de dorure.

C'était splendide, incomparablement magnifique.

— Ce soir, disaient-ils tous, ce soir ce sera beau.

— Oh! pensa le sapin, que je voudrais être ici ce soir quand les bougies seront allumées! Que se passera-t-il alors? les arbres de la forêt viendront-ils m'admirer?

Les moineaux me regarderont-ils à travers les vitres? Vais-je rester ici, ainsi décoré, l'hiver et l'été?

Maintenant il était un peu renseigné sur ce qui arrivait, mais l'impatience lui faisait mal jusque dans son écorce, et ça c'est aussi pénible pour un arbre que le mal de tête pour nous autres.

On alluma les lumières. Quel éclat! Quelle beauté! Un frémissement parcourut ses branches de sorte qu'une des bougies y mit le feu : une sérieuse flambée.

— Mon Dieu! crièrent les demoiselles en se dépêchant d'éteindre.

Le pauvre arbre n'osait même plus trembler. Quelle torture! Il avait si peur de perdre quelqu'une de ses belles parures, il était complètement étourdi dans toute sa gloire... Alors, la porte s'ouvrit à deux battants, des enfants en foule se précipitèrent comme s'ils allaient renverser le sapin, les grandes personnes les suivaient posément. Les enfants s'arrêtaient — un instant seulement —, puis ils se mettaient à pousser des cris de joie — quel tapage! — et à danser autour de l'arbre. Ensuite, on commença à cueillir les cadeaux l'un après l'autre.

— Qu'est-ce qu'ils font? se demandait le sapin.

— Qu'est-ce qui va se passer?

Les bougies brûlèrent jusqu'aux branches, on les éteignait à mesure, puis les enfants eurent la permission de dépouiller l'arbre complètement. Ils se jetèrent sur lui, si fort, que tous les rameaux en craquaient, s'il n'avait été bien attaché au plafond par le ruban qui fixait aussi l'étoile, il aurait été renversé.

Les petits tournoyaient dans le salon avec leurs jouets dans les bras, personne ne faisait plus attention à notre sapin, si ce n'est la vieille bonne d'enfant qui jetait de-ci de-là un coup d'œil entre les branches pour voir si on n'avait pas oublié une figue ou une pomme.

— Une histoire! une histoire! criaient les enfants en entraînant vers l'arbre un gros petit homme ventru. Il s'assit juste sous l'arbre.

— Comme ça, nous sommes dans la verdure et le sapin aura aussi intérêt à nous écouter, mais je ne raconterai qu'une histoire. Voulez-vous celle d'Ivède-Avède ou celle de Dumpe-le Ballot qui roula en bas des escaliers, mais arriva tout de même à s'asseoir sur un trône et à épouser la princesse?

— Ivède-Avède! criaient les uns; Dumpe-le Ballot, hurlaient les autres.

Au milieu du vacarme, le sapin seul restait muet et immobile. Il pensait :

— Vais-je encore prendre ma part de ceci, faire autre chose? Non, il avait fini de jouer son rôle, il avait fait ce qu'il devait...

L'homme racontait l'histoire de Dumpe-le Ballot qui tomba du haut des escaliers, gagna tout de même le trône et épousa la princesse. Les enfants battaient des mains. Ils voulaient aussi entendre l'histoire d'Ivède-Avède, mais ils n'en eurent qu'une. Le sapin se tenait coi et écoutait.

— Oui, oui, voilà comment vont les choses dans le monde, pensait-il. Il croyait que l'histoire était vraie, parce que l'homme qui la racontait était élégant.

— Oui, oui, sait-on jamais! Peut-être tomberai-je aussi du haut des escaliers et épouserai-je une princesse!

Il se réjouissait en songeant que le lendemain il serait de nouveau orné de lumières et de jouets, d'or et de fruits.

— Demain, je ne tremblerai pas, se dit-il. Je m'amuserai joliment de toute ma splendeur. Demain, j'entendrai de nouveau l'histoire de Dumpe-le Ballot et peut-être celle d'Ivède-Avède.

Il resta immobile et songeur toute la nuit.

Au matin, un valet et une femme de chambre entrèrent.

— Voilà la fête qui recommence! pensa l'arbre. Mais ils le traînèrent hors de la pièce, en haut des escaliers, au grenier... et là, dans un coin sombre, où le jour ne parvenait pas, ils l'abandonnèrent.

— Qu'est-ce que cela veut dire? Que vais-je faire ici? Quelle histoire entendrai-je?

Il s'appuya contre le mur, réfléchissant. Et il eut le temps de beaucoup réfléchir, car les jours et les nuits passaient sans qu'il ne vînt personne là-haut et quand, enfin, il vint quelqu'un, ce n'était que pour déposer quelques grandes caisses dans le coin. Elles cachaient l'arbre complètement. L'avait-on donc tout à fait oublié?

— C'est l'hiver dehors, maintenant, pensait-il. La terre est dure et couverte de neige. On ne pourrait même pas me planter; c'est sans doute pour cela que je dois rester à l'abri jusqu'au printemps. Comme c'est raisonnable, les hommes sont bons! Si seulement il ne faisait pas si sombre et si ce n'était pas si solitaire! Pas le moindre petit lièvre. C'était gai, là-bas, dans la forêt, quand sur le tapis de neige le lièvre passait en bondissant, oui, même quand il sautait par-dessus moi; mais, dans ce temps-là, je n'aimais pas ça. Quelle affreuse solitude, ici!

— Pip! pip! fit une petite souris en apparaissant au même instant, et une autre la suivait. Elles flairèrent le sapin et furetèrent dans ses branches.

— Il fait terriblement froid, dit la petite souris. Sans quoi on serait bien ici, n'est-ce pas, vieux sapin?

— Je ne suis pas vieux du tout, répondit le sapin. Il y en a beaucoup de bien plus vieux que moi.

— D'où viens-tu donc? demanda la souris, et qu'est-ce que tu as à raconter?

Elles étaient horriblement curieuses.

— Parle-nous de l'endroit le plus exquis de la terre. Y as-tu été? As-tu été dans le garde-manger où il y a du fromage sur les planches et des jambons suspendus au plafond, où l'on danse sur des chandelles, où on entre maigre et on ressort gras?

— Je ne connais pas ça, dit l'arbre, mais je connais la forêt où brille le soleil, où l'oiseau chante.

Et il parla de son enfance. Les petites souris n'avaient jamais rien entendu de semblable. Elles écoutaient de toutes leurs oreilles.

— Tu en as vu des choses! Comme tu as été heureux!

— Moi! dit le sapin en songeant à ce que lui-même racontait. Oui, au fond, c'était bien agréable. Mais, ensuite, il parla du soir de Noël où il avait été garni de gâteaux et de lumières.

— Oh! dirent encore les petites souris, comme tu as été heureux, vieux sapin.

— Mais je ne suis pas vieux du tout, ce n'est que cet hiver que j'ai quitté ma forêt; je suis dans mon plus bel âge, on m'a seulement replanté dans un tonneau.

— Comme tu racontes bien, dirent les petites souris.

La nuit suivante, elles amenèrent quatre autres souris pour entendre ce que l'arbre racontait, et, à mesure que celui-ci parlait, tout lui revenait plus exactement.

— C'était vraiment de bons moments, pensait-il. Mais ils peuvent revenir, ils peuvent revenir! Dumpe-le Ballot est tombé du haut des escaliers, mais il a tout de même eu la princesse; peut-être en aurai-je une aussi.

Il se souvenait d'un petit bouleau qui poussait là-bas, dans la forêt, et qui avait été pour lui une véritable petite princesse.

— Qui est Dumpe-le Ballot? demandèrent les petites souris.

Alors le sapin raconta toute l'histoire, il se souvenait de chaque mot; un peu plus, les petites souris grimpaient jusqu'en haut de l'arbre, de plaisir.

La nuit suivante, les souris étaient plus nombreuses encore, et le dimanche il vint même deux rats, mais ils déclarèrent que le conte n'était pas amusant du tout, ce qui fit de la peine aux petites souris; de ce fait, elles-mêmes l'apprécièrent moins.

— Vous ne connaissez que cette histoire? demandèrent-elles.

— Que celle-là, répondit-il. Je l'ai entendue au soir le plus heureux de ma vie et je ne savais pas, à ce moment, combien j'étais heureux.

— C'est une très mauvaise histoire! Vous n'en savez aucune avec du lard et des chandelles? Pas d'histoire de garde-manger?

— Non, fit l'arbre.

— Eh bien, merci, dirent les rats en rentrant chez eux.

Les souris finirent par s'en aller aussi, et le sapin soupirait.

— C'était un vrai plaisir d'avoir autour de moi ces petites souris agiles, à écouter ce que je racontais. C'est fini, ça aussi, mais maintenant, je saurai goûter les plaisirs quand on me ressortira.

Mais quand?

Ce fut un matin, des gens arrivèrent et remuèrent tout dans le grenier. Ils déplacèrent les caisses, tirèrent l'arbre en avant. Bien sûr, ils le jetèrent un peu durement à terre, mais tout de suite un valet le traîna vers l'escalier où le jour éclairait.

— Voilà la vie qui recommence, pensait l'arbre, lorsqu'il sentit l'air frais, le premier rayon de soleil... et le voilà dans la cour.

Tout se passa si vite! Le sapin oubliait de se regarder lui-même, il y avait tant à regarder autour de lui. La cour se prolongeait par un jardin en fleur. Les roses pendaient fraîches et odorantes par-dessus la petite barrière, les tilleuls étaient fleuris et les hirondelles voletaient en chantant.

— Quivit, quivit, mon homme est arrivé! Mais ce n'était pas du sapin qu'elles voulaient parler.

— Je vais revivre, se disait-il, enchanté, étendant largement ses branches. Hélas! elles étaient toutes fanées et jaunies, il était couché dans un coin plein de mauvaises herbes et d'orties. L'étoile de papier doré était restée fixée à son sommet et brillait au soleil...

Dans la cour jouaient quelques enfants joyeux qui, à Noël, avaient dansé autour de l'arbre et s'en étaient réjouis. L'un des plus petits s'élança et arracha l'étoile d'or.

— Regarde ce qui était resté sur cet affreux arbre de Noël, s'écria-t-il en piétinant les branches qui craquaient sous ses souliers.

L'arbre regardait la splendeur des fleurs et la fraîche verdure du jardin puis, enfin, se regarda lui-même. Comme il eut préféré être resté dans son coin sombre au grenier! Il pensa à sa jeunesse dans la forêt, à la joyeuse fête de Noël, aux petites souris, si heureuses d'entendre l'histoire de Dumpe-le Ballot.

— Fini! fini! pleurait le pauvre arbre. Si seulement j'avais su être heureux quand je le pouvais. Fini! fini!

Le valet débita l'arbre en petits morceaux, il en fit tout un grand tas qui flamba joyeusement sous la chaudière. De profonds soupirs s'en échappaient, chaque soupir éclatait. Les enfants qui jouaient au-dehors entrèrent s'asseoir devant le feu et ils criaient: Pif! Paf! à chaque craquement, le sapin, lui, songeait à un jour d'été dans la forêt ou à une nuit d'hiver quand les étoiles étincellent. Il pensait au soir de Noël, à Dumpe-le Ballot, le seul conte qu'il eût jamais entendu et qu'il avait su répéter... et voilà qu'il était consumé...

Les garçons jouaient dans la cour, le plus jeune portait sur la poitrine l'étoile d'or qui avait orné l'arbre au soir le plus heureux de sa vie. Ce soir était fini, l'arbre était fini, et l'histoire, aussi, finie, finie comme toutes les histoires.

L A VIEILLE MAISON

Il y avait dans la rue une vieille, très vieille maison datant de trois cents ans. On pouvait voir la date de sa construction sur une poutre où elle était sculptée au milieu de tulipes et de vrilles de houblon. On y lisait même des vers entiers en caractères anciens d'imprimerie, et devant chaque fenêtre était taillé sur la poutre un visage grimaçant. Le premier étage s'avançait largement au-dessus du rez-de-chaussée et juste sous le toit il y avait une gouttière de plomb terminée par une tête de dragon. L'eau de pluie était censée s'écouler par la gueule de l'animal mais comme il y avait un trou dans le plomb, elle s'écoulait par le ventre.

Toutes les autres maisons de la rue étaient neuves et proprettes avec de larges fenêtres et des murs lisses, on voyait bien qu'elles ne désiraient avoir rien à faire avec la vieille maison, elles pensaient toutes : combien de temps cette vieille masure va-t-elle encore faire scandale dans notre rue avec cette baie centrale proéminente qui empêche nos habitants de voir par nos fenêtres ce qui se passe plus loin. Et puis cet escalier large comme celui d'un château et haut comme une tour d'église, sa rampe de fer a l'air d'un entourage de vieux monument funéraire et les boutons de cuivre sont affreux !

Juste en face, dans la rue, les maisons étaient aussi neuves et en pensaient autant, mais à une fenêtre se tenait un petit garçon aux joues roses et fraîches, aux yeux clairs et rayonnants et qui avait l'air de penser beaucoup de bien de la vieille maison, tant au soleil qu'au clair de lune. En regardant le mur dont le plâtre s'effritait petit à petit, il imaginait les plus curieuses images, exactement l'aspect que pouvait avoir la rue autrefois avec ses escaliers, ses baies ventrues et ses pignons pointus. Il croyait voir des soldats avec leurs hallebardes et des gouttières courant comme des dragons ou des serpents fantastiques. C'était une maison qui faisait rêver et là-dedans habitait un vieux monsieur portant culotte de velours, habit à grands boutons d'argent et perruque... on voyait bien que c'était une vraie perruque.

Tous les matins venait un vieil homme de peine qui faisait le ménage et allait aux commissions mais, à part cela, le vieux monsieur en pantalon de velours vivait tout seul dans la vieille maison.

Parfois il s'approchait de la fenêtre, le petit garçon lui faisait de la tête un signe amical et le vieux monsieur lui répondait de même, de sorte qu'ils étaient vite devenus des connaissances et, bientôt, des amis quoique ne s'étant jamais adressé la parole, mais qu'est-ce que cela fait.

Le petit garçon entendait ses parents dire :

— Le vieux monsieur d'en face est sûrement très à son aise, mais il est terriblement seul.

Le dimanche suivant, le petit garçon enveloppa quelque chose dans un papier, descendit à la porte et lorsque vint à passer l'homme qui allait aux commissions, il lui dit :

— Ecoute, veux-tu porter ceci de ma part au vieux monsieur. J'ai deux soldats de plomb, je lui en envoie un, car je sais qu'il est si terriblement seul.

Le commissionnaire eut l'air tout heureux, salua et porta le jouet dans la vieille maison. Ensuite il revint demander si le petit garçon n'avait pas envie de venir lui-même rendre visite en face et, après avoir obtenu la permission de ses parents, le petit garçon traversa la rue et s'arrêta devant la vieille maison.

Les pommeaux de cuivre de la rampe d'escalier brillaient encore plus que d'habitude comme si on les avait astiqués à l'occasion de cette visite et on eût dit que les soldats sculptés sur la porte au milieu des tulipes soufflaient dans leur trompette car ils avaient les joues plus grosses que d'habitude. Mais oui ! ils soufflaient. Hourrah ! Tratteratra ! le petit garçon arrive ! et la porte s'ouvrit.

Sur les murs de l'entrée pendaient de vieux portraits, chevaliers en armures, dames en robe de soie et les armures cliquetaient et les robes de soie froufroutaient. Puis venait un escalier qui montait assez haut et un autre qui redescendait de quelques marches et on se trouvait alors sur un balcon assez décrépit, sûrement avec de grands trous et de longues lézardes dans lesquelles poussaient de l'herbe et des feuillages. Tout le balcon au-dessus de la cour et le mur également étaient couverts de verdure. On eût cru un jardin, mais ce n'était qu'un balcon. Il y avait là de vieux pots de fleurs qui avaient un visage et des oreilles d'âne, les fleurs y poussaient à leur gré. Dans un pot débordaient des œillets, c'est-à-dire leur feuillage, des pousses et des pousses qui disaient distinctement :

— L'air m'a caressé, j'ai reçu les baisers du soleil et il m'a promis une petite fleur pour dimanche, une petite fleur pour dimanche !

Ensuite, on arrivait dans une chambre dont les murs étaient tapissés de peau de porc gravée de fleurs d'or.

La dorure s'efface,
Reste la peau de porc, disaient les murs.

Il y avait là des fauteuils à bras, à très haut dossier sculpté.

— Prenez place, prenez place, disaient-ils. Oh ! comme je craque de tous côtés, j'ai sûrement des rhumatismes comme la vieille armoire, des rhumatismes dans le dos : aïe, aïe !

Enfin le petit garçon arriva dans la pièce à la baie en saillie où était assis le vieux monsieur.

— Merci pour le soldat de plomb, dit le vieux monsieur, et merci d'être venu.

— Merci, merci, crac, crac, faisaient tous les meubles, il y en avait tant qu'ils se masquaient, les uns aux autres, la vue du petit garçon.

Au milieu du mur se trouvait le portrait d'une charmante dame, jeune et gaie, habillée comme au temps passé, aux cheveux poudrés et à la jupe large et raide. Elle ne dit ni merci, ni crac, mais regarda de ses yeux très doux le petit garçon qui demanda aussitôt :

— Où l'as-tu trouvée ?

— Chez le brocanteur en face, dit le vieux monsieur. On y trouve beaucoup de portraits dont personne ne se soucie, tous ceux qui en ont connu les modèles sont enterrés, mais moi je l'ai connue et il y a de longues années, car elle est disparue depuis un demi-siècle.

Au-dessous du portrait était accroché un bouquet de fleurs fanées, sous verre ; elles avaient sûrement aussi un demi-siècle tant elles semblaient vieilles. Le balancier de la grosse pendule allait de droite à gauche et de gauche à droite, les aiguilles

tournaient et, à mesure, tout ceci devenait toujours de plus en plus vieux, sans s'en apercevoir.

— Ils disent à la maison que tu es si terriblement seul, commença le petit garçon.

— Oh! les vieilles pensées, avec tout ce qu'elles peuvent m'apporter, viennent me voir et voilà que tu viens aussi. Je ne suis pas à plaindre.

Il prit sur un rayon un livre d'images où l'on voyait de longs cortèges, les plus extraordinaires carrosses comme on n'en voit plus, des soldats qui avaient l'air de valets de trèfle et des bourgeois portant des bannières, les tailleurs avaient sur leur bannière des ciseaux que tenaient deux lions et les cordonniers, non pas des chaussures, mais un aigle à deux têtes car ils doivent toujours pouvoir dire : voilà la paire! C'était un beau livre d'images.

Le vieux monsieur alla dans la pièce à côté chercher des confitures, des pommes et des noix — on était vraiment bien dans la vieille maison.

— Je ne peux plus le supporter! s'écria le soldat de plomb debout sur le bahut. Que c'est solitaire et triste ici! Non, quand on a vécu la vie de famille, on ne peut pas s'habituer à ça! Je n'en peux plus, le jour est si long et la soirée encore bien davantage! Ce n'est pas du tout comme chez toi où ton père et ta mère causaient si gaiement, où vous tous les chers enfants faisiez un vacarme si plaisant. Comme ce pauvre vieux monsieur est solitaire! Personne pour l'embrasser, personne pour lui jeter un doux regard, pas d'arbre de Noël. Il n'a rien à attendre que son enterrement! Je n'en peux plus.

— Ne prends pas tout si à cœur, dit le petit garçon. Je trouve qu'on est si bien ici, et puis toutes ces vieilles pensées avec ce qu'elles peuvent apporter te rendent aussi visite.

— Ça, je ne les vois pas et je ne les connais pas, je ne peux plus rester.

— Tu le dois, répondit le petit garçon.

Et voilà! le vieux monsieur revint avec les confitures, les pommes et les noix, et le petit garçon ne pensa plus au soldat de plomb.

C'est tout joyeux que le petit garçon rentra chez lui — des jours, des semaines passèrent — on se saluait d'une maison à l'autre et puis, un jour, le petit garçon retraversa la rue.

Les trompettes sculptées sonnèrent : Tratterata! Voilà le petit garçon, tratterata! les épées et les armures des portraits cliquetèrent, les robes de soie froufroutèrent, la peau de porc se mit à parler et le vieux fauteuil avait des douleurs dans le dos. Aïe! Aïe! Tout se passait exactement comme la première fois car les heures et les jours se suivaient là, identiques les uns aux autres.

77

— Je n'en peux plus, dit le soldat de plomb. J'ai pleuré des larmes de plomb, tout est trop triste ici, j'aimerais mieux aller à la guerre et perdre bras et jambes, cela ferait au moins du changement. Maintenant je sais ce que c'est que d'avoir la visite de ses pensées d'autrefois, mais pour ce qui est de m'apporter quelque chose! les miennes m'ont visité et je t'assure qu'à la longue ce n'est pas un plaisir, j'ai failli à la fin sauter en bas du bahut. Je vous voyais, vous tous de la maison d'en face, aussi distinctement que si vous aviez été ici, nous étions à nouveau ce dimanche matin dont tu te souviens. Tous les enfants se tenaient devant la table recueillis et les mains jointes et chantaient des psaumes comme tous les dimanches matin, vos parents n'étaient pas moins solennels. Voilà la porte qui s'ouvre et la petite sœur Maria qui n'a pas encore deux ans et qui danse toujours lorsqu'elle entend de la musique ou du chant, quel qu'en soit le genre, entre — elle n'aurait pas dû —, et se met à danser mais elle ne pouvait pas suivre la mesure, le rythme était trop lent, alors elle resta d'abord sur une jambe et penchant la tête en avant, puis sur l'autre et penchant la tête à nouveau, mais elle n'y arrivait pas. Vous gardiez tous votre sérieux, ce qui n'était pas facile, mais moi je riais si fort intérieurement que je tombai en bas de la table et me fis une grosse bosse, que j'ai encore du reste, c'était mal de ma part de rire. Tout ce que j'ai vécu repasse ainsi en moi. Ce doit être ça les vieilles pensées et ce qu'elles peuvent apporter. Dis-moi si vous chantez encore le dimanche, parle-moi un peu de la petite Maria, et comment va mon camarade, l'autre soldat de plomb, il a plus de chance que moi, je n'en peux plus.

— Je t'ai donné en cadeau, répondit le petit garçon, tu dois rester, est-ce que tu ne peux pas comprendre ça?

Le vieux monsieur apporta un tiroir plein de choses curieuses : une boîte à poudre, un flacon à parfum et de vieilles cartes très grandes et dorées comme on n'en voit plus. Il ouvrit le clavecin — l'intérieur du couvercle était peint et représentait un paysage —, se mit à jouer, le clavecin était tout enroué, pourtant il fredonna une mélodie.

— Voilà ce qu'elle chantait, dit-il en souriant au portrait qu'il avait acheté chez le brocanteur et ses yeux brillaient.

— Je veux aller à la guerre, à la guerre! cria le soldat de plomb aussi fort qu'il le put et il se jeta par terre.

Où avait-il passé? Le vieux monsieur chercha, le petit garçon chercha, mais il avait disparu...

— Je le retrouverai bien, dit le vieux monsieur.

Il ne le retrouva jamais, le parquet était plein de fentes et de trous, le soldat de plomb y était tombé et il resta là dans cette tombe ouverte!

La journée se termina et le petit garçon rentra chez lui, des jours et des semaines passèrent. Les fenêtres étaient toutes givrées, l'enfant était obligé de souffler sur les carreaux et de les chauffer avec son haleine pour jeter un coup d'œil sur la vieille maison. La neige s'était glissée dans toutes les fioritures et sur les inscriptions, elle montait très haut sur l'escalier comme s'il n'y avait personne à la maison et il n'y avait effectivement personne, le vieux monsieur était mort.

Vers le soir une voiture s'arrêta devant la porte, on y descendit le cercueil du vieux monsieur qui devait reposer pour toujours dans un tombeau, à la campagne. C'est là qu'on l'emmenait, mais personne ne suivait, tous ses amis étaient morts. Le petit garçon envoya du doigt un baiser vers le cercueil...

Quelques jours plus tard, il y eut une vente aux enchères dans la vieille maison. De sa fenêtre, le petit garçon vit emporter les chevaliers, les vieilles dames, les poteries aux longues oreilles, les vieux fauteuils et les armoires. Tout fut dispersé de droite et de gauche. Le portrait qui venait de chez le brocanteur y retourna et y resta, nul ne connaissait plus cette dame et nul ne s'en souciait.

Au printemps, on abattit la vieille maison, cette horreur disaient les gens. De la rue on pouvait voir jusqu'à l'intérieur du salon tendu de peau de porc, arrachée, déchirée, et la verdure du balcon tombait en désordre autour des poutres branlantes — et ça aussi fut déblayé.

Enfin! s'écrièrent les maisons voisines.

On bâtit à la place une belle maison aux grandes fenêtres, aux murs lisses et blancs. Devant elle, et précisément à l'endroit où se trouvait la vieille maison, on planta un petit jardin, une vigne vierge grimpait sur le mur des voisins, devant le jardin on mit une grille de fer avec portail d'entrée, cela avait un air grandiose, les gens s'arrêtaient pour admirer. Les moineaux, perchés par dizaines dans la vigne vierge, gazouillaient tous à la fois, ils ne parlaient pas de la vieille maison, ils ne l'avaient pas connue, tant d'années avaient passé que le petit garçon était devenu un homme de valeur dont ses parents étaient fiers. Il venait de se marier et de s'installer avec sa jeune femme dans la maison. Il se tenait auprès d'elle dans le jardin tandis qu'elle plantait une fleur des champs qu'elle trouvait jolie. Elle la plantait de ses petites mains et tapotait ensuite la terre de ses doigts.

— Oh! qu'est-ce que c'est! Elle venait de se piquer, quelque chose de pointu sortait de la terre molle.

C'était!... Oui, c'était vraiment le soldat de plomb qui avait disparu de chez le vieux monsieur et qui avait été pris parmi les gravats et, finalement, était resté bien des années dans la terre.

La jeune femme essuya le soldat, d'abord avec une feuille verte, puis avec son fin mouchoir au doux parfum. Il sembla au soldat de plomb qu'il s'éveillait d'un long évanouissement.

— Fais voir, dit le jeune marié. Il rit et secoua la tête. Evidemment, ce ne peut être celui-là, mais il me rappelle un jouet que j'avais étant petit!

Il raconta à sa femme l'histoire de la vieille maison, du vieux monsieur, du soldat de plomb dont il lui avait fait cadeau parce qu'il était si terriblement seul. Il raconta les choses telles qu'elles avaient été et la jeune femme en eut les larmes aux yeux.

— C'est peut-être bien le même, dit-elle. Je le garderai en souvenir de tout ce que tu m'as raconté. Il faudra que tu me montres la tombe du vieux monsieur.

— Je ne la connais pas, répondit-il, personne ne la connaît, tous ses amis étaient morts, personne ne s'occupait de lui et je n'étais qu'un enfant.

— Comme il a dû être terriblement seul!

— Oui, terriblement seul! cria le soldat de plomb, mais comme c'est agréable de n'être pas oublié!

— Comme c'est agréable! répéta un écho.

Personne d'autre que le soldat de plomb ne vit que c'était un morceau de la peau de porc qui tapissait le salon, toute dédorée et sale, comme un peu de terre mouillée qui avait parlé, elle avait son opinion.

La dorure s'en va,
La peau de porc demeure.

Mais le soldat de plomb ne le croyait pas.

LA PIÈCE D'ARGENT

Il était une fois une pièce, elle arrivait toute brillante de la Monnaie, elle sauta de joie en tintant. Hurrah! s'écria-t-elle, je vais m'élancer dans le monde!

Et elle y alla, c'est bien certain. L'enfant la tenait dans ses douces petites mains chaudes, l'avare la serrait dans ses paumes glacées, le vieil homme la tournait mille fois avant de s'en séparer, la jeunesse insouciante la faisait tout de suite rouler.

La pièce était d'argent, avec très peu de cuivre. Elle avait déjà circulé depuis un an dans le pays où elle avait été frappée, quand elle partit pour un voyage à l'étranger, seule monnaie de son pays dans la bourse de son maître actuel. Lui-même ne savait pas qu'elle était restée là, jusqu'au jour où, par hasard, il la prit.

— Eh! voilà une pièce qui me reste de chez nous, pensa-t-il. Eh bien! elle fera le voyage avec moi.

La pièce d'argent sauta de joie en tintant contre les autres, quand le voyageur la laissa retomber dans la bourse. Elle resta là au milieu de compagnons étrangers qui allaient et venaient, l'un faisant place à l'autre; elle seule restait toujours dans la bourse, honorable distinction!

Plusieurs semaines s'écoulèrent et la pièce avait déjà voyagé bien loin, sans savoir où du reste, renseignée seulement par les autres qui se disaient françaises ou italiennes. L'une affirmait qu'on était dans telle ville, l'autre que l'on avait atteint tel ou tel endroit, sans que la nôtre puisse s'en faire une idée bien nette. Celui qui voyage dans une bourse ne voit rien du tout, et c'était bien son cas.

Mais un jour elle remarqua que la bourse n'était pas fermée, elle se glissa jusqu'à l'ouverture pour jeter un coup d'œil à l'extérieur. Elle n'aurait pas dû le faire, mais elle était curieuse et il faut payer cela cher parfois. C'est ainsi qu'elle tomba dans la poche du pantalon, et quand le soir on en retira la bourse, elle resta dans la poche. Avec les vêtements à brosser, elle fut mise dans le couloir, elle tomba par terre; nul ne la vit ni ne l'entendit.

Le lendemain matin, on rapporta les vêtements dans la chambre; le voyageur s'habilla, partit, continua son voyage. La pièce resta là, fut ramassée et remise en circulation avec trois autres monnaies.

— C'est amusant de voir le monde, pensait-elle, de connaître des gens nouveaux, des coutumes étrangères... Mais voici sa triste histoire, racontée par elle-même.

— Qu'est-ce que c'est que cette pièce-là, je n'en veux pas, elle est fausse, elle n'a pas de valeur.

Voilà ce qu'elle entendait tout le temps.

— Fausse! Pas de valeur! J'étais indignée, je savais que j'étais de bon argent, frappée comme il faut dans mon pays. Sûrement les gens se trompaient, ou ce n'est pas de moi qu'ils parlent, pensais-je. Mais si, j'entendais toujours: fausse, ne vaut rien, et c'était bien à moi qu'ils s'adressaient, c'était moi qui ne valais rien pour eux.

— Il faut que je m'en débarrasse la nuit, dans l'obscurité, disait un homme qui m'avait reçue; il me passait à quelqu'un, la nuit, mais quand venait le jour, j'étais de nouveau accablée d'injures, toujours j'entendais : fausse, sans valeur, tâchons de nous en débarrasser au plus vite.

— Je tremblais dans les doigts de mes propriétaires, chaque fois qu'ils me passaient frauduleusement comme monnaie du pays.

Que je suis malheureuse! pensais-je. A quoi me sert d'être d'argent si l'on conteste ma valeur, ma frappe honnête? On n'a aux yeux du monde que la valeur qu'il veut bien vous attribuer. Ce doit être une chose affreuse que d'avoir mauvaise conscience, de se traîner sur le chemin du mal, puisque moi, parfaitement innocente, je me sens si misérable, quand on me croit seulement coupable.

Chaque fois qu'on me sortait, je redoutais les regards qui allaient se poser sur moi, je savais qu'on allait me rejeter sur la table comme imposteur. Une fois, je tombai entre les mains d'une pauvre femme, qui me reçut comme salaire d'un dur travail; elle n'arrivait pas à se débarrasser de moi, personne ne me voulait, j'étais un vrai tourment pour la pauvre vieille.

— Je vais, bien sûr, être obligée de tromper quelqu'un, dit-elle; avec la meilleure volonté du monde, je n'ai pas les moyens de garder une pièce fausse. Je vais la passer au riche boulanger; il peut supporter la perte mieux que moi-même, pourtant je sais que je fais mal.

— En suis-je donc venue à peser lourdement sur la conscience de cette femme? soupirai-je. Comme on change en vieillissant.

Alors la femme partit chez le riche boulanger, mais lui connaissait trop bien les pièces ayant cours; il me refusa, me rejeta et ne lui donna pas de pain. Je me sentais bien malheureuse d'être cause de la détresse d'autrui, moi qui en ma jeunesse avais si fièrement conscience de ma valeur et de la perfection de ma frappe.

Je me sentis aussi triste que peut l'être une pièce de monnaie que personne ne veut accepter, mais la femme me remporta chez elle et me contempla d'un bon visage amical.

— Non, je ne tromperai personne grâce à toi. Je vais te percer d'un trou; ainsi tout le monde verra que tu es fausse. Cependant... il me vient une idée... Peut-être ai-je en toi un porte-bonheur... Oui, je le crois vraiment. Je vais percer un trou dans la pièce, passer un cordon dans le trou et t'attacher au cou du petit garçon de ma voisine. Je dirai que c'est un porte-bonheur.

C'est ce qu'elle fit et quoiqu'il ne soit jamais agréable d'être percé d'un trou, l'intention était bonne, et je supportai mon mal. Je devins une médaille attachée au cou du petit qui me souriait, me baisait et me gardait toute la nuit sur sa petite poitrine innocente et chaude.

Au matin, la mère de l'enfant me prit entre ses doigts et me considéra; elle avait aussi son idée, je la comprenais bien. Elle prit une paire de ciseaux et coupa le cordon.

— Un porte-bonheur? dit-elle. Nous allons voir ça.

Elle me plongea dans un acide qui me fit devenir toute verte. Elle boucha le trou et me porta entre chien et loup au marchand de billets de loterie pour acheter un billet qui porterait bonheur.

J'étais véritablement écœurée, il me semblait que j'allais éclater en mille morceaux. Je savais qu'on allait s'apercevoir que j'étais fausse, qu'on allait me rejeter devant toutes les autres pièces et monnaies, qui étaient là portant des inscriptions et des visages dont elles pouvaient être fières. Pourtant, j'échappai à cette disgrâce, il y avait tant de monde dans le bureau, l'homme était si occupé qu'il me jeta dans la boîte avec les autres monnaies. Mon billet a-t-il gagné ou non, je ne le sais pas, mais ce que je sais bien, c'est que, le lendemain matin, je fus reconnue comme une pièce fausse. On me passa à quelqu'un d'autre pour le tromper, tromper toujours! C'est une chose pénible quand on est honnête et je sais que je le suis.

Pendant des années, j'ai erré ainsi de main en main, toujours mal reçue, personne n'avait confiance en moi et je perdis confiance en tout le monde et en moi-même. Ce fut un temps bien dur.

Enfin, un jour, un étranger arriva, je lui fus passée; il m'accepta, mais quand il voulut me repasser à d'autres retentit l'affreux cri habituel:

— Sans valeur! Fausse.

— Je l'ai prise comme bonne, dit l'homme, et il me regarda de plus près. Puis, tout d'un coup, un bon sourire vint éclairer son visage, je n'avais jamais vu cette expression sur aucune autre figure me regardant de près.

— Qu'est ceci? dit-il. Voilà une monnaie de mon pays, une bonne et honnête pièce de chez nous, à laquelle ils ont percé un trou et qu'ils déclarent fausse. Voilà qui est curieux, je vais te conserver et te ramener chez moi.

— Un frisson de joie me traversa à l'entendre. J'étais bonne, j'allais rentrer dans mon pays, où tout le monde me connaîtrait. J'aurais voulu lancer des étincelles de bonheur, mais ce n'est pas le propre de l'argent, ceci est réservé à l'acier.

Je fus enveloppée dans un papier blanc afin de n'être pas confondue avec les autres pièces et, à certaines occasions joyeuses, quand mon propriétaire rencontrait des compatriotes, il me montrait à eux. Tout le monde m'appréciait, me trouvait intéressante. C'est étonnant que l'on puisse être si intéressante sans dire un seul mot.

Enfin j'arrivai au pays. Tous mes ennuis étaient finis. J'étais à nouveau heureuse car j'étais de bon argent et de bonne frappe. Plus de désagréments à endurer, malgré le trou qu'on avait percé en moi, comme la marque honteuse d'une pièce fausse; quelle importance si l'on n'est pas vraiment fausse?

Il faut toujours attendre la fin avec confiance car à la fin justice est faite... Du moins, c'est mon avis, dit la pièce.

LA MALLE VOLANTE

Il était une fois un marchand, si riche qu'il eût pu paver toute la rue et presque une petite ruelle encore en pièces d'argent, mais il ne le faisait pas. Il savait employer autrement sa fortune et s'il dépensait un skilling[1], c'est qu'il savait gagner un daler[2]. Voilà quelle sorte du marchand c'était — et puis, il mourut.

Son fils hérita de tout cet argent et il mena joyeuse vie ; il allait chaque nuit au bal masqué, confectionnait des cerfs-volants avec des riksdalers de papier, et faisait des ricochets sur la mer avec des pièces d'or à la place de pierres plates. A ce train, l'argent filait vite... A la fin, le garçon ne possédait plus que quatre skillings et ses seuls vêtements étaient une paire de pantoufles et une vieille robe de chambre.

Ses amis l'abandonnèrent puisqu'il ne pouvait plus se promener avec eux dans la rue. Mais l'un d'entre eux, qui était bon, lui envoya une vieille malle en lui disant : Fais tes paquets !

C'était vite dit, il n'avait rien à mettre dans la malle. Alors, il s'y mit lui-même.

Quelle drôle de malle ! si on appuyait sur la serrure, elle pouvait voler.

C'est ce qu'elle fit, et pfut ! elle s'envola avec lui à travers la cheminée, très haut, au-dessus des nuages, de plus en plus loin. Le fond craquait, notre homme craignait qu'il ne se brise en morceaux, il aurait fait une belle culbute ! Grand Dieu !... et puis, il arriva au pays des Turcs. Il cacha la malle dans la forêt, sous des feuilles sèches,

[1] petite monnaie danoise
[2] pièce de plus grande valeur

et entra tel qu'il était, dans la ville, ce qu'il pouvait bien se permettre puisque, en Turquie, tout le monde se promène en robe de chambre et en pantoufles.

Il rencontra une nourrice avec un petit enfant.

— Ecoute un peu, nourrice turque, dit-il, qu'est-ce que c'est que ce grand château près de la ville, les fenêtres en sont si hautes?

— C'est là qu'habite la fille du roi, répondit-elle. Il lui a été prédit qu'elle serait très malheureuse par le fait d'un fiancé, c'est pourquoi personne ne doit aller chez elle sans que le roi et la reine soient présents.

— Merci, dit le fils du marchand.

Il retourna dans la forêt, s'assit dans la malle, vola jusqu'au toit du château et se glissa par la fenêtre chez la princesse.

Elle était couchée sur le sofa et dormait. Elle était si adorable que le fils du marchand ne put se retenir de lui donner un baiser. Elle s'éveilla, effrayée, mais il lui affirma qu'il était le dieu des Turcs et qu'il était venu vers elle à travers les airs, ce qui plut beaucoup à la demoiselle.

Ils s'assirent l'un à côté de l'autre et il lui raconta des histoires : ses yeux étaient les plus beaux lacs sombres sur lesquels les pensées nageaient comme des sirènes, son front était un mont neigeux aux salles magnifiques, pleines d'images. Il parla aussi des cigognes qui apportent les mignons bébés. Quelles belles histoires! alors, il demanda sa main à la princesse, et elle dit «oui» tout de suite.

— Mais revenez ici samedi, lui dit-elle, car le roi et la reine viennent prendre le thé chez moi. Ils seront très fiers de me voir épouser le dieu des Turcs, mais sachez leur raconter un très beau conte car ils les aiment énormément; ma mère les veut moraux et distingués, mais père les apprécie très gais, que l'on puisse rire.

— Bien! Je n'apporterai pas d'autre cadeau de mariage qu'un conte, répondit-il.

Là-dessus, ils se quittèrent après que la princesse lui eut donné un sabre incrusté de pièces d'or, et c'est cela surtout qui pouvait lui être utile.

Il s'envola, s'acheta une nouvelle robe de chambre et s'assit dans la forêt pour composer un conte. Il devait être terminé samedi, et ce n'est pas si facile.

Pourtant, quand vint le samedi, c'était fait.

Le roi, la reine et toute la cour prenaient le thé chez la princesse et l'attendaient. Il fut reçu avec beaucoup de gentillesse.

— Voulez-vous nous raconter une histoire? demanda la reine, une histoire d'un esprit profond et instructif.

— Mais qui fait quand même rire, dit le roi.

— Je veux bien, dit-il.

Et il se mit à raconter. Ecoutons.

Il y avait une fois un paquet d'allumettes, très fières de leur origine. Leur ancêtre, un grand sapin, dont elles étaient toutes nées, avait été un grand, vieil arbre, dans la forêt. Les allumettes se trouvaient maintenant sur une tablette entre un briquet et une vieille marmite de fer, et elles parlaient de leur jeunesse.

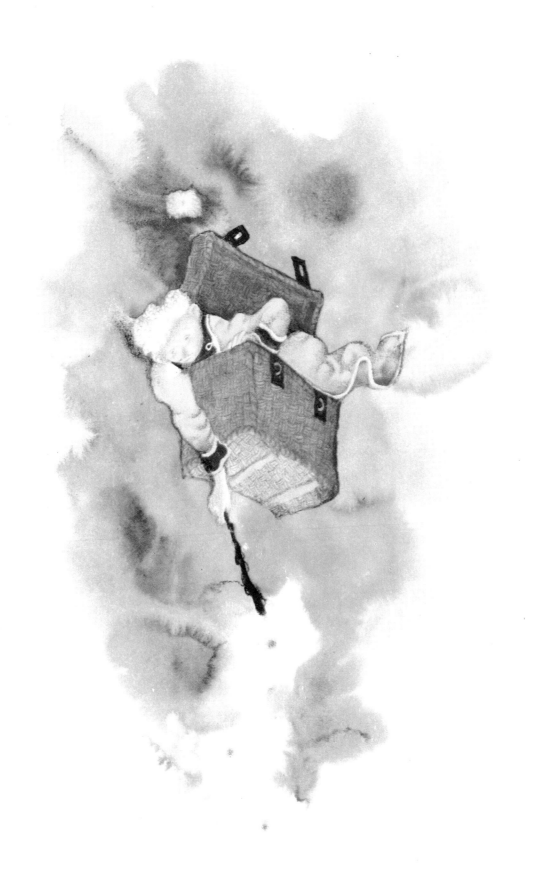

— Quand nous étions parmi les rameaux verts, soupiraient-elles, on peut dire que c'était la belle vie. C'était matin et soir thé de diamants — la rosée — toute la journée le soleil quand il brillait — et les oiseaux pour nous raconter des histoires.

Et nous nous sentions riches! Les arbres à feuillages n'étaient vêtus que l'été. Nous, nous avions les moyens d'être habillées de vert été comme hiver. Mais les bûcherons sont venus et ça a été la grande révolution : notre famille fut dispersée.

Notre père le tronc fut placé comme grand mât sur un splendide navire qui pouvait faire le tour du monde, s'il le voulait; les autres branches furent utilisées ailleurs, et notre sort, à nous, est maintenant d'allumer les lumières pour les gens du commun. C'est pourquoi nous, gens de qualité, avons échoué à la cuisine.

— Mon histoire est toute différente, dit la marmite. Depuis que je suis venue au monde, on m'a récurée et fait bouillir tant de fois! Je pourvois au substantiel et suis réellement la personne la plus importante de la maison. Ma seule joie c'est, après le repas, de m'étendre propre et récurée sur une planche et de tenir la conversation avec les camarades. Mais à l'exception du seau d'eau qui, de temps en temps, descend dans la cour, nous vivons très renfermés. Notre seul agent d'information est le panier à provisions, mais il parle avec tant d'agitation du gouvernement et du peuple! Oui, l'autre jour, un vieux pot, effrayé de l'entendre, est tombé et s'est cassé en mille morceaux — il a des idées terriblement avancées, vous savez!

— Tu parles trop, dit le briquet. Son acier frappa la pierre à fusil qui lança des étincelles. Tâchons plutôt de passer une soirée un peu gaie.

— Oui, dirent les allumettes. Cherchons qui sont, ici, les gens du plus haut rang.

— Non, je n'aime pas à parler de moi, dit le pot de terre, ayons une soirée de simple causerie. Je commencerai. Racontons quelque chose que chacun a vécu, c'est bien facile et si amusant.

— Au bord de la Baltique, sous les hêtres danois...

— Quel charmant début! interrompirent les assiettes. Nous sentons que nous aimerons cette histoire!

— Oui, j'ai passé là ma jeunesse dans une paisible famille. Les meubles étaient cirés, les parquets lavés, les rideaux changés tous les quinze jours.

— Comme vous racontez d'une manière intéressante! dit le balai à poussière. On se rend compte tout de suite que c'est une femme qui parle; il y a quelque chose de si propre dans votre récit.

— Oui, ça se sent, dit le seau d'eau. Et, de plaisir, il fit un petit bond et l'on entendit «platch» sur le parquet.

Le pot de terre continua son récit dont la fin était aussi bonne que le commencement. Les assiettes s'entrechoquaient d'admiration, et le balai prit un peu de persil et en couronna le pot parce qu'il savait que cela vexerait les autres, et aussi parce qu'il pensait : «Si je le couronne aujourd'hui, il me couronnera demain.»

— Maintenant, je vais danser pour vous, dit la pincette.

Et elle dansa. Grand Dieu! comme elle savait lancer la jambe! La vieille garniture de chaise, dans le coin, craqua d'intérêt devant ce spectacle.

— Est-ce que je serai couronnée? demanda la pincette. Et elle le fut.

— Comme elle est vulgaire, pensèrent les allumettes.

C'était au tour de la bouilloire à thé de chanter, mais elle prétendait avoir un rhume et ne pouvoir chanter qu'au moment de bouillir. Ce n'était qu'une poseuse qui ne voulait se produire que sur la table des maîtres.

Sur la fenêtre, il y avait une vieille plume dont la servante se servait pour écrire. Elle n'avait rien de remarquable sinon qu'elle avait été plongée trop profondément dans l'encrier ce dont elle tirait grande vanité.

— Si la bouilloire à thé ne veut pas chanter, dit-elle, elle n'a qu'à s'abstenir. Il y a là dehors, dans une cage, un rossignol. Lui sait chanter quoiqu'il n'ait jamais appris. Il nous suffira pour ce soir.

— Je trouve fort inconvenant, dit la bouilloire qui était la cantatrice de la cuisine, qu'un oiseau étranger se produise ici. Est-ce patriotique? J'en fais juge le panier à provisions.

— Je suis vexé, dit le panier à provisions, plus que vous ne le pensez peut-être! Est-ce une manière convenable de passer la soirée? Ne vaudrait-il pas mieux réformer toute la maison, mettre chacun à sa place! Je dirigerais le mouvement. Ce serait autre chose.

— Oui, faisons du chahut! s'écrièrent-ils tous.

A cet instant, la porte s'ouvrit, la servante entra. Tous devinrent muets. Personne ne broncha plus, mais il n'y avait pas un seul petit pot qui ne fut conscient de ses possibilités et de sa distinction.

— Si j'avais voulu, pensaient-ils tous, cela aurait vraiment pu être une soirée très gaie.

La servante prit les allumettes et les gratta. Comme elles crépitaient et flambaient!

— Maintenant, tout le monde voit bien que nous sommes les premières. Quel éclat! Quelle lumière!

Ayant dit, elles s'éteignirent.

— Quel charmant conte, dit la reine. Je croyais être à la cuisine avec les allumettes. Oui, tu auras notre fille.

— Bien sûr, dit le roi, tu auras notre fille lundi.

Ils le tutoyaient déjà puisqu'il devait entrer dans la famille.

Le mariage fut fixé. La veille au soir toute la ville fut illuminée, les petits pains mollets et les croquignoles volaient de tous côtés, les gamins des rues se tenaient sur la pointe des pieds, criaient «Bravo!» et sifflaient dans leurs doigts. Une belle soirée!

— Il faut aussi que je fasse quelque chose de bien, pensa le fils du marchand.

Il acheta des raquettes, des fusées, des pétards et tous les feux d'artifices imaginables. Il les mit dans sa malle et s'envola dans les airs.

Pfutt! Quelles gerbes et quels crépitements tombaient du ciel!

Tous les Turcs sautaient en l'air, leurs pantoufles volant par-dessus leurs oreilles. Ils n'avaient jamais rien vu de si beau. Ils étaient bien persuadés que c'était le dieu des Turcs lui-même qui allait épouser la princesse.

Aussitôt que le fils du marchand fut redescendu dans la forêt, il se dit:

— Je vais aller en ville pour savoir comment tout s'est passé en bas, et ce qu'on a pensé de mon feu d'artifice.

Et c'était assez naturel qu'il fût curieux de le savoir. Non ce que les gens pouvaient en dire! chacun avait vu la chose à sa façon, mais tous l'avaient vivement appréciée.

— J'ai vu le dieu des Turcs en personne, disait l'un, il avait des yeux brillants comme des étoiles et une barbe comme l'écume de la mer.

— Il portait un manteau de feu, disait l'autre, les anges les plus ravissants montraient leur tête dans ses plis. Tout cela était fort agréable! — et le lendemain, le mariage devait avoir lieu.

Il retourna dans la forêt pour remonter dans sa malle. Où était-elle donc? Elle avait brûlé; une étincelle du feu d'artifice y avait mis le feu et la malle était en cendres. Il ne pouvait plus voler, il ne pouvait plus se présenter devant sa fiancée.

Elle l'attendit toute la journée sur le toit de son palais. Elle l'y attend encore, tandis que lui court le monde en racontant des histoires, mais elles ne sont plus aussi amusantes que celle des allumettes.

LE STOÏQUE SOLDAT DE PLOMB

Il y avait une fois vingt-cinq soldats de plomb, tous frères, tous nés d'une vieille cuiller de plomb : l'arme au bras, la tête droite, leur uniforme rouge et bleu n'était pas mal du tout.

La première parole qu'ils entendirent en ce monde, lorsqu'on souleva le couvercle de la boîte fut : des soldats de plomb ! Et c'est un petit garçon qui poussa ce cri en tapant des mains. Il les avait reçus en cadeau pour son anniversaire et tout de suite il les aligna sur la table.

Les soldats se ressemblaient exactement, un seul était un peu différent, il n'avait qu'une jambe ayant été fondu le dernier quand il ne restait plus assez de plomb. Il se tenait cependant sur son unique jambe aussi fermement que les autres et c'est à lui, justement, qu'arriva cette singulière histoire.

Sur la table où l'enfant les avait alignés, il y avait beaucoup d'autres jouets, dont un joli château de carton qui frappait tout de suite le regard. A travers les petites fenêtres on pouvait voir jusque dans l'intérieur du salon. Au dehors, de petits arbres entouraient un petit miroir figurant un lac sur lequel voguaient et se miraient des cygnes de cire. Tout l'ensemble était bien joli, mais le plus ravissant en était une petite demoiselle debout dans le portail ouvert du château. Elle était également découpée dans du papier, mais portait une large jupe de fine batiste très claire, un étroit ruban bleu autour de ses épaules en guise d'écharpe sur laquelle scintillait une paillette aussi grande que tout son visage. La petite demoiselle tenait les deux

94

bras levés, car c'était une danseuse, et elle levait aussi une jambe en l'air, si haut, que notre soldat ne la voyait même pas. Il crut que la petite danseuse n'avait qu'une jambe, comme lui-même.

— Voilà une femme pour moi, pensa-t-il, mais elle est de haute condition, elle habite un château et moi je n'ai qu'une boîte dans laquelle nous sommes vingt-cinq, ce n'est guère un endroit digne d'elle. Cependant, tâchons de lier connaissance.

Il s'étendit de tout son long derrière une tabatière qui se trouvait sur la table ; de là, il pouvait admirer à son aise l'exquise petite demoiselle qui continuait à se tenir debout sur une jambe sans perdre l'équilibre.

Lorsque la soirée s'avança, tous les autres soldats réintégrèrent leur boîte et les gens de la maison allèrent se coucher. Alors les jouets se mirent à jouer à la visite, à la guerre, au bal. Les soldats de plomb s'entrechoquaient bruyamment dans la boîte, ils voulaient être de la fête, mais n'arrivaient pas à soulever le couvercle. Le

casse-noisette faisait des culbutes et la craie batifolait sur l'ardoise. Au milieu de ce tapage, le canari s'éveilla et se mit à gazouiller et cela en vers, s'il vous plaît. Les deux seuls à ne pas bouger de leur place étaient le soldat de plomb et la petite danseuse, elle toujours droite sur la pointe des pieds, les deux bras levés ; lui, bien ferme sur sa jambe unique. Pas un instant il ne la quittait des yeux.

L'horloge sonna minuit. Alors, clac ! le couvercle de la tabatière sauta, il n'y avait pas le moindre tabac dedans (c'était une attrape), mais seulement un petit diable noir.

— Soldat de plomb, dit le diablotin, veux-tu bien mettre tes yeux dans ta poche. Mais le soldat de plomb fit semblant de ne pas entendre.

— Attends voir seulement jusqu'à demain, dit le diablotin.

Le lendemain matin, quand les enfants se levèrent, le soldat fut placé sur la fenêtre. Tout à coup — par le fait du petit diable ou par suite d'un courant d'air —, la fenêtre s'ouvrit brusquement, le soldat piqua, tête la première, du troisième étage. Quelle équipée ! Il atterrit la jambe en l'air, tête en bas, sur sa casquette, la baïonnette fichée entre les pavés.

La servante et le petit garçon descendirent aussitôt pour le chercher. Ils marchaient presque dessus, mais ne le voyaient pas. Bien sûr ! si le soldat de plomb avait crié : «Je suis là», ils l'auraient découvert. Mais lui ne trouvait pas convenable de crier très haut puisqu'il était en uniforme.

La pluie se mit à tomber de plus en plus fort, une vraie trombe ! Quand elle fut passée, deux gamins des rues arrivèrent.

— Dis donc, dit l'un d'eux, voilà un soldat de plomb, on va lui faire faire un voyage.

D'un journal, ils confectionnèrent un bateau, placèrent le soldat au beau milieu, et le voilà descendant le ruisseau, les deux garçons courant à côté et battant des mains. Dieu ! quelles vagues dans ce ruisseau ! et quel courant ! bien sûr, il avait plu à verse ! Le bateau de papier montait et descendait et tournoyait sur lui-même à faire trembler le soldat de plomb, mais il demeurait stoïque, sans broncher, et regardait droit devant lui, l'arme au bras.

Soudain le bateau entra sous une large planche couvrant le ruisseau, il y faisait aussi sombre que s'il avait été dans sa boîte.

— Où cela va-t-il me mener ? pensa-t-il. C'est sûrement la faute du diable de la boîte. Hélas ! si la petite demoiselle était seulement assise à côté de moi dans le bateau, j'accepterais bien qu'il y fît deux fois plus sombre.

A ce moment surgit un gros rat d'égout qui habitait sous la planche.

— Passeport ! cria-t-il, montre ton passeport, vite !

Le soldat de plomb demeura muet, il serra seulement un peu plus fort son fusil. Le bateau continuait sa course et le rat lui courait après en grinçant des dents et il criait aux épingles et aux brins de paille en dérive.

— Arrêtez-le, arrêtez-le, il n'a pas payé de douane, ni montré son passeport !

Mais le courant devenait de plus en plus fort. Déjà, le soldat de plomb apercevait la clarté du jour là où s'arrêtait la planche, mais il entendait aussi un grondement dont, même un brave, pouvait s'effrayer. Le ruisseau, au bout de la planche, se jetait droit dans un grand canal. C'était pour lui aussi dangereux que pour nous de descendre en bateau une longue chute d'eau.

Il en était maintenant si près que rien ne pouvait l'arrêter. Le bateau fut projeté en avant, le pauvre soldat de plomb se tenait aussi raide qu'il le pouvait, personne ne pourrait plus tard lui reprocher d'avoir seulement cligné des yeux. L'esquif tournoya deux ou trois fois, s'emplit d'eau jusqu'au bord, il allait sombrer. Le soldat avait de l'eau jusqu'au cou et le bateau s'enfonçait toujours davantage, le papier s'amollissait de plus en plus, l'eau passa bientôt par-dessus la tête du navigateur. Alors, il pensa à la ravissante petite danseuse qu'il ne reverrait plus jamais, et à ses oreilles tinta la chanson :

> Tu es en grand danger guerrier !
> Tu vas souffrir la malemort !

Le papier se déchira, le soldat passa au travers... mais, au même instant, un gros poisson l'avala.

Non ! ce qu'il faisait sombre là-dedans ! encore plus que sous la planche du ruisseau, et il était bien à l'étroit, notre soldat, mais toujours stoïque il resta couché de tout son long, l'arme au bras.

Le poisson s'agitait, des secousses effroyables le secouaient. Enfin, il demeura parfaitement tranquille, un éclair sembla le traverser. Puis, la lumière l'inonda d'un seul coup et quelqu'un cria: Un soldat de plomb !

Le poisson avait été pêché, apporté au marché, vendu, monté à la cuisine où la servante l'avait ouvert avec un grand couteau. Elle saisit entre deux doigts le soldat par le milieu du corps et le porta au salon où tout le monde voulait voir un homme aussi remarquable, qui avait voyagé dans le ventre d'un poisson, mais lui n'était pas fier. On le posa sur la table...

Comme le monde est petit !... il se retrouvait dans le même salon où il avait été primitivement, il revoyait les mêmes enfants, les mêmes jouets sur la table, le château avec l'exquise petite danseuse toujours debout sur une jambe et l'autre dressée en l'air; elle aussi était stoïque.

Le soldat en était tout ému, il allait presque pleurer des larmes de plomb, mais cela ne se fait pas... Il la regardait et elle le regardait, mais ils ne dirent rien.

Soudain, un des petits garçons prit le soldat et le jeta dans le poêle sans aucun motif, sûrement encore sous l'influence du diable de la tabatière.

Le soldat de plomb tout ébloui sentait en lui une chaleur effroyable. Etait-ce le feu ou son grand amour ? Il n'avait plus ses belles couleurs, était-ce le voyage ou le chagrin ?

Il regardait la petite demoiselle et elle le regardait, il se sentait fondre, mais stoïque, il restait debout, l'arme au bras. Alors, la porte s'ouvrit, le vent saisit la danseuse et, telle une sylphide, elle s'envola directement dans le poêle près du soldat. Elle s'enflamma... et disparut. Alors, le soldat fondit, se réduisit en un petit tas, et, lorsque la servante, le lendemain, vida les cendres, elle y trouva comme un petit cœur de plomb. De la danseuse, il ne restait rien que la paillette, toute noircie par le feu, noire comme du charbon.

POUCETTE

Il y avait une fois une femme qui aurait bien voulu avoir un petit enfant, mais elle ne savait pas du tout où elle pourrait se le procurer. Elle alla trouver une vieille sorcière et lui dit :

— J'ai si grand désir d'avoir un petit enfant, ne veux-tu pas me dire où je peux me le procurer?

— Mais si, dit la sorcière, nous allons arranger cela. Prends ce grain d'orge, il n'est pas du tout de l'espèce qui pousse dans le champ du paysan, ou de celle qu'on donne à manger aux poules. Plante-le dans un pot à fleurs et tu verras!

— Merci, dit la femme. Elle donna douze sous à la sorcière, rentra chez elle, planta le grain d'orge, et aussitôt poussa une grande belle fleur qui ressemblait à une tulipe, mais les pétales en étaient étroitement fermés comme si elle n'était encore qu'un bouton.

— Quelle jolie fleur, dit la femme en l'embrassant sur les pétales rouges et jaunes.

Aussitôt il y eut dans la fleur comme une explosion et elle s'ouvrit.

On voyait bien que c'était une vraie tulipe, mais au centre même de la fleur, sur le pistil vert, était assise une minuscule petite fille, mignonne et fine, pas plus grande qu'un pouce, et que, pour cette raison, on appela Poucette.

Une élégante coquille de noix laquée fut son berceau, des pétales bleus de violettes ses matelas et des feuilles de roses son édredon. Elle y dormait la nuit et le jour elle jouait sur la table où la femme avait posé une assiette pleine d'eau entourée d'une couronne de fleurs dont les tiges plongeaient dans l'eau. Un grand pétale de tulipe y flottait, sur lequel était assise Poucette qui naviguait d'un côté à l'autre de l'assiette. Ses rames étaient deux crins de cheval blanc. C'était charmant à voir. La petite fille savait aussi chanter d'une voix si légère et ravissante qu'on n'en avait jamais ici entendu de semblable.

Une nuit qu'elle était couchée dans son joli lit, une affreuse crapaude entra en sautant par la fenêtre dont un carreau était cassé.

La crapaude était hideuse, énorme et humide, elle sauta sur la table où la petite Poucette dormait sous les pétales de roses rouges.

— Ce serait une jolie femme pour mon fils! se dit la crapaude. Elle s'empara de la coque de noix où dormait la petite fille et, à travers la fenêtre, sauta dans le jardin.

Un grand et large ruisseau y coulait dont les bords étaient vaseux et marécageux; c'est là qu'habitait la crapaude avec son fils. Horreur! il était également laid et repoussant, il ressemblait exactement à sa mère. «Koac, koac, koac!» c'est tout ce qu'il trouva à dire quand il vit cette adorable petite fille dans sa coque de noix.

— Ne coasse pas si fort, tu vas la réveiller, dit la vieille crapaude, elle pourrait encore nous échapper car elle est aussi légère qu'un duvet de cygne. Nous allons la poser dans le ruisseau sur une large feuille de nénuphar, pour elle, si petite, ce sera comme une île. Elle ne pourra pas s'enfuir pendant que nous préparerons la chambre d'apparat sous la vase où vous habiterez.

Sur le ruisseau poussaient beaucoup de nénuphars aux larges feuilles vertes qui semblaient flotter sur l'eau, la feuille la plus éloignée était la plus grande de toutes. La vieille crapaude nagea jusque-là et y posa la coque de noix avec la petite Poucette.

La pauvre enfant se réveilla de très bonne heure, le matin suivant, et quand elle vit où elle se trouvait, elle se mit à pleurer amèrement. Il y avait de l'eau tout autour de la feuille verte et il lui était impossible d'aller à terre.

La vieille crapaude au fond de la vase ornait la chambre avec des roseaux et des boutons de nénuphar jaunes, elle la voulait très élégante pour sa future belle-fille, puis elle nagea avec son affreux fils vers la feuille verte où se tenait la petite Poucette. A eux deux ils voulaient chercher le charmant petit lit pour le placer dans la chambre de l'épousée avant de l'y amener elle-même.

La vieille crapaude s'inclina profondément dans l'eau devant l'enfant et dit:

— Je te présente mon fils, il sera ton mari et vous aurez un charmant appartement en bas dans la vase.

— Koac! Koac! Koac! C'est tout ce que le fils savait dire.

Alors ils prirent le petit lit si coquet et s'éloignèrent à la nage. Poucette resta toute seule sur la feuille. Elle pleurait, elle ne voulait pas habiter chez l'horrible crapaude ni avoir pour mari son hideux fils.

Les petits poissons qui nageaient dans l'eau avaient vu et entendu la conversation, aussi sortaient-ils la tête de l'eau pour voir la petite. Dès qu'ils l'eurent aperçue, ils la trouvèrent ravissante, cela leur fit une peine infinie de penser qu'elle pourrait descendre chez cette vilaine bête. Non, cela ne serait pas. Ils se rassemblèrent tous sous l'eau autour de la tige de la feuille où se trouvait Poucette, et tous ensemble mordillèrent cette tige jusqu'à ce que la feuille, libérée, se mît à descendre le cours du ruisseau, loin, très loin, où ne pouvait venir la crapaude.

La petite Poucette naviguait et les oiseaux perchés dans les branches près desquelles elle passait, en la voyant chantaient :

— Quelle adorable petite demoiselle !

La feuille allait, allait toujours plus loin, c'est ainsi que Poucette arriva à l'étranger.

Un ravissant papillon volait constamment autour d'elle et finit par se poser sur la feuille. La petite fille lui plaisait et elle était si heureuse que la crapaude ne puisse plus l'atteindre que tout lui semblait beau autour d'elle ; le soleil brillait sur l'eau, ses rayons d'or scintillaient. Alors elle défit sa ceinture, en attacha un bout autour du papillon, l'autre bout du ruban elle le fixa à la feuille qui glissa encore plus rapidement entraînant l'enfant assise dessus.

Un hanneton vint à passer. Tout en volant il la vit et à l'instant jeta ses pinces autour de la taille fragile, puis il l'emporta dans un arbre. Mais la feuille verte continuait de descendre le courant portant attaché à elle le papillon qui ne pouvait se libérer.

Dieu ! quel effroi pour la pauvrette quand le hanneton l'emporta dans l'arbre, mais elle avait surtout beaucoup de peine pour le beau papillon blanc qu'elle avait enchaîné, et qui allait mourir de faim s'il ne pouvait se libérer. Le hanneton, lui, ne s'en souciait guère. Il se posa avec elle sur la plus large feuille verte de l'arbre, lui donna à manger le pollen des fleurs et lui dit qu'elle était une adorable mignonne bien qu'elle ne ressemblât évidemment en rien à un hanneton.

Puis les autres hannetons demeurant dans l'arbre leur rendirent visite. Ils regardaient la petite Poucette et les jeunes demoiselles-hannetons s'écriaient, secouant leurs antennes :

— Après tout, elle n'a que deux pattes, cela fait pauvre ! Et puis, elle n'a pas d'antennes ! Elle est si mince de la taille ! Fi ! qu'elle est laide, on dirait un être humain.

Et pourtant Poucette était si jolie ! C'était bien l'avis du hanneton qui l'avait enlevée, mais comme tout le monde la déclarait laide, il finit par dire comme les autres, il ne voulait plus la garder, elle pouvait bien s'en aller où bon lui semblerait. On vola avec elle au bas de l'arbre et on la déposa sur une marguerite des prés, mais la pauvre pleurait parce qu'elle était si laide que les hannetons eux-mêmes ne voulaient plus d'elle.

Elle ! la plus délicieuse que l'on puisse imaginer, délicate et fine, comme le plus joli pétale de rose.

Tout l'été la pauvre petite Poucette vécut toute seule dans la grande forêt. Elle se tressa un lit de brins d'herbe et le suspendit sous une grande feuille de patience afin qu'il ne pleuve pas sur elle; elle se nourrissait du pollen des fleurs et buvait la rosée du matin.

Ainsi passèrent l'été puis l'automne, mais vint l'hiver, l'hiver glacé, si long, si froid...

Les oiseaux qui avaient si bien chanté pour elle s'envolèrent, les arbres et les fleurs se flétrirent, la grande feuille sous laquelle elle avait vécu se recroquevilla et ne fut plus qu'une tige morte. Elle souffrit du froid terriblement, ses vêtements étaient déchirés et la pauvre enfant, si délicate et si petite, n'avait plus qu'à mourir.

Il se mit à neiger et chaque flocon qui tombait sur elle était comme tout un gros paquet de neige jeté sur nous, car nous sommes grands et elle n'avait qu'un pouce de haut. Elle essaya de s'envelopper dans une feuille morte, mais cela ne la réchauffait pas du tout, elle tremblait de froid.

A la sortie de la forêt où elle se trouvait maintenant il y avait un grand champ de blé; ce blé était récolté depuis longtemps, seul le chaume sec et nu se dressait sur la terre gelée. Pour elle c'était toute une forêt à traverser. Oh! comme elle tremblait de froid!

Elle arriva ainsi à la porte de la souris des champs, c'était un petit trou sous les fétus de paille. La souris vivait là confortablement au chaud, elle avait toute une chambre pleine de grains, cuisine et salle à manger.

La pauvre Poucette se plaça près de la porte comme n'importe quelle mendiante et demanda un petit morceau de grain d'orge, car elle n'avait rien mangé depuis deux jours.

— Pauvre enfant! dit la souris, qui était au fond une brave vieille souris des champs, viens là dans ma chambre chaude, viens manger avec moi.

Comme la petite Poucette lui faisait bonne impression, elle lui dit même :

— Tu peux rester chez moi cet hiver, mais tu feras le ménage et tu me raconteras des histoires, car je les aime énormément.

La petite Poucette fit ce que lui demandait la bonne vieille souris.

— Nous allons avoir de la visite bientôt, dit la souris, mon voisin vient me voir une fois par semaine. Il est très à son aise, encore plus que moi, il a d'immenses salons et une pelisse de velours noir absolument magnifique! S'il pouvait devenir ton mari, tu serais bien casée. Malheureusement il est aveugle. Il faudra lui raconter tes plus belles histoires.

La petite Poucette ne tenait pas du tout à épouser le voisin qui était une taupe. Il vint rendre visite dans sa pelisse de velours noir. La souris disait qu'il était très riche et très instruit, que ses appartements étaient vingt fois plus grands que le sien propre, qu'il était extrêmement cultivé, mais qu'il n'aimait pas du tout le soleil et les fleurs, il en disait beaucoup de mal, ne les ayant jamais vus.

Poucette dut chanter : «Hanneton, vole, vole», et «Le moine va aux champs». Alors le voisin taupe tomba amoureux d'elle, à cause de sa jolie voix, mais il ne se déclara pas tout d'abord, c'était un homme si prudent!

Il s'était creusé depuis peu un long couloir à travers la terre, allant de sa maison jusqu'à la leur et il leur donna la permission de s'y promener autant qu'elles le voudraient. Il les prévint seulement de ne pas avoir peur d'un oiseau mort tombé là, un oiseau tout entier, plumes et bec, qui avait dû mourir depuis peu, au début de l'hiver et qui avait été enterré justement à un endroit où passait le couloir.

Le voisin prit dans sa gueule un morceau de bois fossile, qui brille comme du feu dans l'obscurité, et les précéda pour les éclairer le long du corridor obscur. Lorsqu'ils arrivèrent à l'endroit où se trouvait l'oiseau mort, la taupe poussa son large museau contre le plafond et repoussa la terre, de sorte qu'il y eut un grand trou à travers lequel passait la lumière du jour. Sur le sol gisait une hirondelle, ses jolies ailes serrées contre son flanc, sa tête et ses pattes cachées sous ses plumes. Le pauvre oiseau était sûrement mort de froid. Petite Poucette en eut beaucoup de peine. Elle aimait tous les petits oiseaux qui l'été avaient si joliment gazouillé pour elle, mais la taupe donna à l'hirondelle un grand coup de ses courtes pattes et dit :

— Au moins, tu ne piailleras plus, toi! Quelle misère d'être né oiseau! Heureusement, cela n'arrivera à aucun de mes enfants! Un animal comme ça, ça n'a rien pour lui que son «quiqui», «quiqui», et il n'a qu'à mourir de faim quand vient l'hiver.

— Oui, ça, vous pouvez le dire, vous qui êtes un homme prévoyant, dit la souris. Qu'est-ce que son chant lui rapporte quand vient l'hiver, la faim, le froid? Et pourtant il y a une certaine grandeur dans ce chant.

Petite Poucette ne dit rien, mais lorsque les deux autres eurent tourné le dos, elle se baissa jusqu'à l'oiseau, écarta les plumes qui cachaient sa tête et déposa un baiser sur les yeux clos.

— C'est peut-être lui, pensait-elle, qui a si bien chanté pour moi cet été, il m'a fait tant plaisir, le cher bel oiseau!

La taupe reboucha le trou par lequel venait le jour et reconduisit les dames chez elles. Mais la nuit Poucette ne put s'endormir; elle se leva et tressa avec du foin une couverture dont elle alla envelopper l'oiseau mort et elle mit autour de son corps du coton moelleux trouvé chez la souris, afin qu'il pût reposer au chaud dans la terre froide.

— Adieu, beau petit oiseau, dit-elle, et merci pour ton chant délicieux de cet été quand les arbres étaient verts et que le soleil luisait et nous réchauffait.

Elle posa sa tête contre la poitrine de l'hirondelle, mais fut tout effrayée d'entendre battre le cœur de l'oiseau. Il n'était pas mort mais seulement engourdi, la chaleur l'avait ranimé. A l'automne les hirondelles s'envolent vers les pays chauds, mais s'il en est une qui s'attarde, elle a si froid qu'elle tombe comme morte sur la terre et reste où elle est tombée et la neige glacée la recouvre.

La petite Poucette tremblait de frayeur car l'oiseau était grand, grand à côté d'elle qui n'avait qu'un pouce, mais elle rassembla tout son courage et serra encore davantage le coton autour de la pauvre hirondelle, puis elle alla chercher une feuille de menthe frisée qui lui avait à elle-même servi d'édredon et elle la lui posa sur la tête.

La nuit suivante, elle se glissa de nouveau près de l'oiseau et le trouva tout à fait vivant mais si faible qu'il ne put qu'un instant lever les yeux vers elle, elle se tenait près de lui, un petit morceau de bois fossile à la main; elle n'avait pas d'autre lumière.

— Merci, jolie petite! murmura l'hirondelle, je suis toute réchauffée. Bientôt j'aurai retrouvé mes forces et je pourrai de nouveau voler dans les rayons du soleil.

— Oh! non, répondit-elle, il fait si froid dehors, il neige et il gèle, reste dans ton lit bien chaud, je te soignerai.

Elle lui apporta de l'eau dans un pétale de fleur et l'hirondelle, après avoir bu, lui raconta comment elle s'était déchiré une aile sur un buisson épineux de sorte qu'elle n'avait pu suivre le vol de ses sœurs qui s'en allaient loin, loin, vers les pays chauds. Elle était tombée à terre et ne se rappelait plus rien.

Elle resta là tout l'hiver et Poucette, qui l'aimait, fut très bonne pour elle. Ni la taupe ni la souris des champs ne s'en doutèrent, elles détestaient la pauvre hirondelle.

Dès l'arrivée du printemps, lorsque le soleil réchauffe la terre, l'hirondelle dit adieu à la petite Poucette, celle-ci avait rouvert le trou percé vers le haut par la taupe. Le soleil brillait délicieusement. L'hirondelle demanda si la petite fille ne voulait pas l'accompagner, proposant de la prendre sur son dos et de s'envoler ensemble vers la forêt verte. Mais la petite savait que la vieille souris des champs aurait du chagrin si elle l'abandonnait.

— Non, je ne peux pas!

— Adieu, adieu, bonne et jolie fille, dit l'hirondelle s'envolant au soleil.

Petite Poucette la suivit du regard et ses yeux se mouillèrent, car elle aimait beaucoup la pauvre hirondelle.

— Quiqui! Quiqui! fit l'oiseau en s'élançant dans la grande forêt.

La petite Poucette était si triste! On ne lui permettait pas de sortir au gai soleil. Le blé que l'on avait semé dans les champs au-dessus du logement de la souris avait du reste poussé très haut dans l'air. C'était une épaisse forêt pour la pauvrette qui n'avait qu'un pouce de haut.

— Cet été, tu vas coudre ton trousseau, lui dit la souris, car le voisin, l'ennuyeuse taupe à la pelisse de velours noir t'avait demandée en mariage. Il te faudra de la laine et du linge, de quoi t'asseoir et te coucher quand tu seras la femme de notre voisin taupe.

La petite Poucette dut filer la quenouille et la souris embaucha quatre araignées pour filer et tisser nuit et jour.

Chaque soir la taupe leur faisait visite et répétait que lorsque l'été aurait pris fin et que le soleil serait moins brûlant — car pour le moment la terre était durcie, une vraie pierre —, oui, quand l'été aurait pris fin, les noces avec Poucette auraient

lieu. La pauvre petite n'était pas du tout contente, elle n'avait aucune amitié pour l'ennuyeux voisin.

Tous les matins quand le soleil se levait et tous les soirs quand il se couchait, elle se glissait près de la porte et, lorsque le vent écartait un peu les épis de façon qu'elle pût apercevoir le ciel bleu, la lumière et la beauté du dehors, elle désirait si ardemment revoir encore l'hirondelle, mais elle pensait qu'elle ne reviendrait jamais, qu'elle était bien loin dans la belle forêt verte.

Lorsque revint l'automne le trousseau de la petite Poucette était prêt.

— Dans quatre semaines, tu te maries, disait la souris.

La petite pleurait et protestait qu'elle ne voulait pas de l'ennuyeuse taupe.

— Ta, ta, ta! faisait la souris, ne proteste pas, ou je te mordrai de mes dents blanches. C'est un mari incomparable, la reine elle-même n'a pas les moyens d'avoir une pelisse pareille à la sienne. Il a cuisine et cave pleines. Remercie le ciel de l'avoir rencontré.

Et voilà, la noce devait avoir lieu...

Déjà, le fiancé était venu chercher Poucette, elle devait vivre avec lui sous la terre, ne jamais sortir au clair soleil qu'il redoutait. Quelle tristesse pour la pauvre enfant! Elle voulut dire adieu au beau soleil qu'elle avait tout de même la possibilité de voir de la porte quand elle habitait chez la souris.

— Adieu, clair soleil! cria-t-elle en levant les bras vers lui. Elle fit même un pas au-dehors devant la porte, car le blé était moissonné et il ne restait plus sur la terre que le chaume desséché.

— Adieu, adieu pour toujours! Elle entoura de ses bras mignons une petite fleur rouge qui poussait encore là. Salue de ma part ma chère hirondelle, si tu la vois.

— Quiqui! Quiqui! entendit-elle à ce moment au-dessus de sa tête. Elle leva les yeux : c'était l'hirondelle qui passait justement. Quelle joie! La jeune fille lui raconta son chagrin d'être obligée d'épouser son voisin la taupe, d'habiter avec lui sous la terre où le soleil ne brillait jamais. La pauvre ne pouvait s'empêcher de pleurer.

— Voici que revient l'hiver glacé, dit l'hirondelle, et je pars pour les pays chauds. Viens avec moi, monte sur mon dos et attache-toi fortement avec ta ceinture, nous nous envolerons loin de la vilaine taupe et de sa sombre demeure, par-dessus les montagnes jusqu'au pays de l'éternel soleil, de l'éternel été aux fleurs exquises. Viens avec moi, chère petite qui m'as sauvé la vie quand j'étais morte de froid, dans le sombre caveau sous terre!

— Oui, je partirai avec toi, dit Poucette, qui s'assit sur le dos de l'oiseau, les pieds sur ses ailes étendues. Elle attacha fortement sa ceinture à la plus grosse plume, et l'oiseau s'envola dans les airs, par-dessus les forêts et la mer, par-dessus les montagnes aux neiges éternelles. L'enfant frissonnait dans l'air froid, mais elle se recroquevilla sous les plumes chaudes, sortit seulement sa petite tête pour admirer la splendeur des paysages au-dessous d'elle.

Ainsi elles arrivèrent aux pays chauds. Le soleil y brillait bien plus lumineux que chez nous, le ciel était deux fois plus haut et dans les haies et sur les talus les vignes étaient couvertes de raisins blancs et noirs les plus délicieux. Dans les bois poussaient le citron et l'orange, le myrte et la menthe y embaumaient et, sur la route, les plus charmants enfants couraient en jouant après les papillons diaprés.

Mais l'hirondelle vola encore plus loin et tout devenait de plus en plus beau. Au milieu de magnifiques arbres verts, près de la mer bleue, s'élevait un ancien palais de marbre blanc étincelant. Les pampres enlaçaient les hautes colonnes, et tout en haut il y avait beaucoup de nids d'hirondelles, dans l'un d'eux habitait celle qui portait notre petite Poucette.

— Voici ma maison, dit l'hirondelle, mais si tu le veux, tu peux choisir une de ces fleurs magnifiques qui poussent en bas. Je t'y installerai et tu y seras aussi heureuse que tu peux le désirer.

— Quel bonheur! dit Poucette en battant des mains.

Par terre, il y avait une colonne de marbre tombée là et brisée en trois morceaux. Entre ces morceaux poussaient les plus belles grandes fleurs blanches. L'hirondelle y vola avec la petite Poucette et la déposa sur un des larges pétales. Quelle surprise pour elle! Un petit homme était assis au milieu de la corolle, aussi blanc et transparent que s'il avait été de verre. Il avait sur la tête une couronne d'or et sur les épaules de ravissantes ailes de cristal, et il n'était pas plus grand que la petite Poucette! Il était l'ange de la fleur. Dans chaque fleur habitait un ange, homme ou femme, mais lui était le roi de tous.

— Ah! qu'il est beau! murmura-t-elle.

Le petit roi fut très effrayé par l'hirondelle, elle était comme un oiseau de proie pour lui, si petit et si délicat, mais lorsqu'il vit la petite fille, il fut comblé de joie, c'était la plus belle qu'il eût jamais vue! Aussi prit-il sa couronne et il la plaça sur la tête de la jeune fille et lui demanda comment elle s'appelait et si elle voulait l'épouser et devenir la reine de toutes les fleurs.

Voilà un mari bien autrement désirable que le fils de la crapaude ou la taupe avec sa pelisse de velours noir. Aussi dit-elle «oui» au prince charmant.

De chaque fleur venait une dame ou un petit monsieur si ravissants que c'était un plaisir de les regarder; chacun apportait un présent à la fiancée. Le plus beau de ces cadeaux était une paire d'ailes d'une grande mouche blanche qu'on accrocha aux épaules de Poucette. Elle pouvait ainsi voler de fleur en fleur. Quel plaisir! L'hirondelle là-haut dans son nid chantait pour eux tous de son mieux, avec un peu de mélancolie au cœur, elle aimait tant Poucette qu'elle aurait voulu ne jamais en être séparée.

— Tu ne t'appelleras plus Poucette, dit l'ange de la fleur, c'est un vilain nom et tu es si belle. Tu t'appelleras Maya!

— Au revoir! au revoir! fit l'hirondelle en s'envolant encore une fois bien loin jusqu'au Danemark. Elle avait là son nid, au-dessus de la fenêtre où habite l'homme qui sait raconter les contes. Elle lui a chanté son «Quiqui! Quiqui!», et c'est dans ce chant qu'il a entendu toute cette histoire.

LE COMPAGNON DE ROUTE

Le pauvre Johannès était très triste, son père était très malade et rien ne pouvait le sauver.

Ils étaient seuls tous les deux dans la petite chambre, la lampe, sur la table, allait s'éteindre, il était tard dans la soirée.

— Tu as été un bon fils! dit le malade, Notre-Seigneur t'aidera sûrement à faire ta vie.

Il le regarda de ses yeux graves et doux, respira profondément et mourut: on aurait dit qu'il dormait. Mais Johannès pleurait, il n'avait plus personne au monde maintenant, ni père, ni mère, ni sœur, ni frère. Pauvre Johannès! Agenouillé près du lit, il baisait la main de son père, pleurait encore amèrement mais à la fin ses yeux se fermèrent et il s'endormit la tête contre le dur bois du lit.

Alors il fit un rêve étrange, il voyait le soleil et la lune s'incliner devant lui et il voyait son père, frais et plein de santé, il l'entendait rire comme il avait toujours ri quand il était de très bonne humeur.

Une ravissante jeune fille portant une couronne sur ses beaux cheveux longs lui tendait la main et son père lui disait:

— Tu vois, Johannès, voici ta fiancée, elle est la plus charmante du monde entier.

Il s'éveilla et toutes ces beautés avaient disparu, son père gisait mort et glacé dans le lit, personne n'était auprès d'eux, pauvre Johannès!

La semaine suivante le père fut enterré. Johannès suivait le cercueil, il ne pourrait plus jamais voir ce bon père qui l'aimait tant, il entendait les pelletées de terre tomber sur la bière dont il n'apercevait plus qu'un dernier coin, à la pelletée suivante elle avait entièrement disparu, il lui sembla que son cœur allait se briser tant il avait de chagrin. Autour de lui on chantait un cantique si beau que les yeux de Johannès se mouillèrent encore de larmes. Il pleura et cela lui fit du bien. Le soleil brillait sur les arbres verdoyants comme s'il voulait lui dire :

— Ne sois pas si triste, Johannès, vois comme le ciel bleu est beau, c'est là-haut qu'est ton père et il prie le Bon Dieu que tout aille toujours bien pour toi.

— Je serai toujours bon! pensa Johannès, afin de monter au ciel auprès de mon père, quelle joie ce sera de nous revoir. J'aurai tant de choses à lui raconter et lui à me montrer, à m'apprendre sur les délices du ciel comme il m'enseignait tout en ce monde. Oh! quelle joie ce sera!

Johannès se représentait cette félicité si nettement qu'il en souriait pendant que les larmes coulaient encore sur ses joues.

Dans les marronniers les oiseaux gazouillaient. Quiqui! Quiqui! Ils étaient gais quoique ayant assisté à l'enterrement parce qu'ils savaient bien que le mort était maintenant là-haut dans le ciel, qu'il avait des ailes bien plus belles et plus grandes que les leurs et qu'il était un bienheureux pour avoir toujours vécu dans le bien — et les petits oiseaux s'en réjouissaient. Johannès les vit quitter les arbres à tire-d'aile et s'en aller dans le vaste monde, il eut une grande envie de s'envoler avec eux. Mais auparavant il tailla une grande croix de bois pour la placer sur la tombe et quand vers le soir il l'y apporta, la tombe avait été sablée et plantée de fleurs par des étrangers qui avaient voulu marquer ainsi leur attachement à son cher père qui n'était plus.

De bonne heure le lendemain Johannès fit son petit baluchon, cacha dans sa ceinture tout son héritage — une cinquantaine de riksdalers et quelques skillings d'argent — avec cela il voulait parcourir le monde. Mais il se rendit d'abord au cimetière et devant la tombe de son père récita son Pater et dit :

— Au revoir, mon père bien-aimé! Je te promets d'être toujours un homme de devoir, ainsi tu peux prier le Bon Dieu que tout aille bien pour moi.

Dans la campagne où marchait Johannès, les fleurs dressaient leurs têtes fraîches et gracieuses que la brise caressait. Elles semblaient dire au jeune homme :

— Sois le bienvenu dans la verdure de la campagne. N'est-ce pas joli, ici?

Sur la route, Johannès se retourna pour voir encore une fois la vieille église où, petit enfant, il avait été baptisé, où chaque dimanche avec son père il avait chanté des psaumes et alors, tout en haut dans les ajours du clocher, il aperçut le petit génie de l'église coiffé de son bonnet rouge pointu. Il s'abritait les yeux du soleil avec son bras replié. Johannès lui fit un signe d'adieu et le petit génie agita son bonnet rouge, mit la main sur son cœur et lui envoya de ses doigts mille baisers pour lui montrer combien il lui voulait du bien et lui souhaiter un heureux voyage.

Johannès, tout en marchant, songeait à ce qu'il allait voir dans le monde vaste et magnifique, il allait toujours plus loin, plus loin qu'il n'avait jamais été. Il ne connaissait pas les villes qu'il traversait, ni les gens qu'il rencontrait, il était vraiment parmi des étrangers.

La première nuit, il dut se coucher pour dormir dans une meule de foin mais il trouva cela charmant, le roi lui-même n'aurait pu être mieux logé. Le champ avec le ruisseau et la meule de foin sous le bleu du ciel, n'était-ce pas là une très jolie chambre à coucher.

Le gazon vert constellé de petites fleurs rouges et blanches en était le tapis, les buissons de sureau et les haies d'églantines en étaient les bouquets de fleurs, et comme cuvette il avait toute l'eau fraîche et cristalline du ruisseau où les roseaux ondulants lui disaient bonjour et bonsoir. La lune était une grande veilleuse suspendue dans l'air bleu et qui ne mettait pas le feu aux rideaux. Johannès pouvait dormir bien tranquille et c'est ce qu'il fit : il ne s'éveilla qu'au lever du soleil, lorsque les petits oiseaux tout autour se mirent à chanter : Bonjour, bonjour, comment, tu n'es pas encore levé!

Les cloches appelaient à l'église, c'était dimanche, les gens allaient entendre le prêtre et Johannès y alla avec eux chanter un cantique et entendre la parole de Dieu. Il se crut dans sa propre église où il avait été baptisé et avait chanté avec son père.

Au cimetière il y avait tant de tombes! sur certaines poussaient de mauvaises herbes déjà hautes, il pensa à celle de son père qui viendrait à leur ressembler maintenant qu'il n'était plus là pour la sarcler et la garnir de fleurs. Alors il se baissa, arracha les mauvaises herbes, releva les croix de bois renversées, remit en place les couronnes que le vent avait fait tomber, il pensait que quelqu'un ferait cela pour la tombe de son père.

Devant le cimetière se tenait un vieux mendiant appuyé sur sa béquille, il lui donna ses petites pièces d'argent, puis repartit heureux et content, toujours plus loin.

Vers le soir, le temps devint mauvais, Johannès se hâtait pour se mettre à l'abri mais bientôt il fit nuit noire. Enfin il parvint à une petite église tout à fait isolée sur une hauteur. Heureusement la porte était entrebâillée, il se glissa à l'intérieur pour y attendre la fin de l'orage.

— Je vais m'asseoir dans un coin, pensa-t-il, je suis fatigué et j'ai bien besoin de me reposer un peu. Il s'assit, joignit les mains pour faire sa prière et bientôt s'endormit et fit un rêve tandis que l'orage grondait au-dehors, que les éclairs luisaient.

A son réveil, au milieu de la nuit, l'orage était passé et la lune brillait à travers les fenêtres. Au milieu de l'église il y avait à terre une bière ouverte où était couché un mort qui n'était pas encore enterré. Johannès n'avait pas peur ayant bonne conscience, il savait bien que les morts ne font aucun mal, ce sont les vivants, s'ils sont méchants, qui font le mal. Et justement deux mauvais garçons bien vivants se tenaient près du mort qui attendait là dans l'église d'être enseveli, ces deux-là lui voulaient du mal, ils voulaient le jeter hors de l'église, le pauvre!

— Pourquoi faire cela? dit Johannès, c'est bas et méchant, laissez-le dormir en paix au nom du Christ.

— Tu parles! répondirent les deux autres. Il nous a roulés, il nous devait de l'argent, il n'a pas pu payer et, par-dessus le marché, il est mort et nous n'aurons pas un sou. On va se venger, il attendra comme un chien à la porte de l'église.

— Je n'ai que cinquante riksdalers, dit Johannès, c'est tout mon héritage, mais je vous les donnerai volontiers si vous me promettez sur l'honneur de laisser ce pauvre mort en paix. Je me débrouillerai bien sans cet argent, je suis sain et vigoureux, le Bon Dieu me viendra en aide.

— Bien, dirent les deux voyous, si tu veux payer sa dette nous ne lui ferons rien, tu peux y compter.

Ils empochèrent l'argent de Johannès, riant à grands éclats de sa bonté naïve et s'en furent. Johannès replaça le corps dans la bière, lui joignit les mains, dit adieu et s'engagea satisfait dans la grande forêt.

Tout autour de lui, là où la lune brillait à travers les arbres, il voyait de ravissants petits elfes jouer gaiement, son passage ne les dérangeait nullement, ils savaient bien qu'il était un garçon inoffensif et bon, ce sont les méchants qui ne doivent pas voir les elfes. Certains d'entre eux n'étaient pas plus grands qu'un doigt, leurs longs cheveux blonds relevés par des peignes d'or, ils se balançaient deux par deux sur les grosses gouttes d'eau que portaient les feuilles et l'herbe haute, quelquefois la goutte roulait, alors ils tombaient dans l'herbe et c'étaient de grands rires et des cris chez les autres petits. Ce qu'ils s'amusaient! Ils chantaient et Johannès reconnaissait tous les jolis airs qu'il avait chantés enfant. De grandes araignées bigarrées, une couronne d'argent sur la tête, tissaient d'un buisson à l'autre des ponts suspendus et des palais qui, sous la fine rosée, semblaient faits de cristal scintillant dans le clair de lune. Le jeu dura jusqu'au lever du jour. Alors, les petits elfes se glissèrent dans les fleurs en boutons et le vent emporta les ponts et les bateaux qui volèrent en l'air comme de grandes toiles d'araignées.

Johannès était sorti du bois quand une forte voix d'homme cria derrière lui:

— Holà! camarade, où ton voyage te mène-t-il?

— Dans le monde! répondit Johannès. Je n'ai ni père ni mère. Je suis un pauvre gars, mais le Seigneur me viendra en aide.

— Moi aussi je veux voir le monde! dit l'étranger, faisons route ensemble.

— Ça va! dit Johannès. Et les voilà partis.

Très vite ils se prirent en amitié car ils étaient de braves garçons tous les deux. Mais Johannès s'aperçut que l'étranger était bien plus malin que lui-même, il avait presque fait le tour du monde et savait parler de tout.

Le soleil était déjà haut lorsqu'ils s'assirent sous un grand arbre pour déjeuner. A ce moment, vint à passer une vieille femme. Oh! quelle était vieille! Elle marchait toute courbée, s'appuyait sur sa canne et portait sur le dos un fagot ramassé dans le bois. Dans son tablier relevé Johannès aperçut trois grandes verges faites de fougères et de petites branches de saules qui en dépassaient. Lorsqu'elle fut tout près d'eux, le pied lui manqua, elle tomba et poussa un grand cri. Elle s'était cassé la jambe, la pauvre vieille.

Johannès voulait tout de suite la porter chez elle, aidé de son compagnon, mais celui-ci ouvrant son sac à dos, en sortit un pot et déclara qu'il avait là un onguent qui guérirait sa jambe en moins de rien, de sorte qu'elle pourrait rentrer chez elle toute seule, comme si elle n'avait jamais eu de jambe cassée. Mais en échange il demandait qu'elle leur fasse cadeau des trois verges qu'elle avait dans son tablier.

— C'est cher payé! dit la vieille en hochant la tête d'un air bizarre, elle ne tenait pas du tout à se séparer des trois verges mais il n'était pas non plus agréable d'être là par terre, la jambe brisée. Elle lui donna donc les trois verges et dès qu'il lui eut frotté la jambe avec l'onguent, la vieille se mit debout et marcha, elle était même bien plus leste qu'avant, tant l'onguent était efficace, mais il paraît qu'on ne le trouvait pas chez l'apothicaire.

— Que veux-tu faire de ces verges? demanda Johannès à son compagnon de voyage.

— Ça fera trois jolies plantes en pots, répondit-il; elles me plaisent, je suis peut-être un drôle de corps.

Ils marchèrent encore un bon bout de chemin.

— Comme le temps se couvre, dit Johannès en montrant du doigt les épais nuages. C'est inquiétant.

— Mais non, dit le compagnon de voyage, ce ne sont pas des nuages mais d'admirables montagnes très hautes, où l'on arrive très au-dessus des nuages, dans l'air le plus pur et le plus frais. Un paysage de toute beauté, tu peux m'en croire! Demain nous y atteindrons sans doute.

Ce n'était pas aussi près qu'il y paraissait, ils marchèrent une journée entière avant d'arriver aux montagnes où les sombres forêts poussaient droit dans l'azur et où il y avait des rocs grands comme un village entier. Ce serait une rude excursion que d'arriver là-haut; aussi Johannès et son compagnon entrèrent-ils dans une auberge pour s'y bien reposer et rassembler des forces pour la marche du lendemain.

En bas, dans la grande salle où l'on buvait, il y avait beaucoup de monde, un homme y donnait un spectacle de marionnettes. Il venait d'installer son petit théâtre et le public s'était assis tout autour pour voir la comédie; au premier rang un gros vieux boucher avait pris place — la meilleure du reste —, son énorme bouledogue — oh! qu'il avait l'air féroce — assis à côté de lui ouvrait de grands yeux comme tous les autres spectateurs.

La comédie commença. C'était une histoire tout à fait bien avec un roi et une reine assis sur un trône de velours, couronne d'or sur la tête et grande traîne à la robe, ils en avaient certes les moyens. De jolies poupées de bois aux yeux de verre et portant la barbe se tenaient près des portes qu'elles ouvraient de temps en temps afin d'aérer la salle.

C'était vraiment une jolie comédie, pas triste du tout, mais à l'instant où la reine se levait et commençait à marcher — Dieu sait ce qui se passe dans la tête d'un bouledogue — comme le boucher ne le tenait pas en laisse, le chien fit un bond jusqu'au milieu de la scène, happa la reine par sa fine taille. On entendit : cric! crac! C'était affreux!

Le pauvre directeur de théâtre fut tout effrayé et désolé pour sa reine, la plus ravissante de ses marionnettes, à laquelle le vilain bouledogue avait coupé la tête d'un coup de dent. Mais ensuite, tandis que le public s'écoulait, le compagnon de voyage de Johannès déclara qu'il pourrait la réparer et, sortant son pot, il la graissa avec l'onguent qui avait guéri la pauvre vieille femme à la jambe cassée. Aussitôt graissée, la poupée fut en bon état, bien plus, elle pouvait remuer elle-même ses membres délicats — on n'avait nul besoin de tenir sa ficelle — elle était semblable à une personne vivante, à la parole près. Le propriétaire du théâtre était enchanté, il n'avait plus besoin de manœuvrer cette poupée, elle dansait parfaitement toute seule ce dont les autres étaient bien incapables.

La nuit venue, tout le monde étant couché dans l'auberge, quelqu'un se mit à pousser des soupirs si profonds et pendant si longtemps que tout le monde se releva pour voir qui pouvait bien se plaindre ainsi. L'homme qui avait donné la comédie alla vers son petit théâtre d'où provenaient les soupirs. Toutes les marionnettes — le roi, les gardes —, gisaient là, pêle-mêle, et c'étaient elles qui soupiraient si lamentablement, dardant leurs gros yeux de verre, elles désiraient si fort être un peu graissées comme la reine afin de pouvoir remuer toutes seules. La reine émue tomba sur ses petits genoux et élevant sa ravissante couronne d'or, supplia :

— Prenez-la, au besoin, mais graissez mon mari et les gens de ma cour!

A cette prière, le pauvre propriétaire du théâtre et de la troupe de marionnettes ne put retenir ses larmes tant il avait de peine, il promit au compagnon de route de lui donner toute la recette du lendemain soir s'il voulait seulement graisser quatre ou cinq de ses plus belles poupées. Le compagnon cependant affirma ne rien demander si ce n'est le grand sabre que l'autre portait à son côté et dès qu'il l'eut obtenu, il graissa six poupées, lesquelles se mirent aussitôt à danser et cela avec tant de grâce que toutes les jeunes filles, les vivantes, qui les regardaient, se mirent à danser aussi. Le cocher dansait avec la cuisinière, le valet avec la femme de chambre, et la pelle à feu avec la pincette, mais ces deux dernières s'écroulèrent dès le premier saut. Quelle joyeuse nuit!

Le lendemain Johannès partit avec son camarade. Quittant toute la compagnie, ils grimpèrent sur les montagnes et traversèrent les grandes forêts de sapins. Ils montèrent si haut qu'à la fin les clochers d'églises au-dessous d'eux semblaient de petites baies rouges perdues dans la verdure et la vue s'étendait si loin — des lieues et des lieues — jusqu'à des endroits où ils n'étaient jamais venus.

Johannès n'avait encore jamais vu d'un coup une si grande et si belle étendue de merveilles de ce monde, le soleil brillait et réchauffait dans la fraîcheur de l'air bleu, le son des cors de chasse à travers les monts était si beau que des larmes d'heureuse émotion montaient à ses yeux et qu'il ne pouvait que répéter :

— Notre-Seigneur miséricordieux, je voudrais t'embrasser. Toi si bon pour nous tous qui nous fais don de tout ce bonheur et de ces délices qui sont au monde!

Le camarade debout, joignait aussi les mains, admirant les forêts et les villes baignées par le chaud soleil.

A cet instant, ils entendirent une musique exquise et étrange et, levant les yeux, ils virent un grand cygne blanc planant dans l'air. Il était si beau et chantait comme ils n'avaient encore jamais entendu chanter un oiseau mais il s'affaiblissait de plus en plus, il pencha sa tête et vint tomber mort à leurs pieds, pauvre bel oiseau!

— Deux ailes magnifiques, dit le compagnon de route, si blanches et si grandes, cela vaut de l'argent, je vais les emporter. Tu vois comme il est utile d'avoir un sabre.

Il trancha d'un coup les deux ailes du cygne mort, il voulait les conserver. Leur voyage les mena encore des lieues et des lieues par-dessus les montagnes, enfin ils virent devant eux une grande ville aux cent tours qui étincelaient comme de l'argent sous les rayons du soleil. Au centre de la ville s'élevait un magnifique palais de marbre, à la toiture d'or rouge. Là vivait le roi.

Johannès et son camarade n'entrèrent pas tout de suite dans la ville, ils s'arrêtèrent hors des portes à une auberge pour faire un brin de toilette et avoir bonne apparence en arrivant dans les rues. L'hôtelier leur raconta que le roi était un brave homme qui n'aurait pas fait de mal à qui que ce soit, mais que sa fille... le Ciel nous en préserve! était une très méchante princesse. Belle, elle l'était certainement, aucune ne pouvait avoir plus de charme, mais à quoi bon puisqu'elle était si mauvaise, une véritable sorcière responsable de la mort de tant de beaux princes.

Elle avait donné permission à tout le monde de prétendre à sa main. Chacun pouvait venir, prince ou gueux, qu'importe! Mais il leur fallait répondre à trois questions qu'elle posait. Celui qui donnerait la bonne réponse deviendrait son époux et il régnerait sur le pays après la mort de son père, mais celui qui ne répondrait pas était pendu ou avait la tête tranchée. Quelle abominable princesse... et si belle pourtant.

Son père, le roi, en était profondément affligé, mais il ne pouvait lui défendre d'être si mauvaise car il avait dit une fois pour toutes qu'il n'aurait jamais rien à faire avec ses prétendants et qu'elle pouvait, à ce sujet, agir à sa guise. Chaque fois que venait un prince qui briguait la main de la princesse, il ne réussissait jamais et il était pendu ou avait la tête tranchée quoiqu'on l'eût averti à temps et qu'il eût pu renoncer à sa demande. Le vieux roi était si malheureux de toute cette désolation qu'il restait, tous les ans, une journée entière à genoux avec tous ses soldats, à prier pour que la princesse devînt bonne, mais elle ne changeait en rien. Les vieilles femmes qui buvaient de l'eau-de-vie la coloraient en noir avant de boire pour marquer ainsi leur deuil... elles ne pouvaient faire davantage.

— Quelle vilaine princesse! dit Johannès, elle mériterait d'être fouettée, cela lui ferait du bien. Si j'étais le vieux roi elle en verrait de belles.

A cet instant, on entendit le peuple crier: Hourra! La princesse passait et elle était si parfaitement belle que tous oubliaient sa méchanceté et l'acclamaient.

Douze ravissantes demoiselles vêtues de robes de soie blanche, une tulipe jaune à la main, montées sur des chevaux d'un noir de jais, l'accompagnaient. La princesse elle-même avait un cheval tout blanc paré de diamants et de rubis, son costume d'amazone était tissé d'or pur et la cravache qu'elle tenait à la main était comme un rayon de soleil. Le cercle d'or de sa couronne semblait serti des petites étoiles du ciel et sa cape cousue de milliers d'ailes de papillons. Cependant la princesse elle-même était bien plus belle encore que ses vêtements.

Lorsque Johannès l'aperçut, son visage devint rouge comme un sang qui coule, il put à peine articuler un mot. La princesse ressemblait exactement à cette adorable jeune fille couronnée d'or dont il avait rêvé la nuit de la mort de son père. Il la trouvait si belle qu'il ne put se défendre de l'aimer. Il pensait qu'il n'était certainement pas vrai qu'elle pût être une méchante sorcière faisant pendre ou décapiter les gens s'ils ne devinaient pas l'énigme.

— Chacun a le droit de prétendre à sa main, même le plus pauvre des gueux, moi je monterai au château, c'est plus fort que moi.

Tout le monde lui déconseilla de le faire, il aurait le sort des autres! Le compagnon de route l'en détourna également mais Johannès était d'avis que tout irait bien, il brossa ses chaussures et son habit, lava son visage et ses mains, peigna avec soin ses beaux cheveux blonds et partit tout seul vers la ville pour monter au château.

— Entrez, dit le vieux roi lorsque Johannès frappa à la porte.

Le jeune homme ouvrit et le vieux roi, en robe de chambre et pantoufles brodées, vint à sa rencontre, couronne d'or sur la tête, sceptre dans une main et pomme d'or dans l'autre.

— Attendez! fit-il prenant la pomme d'or sous le bras pour pouvoir tendre la main. Mais quand il eut appris que c'était encore un prétendant, il se mit à pleurer si fort que le sceptre et la pomme roulèrent à terre, il dut s'essuyer les yeux dans sa robe de chambre. Pauvre cher vieux roi!

— Renonce, disait-il, ça tournera mal pour toi comme pour tous les autres. Viens voir ici.

Il conduisit le jeune homme dans le jardin de la princesse, absolument terrifiant. Dans les branches des arbres pendaient trois, quatre fils de rois qui avaient sollicité la main de la princesse mais n'avaient pu résoudre l'énigme qu'elle leur posait. Chaque fois que le vent soufflait, leurs squelettes s'entrechoquaient et les petits oiseaux épouvantés n'osaient plus venir là, des ossements humains servaient de tuteurs pour les fleurs et, dans tous les pots, grimaçaient des têtes de morts.

Quel jardin pour une princesse!

— Tu vois, dit le vieux roi, il en ira de toi comme des autres, maintenant que tu sais, abandonne! Tu me rends vraiment malheureux, tout ceci me fend le cœur.

Johannès baisa la main du vieux roi affirmant que tout irait bien puisqu'il était si amoureux de la ravissante princesse.

A ce moment, la princesse à cheval, suivie de ses dames d'honneur, entra dans la cour du château. Ils allèrent donc au-devant d'elle pour la saluer. Charmante, elle tendit la main au jeune homme qui l'en aima encore davantage. Bien sûr il était impossible qu'elle fût une sorcière vilaine et méchante ce dont tout le monde l'accusait.

Ils montèrent dans le grand salon, de petits pages offrirent des confitures et des croquignoles, mais le vieux roi était si triste qu'il ne pouvait rien manger, du reste les galettes au gingembre étaient bien trop dures pour ses dents. Il fut alors décidé que Johannès monterait au château le lendemain matin, les juges et tout le conseil y siégeraient et entendraient comment il se tirerait de l'épreuve. S'il en triomphait, il lui faudrait revenir deux fois, mais personne encore n'avait donné de réponse à la première question, c'est pourquoi ils avaient tous perdu la vie.

Johannès n'était nullement inquiet de ce qui lui arriverait, il était au contraire joyeux, ne pensait qu'à la belle princesse et demeurait convaincu que le Bon Dieu l'aiderait. Comment? Il n'en avait aucune idée et, de plus, ne voulait pas y penser. Il dansait tout au long de la route en retournant à l'auberge où l'attendait son camarade.

Là, il ne tarit pas sur la façon charmante dont la princesse l'avait reçu et sur sa beauté. Il avait hâte d'être au lendemain, de monter au château, de tenter sa chance.

Mais son camarade hochait la tête tout triste.

— J'ai tant d'amitié pour toi, disait-il, nous aurions pu rester ensemble longtemps encore et il me faut déjà te perdre. Pauvre cher garçon. J'ai envie de pleurer mais je ne veux pas troubler ta joie en cette dernière soirée qui nous reste. Soyons gais, très gais, demain quand tu seras parti, je pourrai pleurer.

Dans la ville, le peuple avait très vite appris qu'il y avait un nouveau prétendant et il y régnait une grande désolation.

Le théâtre était fermé, dans les pâtisseries on avait noué un crêpe noir autour des petits cochons en sucre, le roi et les prêtres étaient à genoux dans l'église, c'était un vrai bouleversement car il était impossible que les choses aillent mieux pour Johannès que pour tous les autres prétendants.

Le soir, le compagnon de route prépara un grand bol de punch et dit à son ami que maintenant il fallait être très gai et boire à la santé de la princesse. Quand Johannès eut bu les deux verres de punch, il fut pris d'un grand sommeil, impossible de tenir les yeux ouverts, il s'endormit. Son camarade le prit tout doucement sur sa chaise et le porta au lit, puis, lorsque la nuit fut tout à fait noire, il prit les grandes ailes qu'il avait coupées au cygne, les fixa fermement à ses épaules, mit dans sa poche la plus grande des verges que lui avait données la vieille femme à la jambe cassée, ouvrit la fenêtre et s'envola par-dessus la ville, tout droit au château où il s'assit dans un recoin juste sous la fenêtre de la chambre de la princesse.

Le silence régnait sur la ville. Quand l'horloge sonna minuit moins le quart, la fenêtre s'ouvrit et la princesse s'envola en grande cape blanche avec de longues ailes noires par-dessus la ville, vers une haute montagne. Le camarade de route se rendit invisible de sorte qu'elle ne pouvait pas du tout le voir, il vola derrière elle et la fouetta jusqu'au sang tout au long de la route. Quelle course à travers les airs! Le vent s'engouffrait dans sa cape qui s'étalait de tous côtés comme la grande voile d'un navire et la lune brillait au travers.

— Quelle grêle! Quelle grêle! soupirait la princesse à chaque coup de fouet qu'elle recevait. Mais c'était bien fait pour elle.

Elle atteignit enfin la montagne et frappa. Un roulement de tonnerre se fit entendre quand la montagne s'ouvrit et la princesse entra suivie du compagnon que personne ne pouvait voir puisqu'il était invisible. Ils traversèrent un long corridor aux murs étincelant étrangement. C'étaient des milliers d'araignées phosphorescentes qui couraient du haut en bas sur la muraille et brillaient comme du feu. Ils arrivèrent ensuite dans une grande salle construite d'argent et d'or, des fleurs rouges et bleues larges comme des tournesols flamboyaient sur les murs, mais on ne pouvait pas les cueillir car leurs tiges étaient d'ignobles serpents venimeux et les fleurs du feu sortant de leurs gueules.

Tout le plafond était tapissé de vers luisants et de chauves-souris bleu de ciel qui battaient de leurs ailes translucides. L'aspect en était fantastique.

Au milieu du parquet un trône était placé, porté par quatre squelettes de chevaux dont les harnais étaient faits d'araignées rouge feu. Le trône lui-même était de verre très blanc, les coussins pour s'y asseoir de petites souris noires se mordant l'une l'autre la queue et, au-dessus un dais de toiles d'araignées roses s'ornait de jolies petites mouches vertes scintillant comme des pierres précieuses. Un vieux sorcier, couronne d'or sur sa vilaine tête et sceptre en main, était assis sur le trône. Il baisa la princesse au front, la fit asseoir auprès de lui sur ce siège précieux, et la musique commença.

De grosses sauterelles noires jouaient de la guimbarde[1] et le hibou n'ayant pas de tambour se tapait sur le ventre. Drôle de concert! De tout petits lutins, un feu-follet à leur bonnet, dansaient la ronde dans la salle, personne ne pouvait voir le compagnon de route placé derrière le trône qui, lui, voyait et entendait tout. Les courtisans qui entraient maintenant semblaient gens convenables et distingués mais pour celui qui savait regarder, il voyait bien ce qu'ils étaient vraiment : des manches à balai surmontés de têtes de choux auxquels la magie avait donné la vie et des vêtements richement brodés. Cela n'avait du reste aucune importance, ils étaient là pour le décor.

Lorsqu'on eut un peu dansé, la princesse raconta au sorcier qu'elle avait un nouveau prétendant, que devait-elle avoir dans l'esprit et lui demander de deviner lorsqu'il monterait au château le lendemain matin.

— Ecoute, fit le sorcier, je vais te dire : tu vas prendre quelque chose de très facile, alors il n'en aura pas l'idée. Pense à l'un de tes souliers, il ne devinera jamais, tu lui feras couper la tête, mais n'oublie pas, en revenant demain, de m'apporter ses yeux, je veux les manger.

La princesse fit une profonde révérence et promit de ne pas oublier les yeux. Alors le sorcier ouvrit la montagne et elle s'envola. Mais le compagnon de route suivait et il la fouettait si vigoureusement qu'elle soupirait et se lamentait tout haut sur cette affreuse grêle, elle se dépêcha tant qu'elle put de rentrer par la fenêtre dans

[1] Petit instrument de musique dont jouaient à cette époque les enfants, en le tenant entre les dents.

sa chambre à coucher. Quant au camarade, il vola jusqu'à l'auberge où Johannès dormait encore, détacha ses ailes et se jeta sur son lit. Il était fatigué et il y avait de quoi.

Johannès s'éveilla de bonne heure le lendemain matin, son ami se leva également et raconta qu'il avait fait la nuit un rêve bien singulier à propos de la princesse et de l'un de ses souliers. C'est pourquoi il le priait instamment de répondre à la question de la princesse en lui demandant si elle n'avait pas pensé à l'un de ses souliers.

— Autant ça qu'autre chose, fit Johannès. Tu as peut-être rêvé juste. En tout cas j'espère toujours que le Bon Dieu m'aidera. Je vais tout de même te dire adieu car si je réponds de travers, je ne te reverrai plus jamais.

Tous deux s'embrassèrent et Johannès partit à la ville, monta au château. La grande salle était comble, les juges s'appuyaient la tête sur des coussins de duvet car il leur fallait tant réfléchir! Le vieux roi, debout, s'essuyait les yeux dans un mouchoir blanc. Lorsque la princesse fit son entrée, elle était encore plus belle que la veille et elle salua toute l'assemblée si affectueusement, mais à Johannès elle tendit la main en lui disant seulement: Bonjour, toi!

Et voilà! maintenant Johannès devait deviner à quoi elle avait pensé. Dieu, comme elle le regardait gentiment!... Mais à l'instant où parvint à son oreille ce seul mot: soulier, elle blêmit et se mit à trembler de tout son corps, cependant, elle n'y pouvait rien, il avait deviné juste.

Morbleu! Comme le vieux roi fut content, il fit une culbute, il fallait voir ça! Tout le monde les applaudit, lui et Johannès qui avait deviné juste à la première question.

Le camarade de voyage ne se tint pas de joie lorsqu'il apprit que tout avait bien marché. Quant à Johannès, il joignit les mains et remercia Dieu qui l'aiderait sûrement encore les deux autres fois. Le lendemain déjà il faudrait recommencer une nouvelle épreuve.

La soirée se passa comme la veille. Une fois Johannès endormi, son ami vola derrière la princesse jusqu'à la montagne et la fouetta encore plus fort qu'au premier voyage, car cette fois il avait pris deux verges. Personne ne le vit et il entendit tout. La princesse devait penser à son gant, il raconta donc cela à Johannès comme s'il s'agissait d'un rêve. Le lendemain le jeune homme devina juste encore une fois et la joie fut générale au château. Tous les courtisans faisaient des culbutes comme ils avaient vu faire le roi la veille, mais la princesse restait étendue sur un sofa, refusant de prononcer une parole.

Et maintenant, est-ce que Johannès pourrait deviner juste pour la troisième fois? Si tout allait bien, il épouserait l'adorable princesse, hériterait du royaume à la mort du vieux roi, mais si non, il perdrait la vie et le sorcier mangerait ses beaux yeux bleus.

Le soir Johannès se mit au lit de bonne heure, il fit sa prière et s'endormit tout tranquille tandis que le compagnon de route fixait les ailes sur son dos, le sabre à son côté, prenait avec lui les trois verges avant de s'envoler vers le château.

La nuit était très sombre, la tempête arrachait les tuiles des toits, les arbres dans le jardin où pendaient les squelettes ployaient comme des joncs sous le vent, les éclairs zigzaguaient à chaque instant et le tonnerre roulait sans interruption comme un unique éclatement qui aurait duré toute la nuit.

La fenêtre s'ouvrit et la princesse s'envola. Elle était pâle comme une morte mais riait au mauvais temps, ne trouvait même pas le vent assez violent, sa cape blanche tournoyait dans l'air comme une grande voile de navire, mais le camarade la fouettait de ses trois verges si fort, que le sang tombait en gouttes sur la terre et qu'elle n'avait presque plus la force de voler. Enfin elle atteignit la montagne.

— Il grêle et il vente, dit-elle, je ne suis jamais sortie dans une pareille tempête.

— Des meilleures choses on a parfois de trop, répondit le sorcier.

Elle lui raconta que Johannès avait encore deviné juste la deuxième fois, s'il en était de même demain, il aurait gagné et elle ne pourrait plus jamais venir voir le sorcier dans la montagne, jamais plus réussir de ces tours de magie qui lui plaisaient. Elle en était toute triste et inquiète.

— Il ne faut pas qu'il devine, répliqua le sorcier. Je vais trouver une chose à laquelle il n'aura jamais pensé, ou alors il est un magicien plus fort que moi. Mais d'abord soyons gais.

Il prit la princesse par les deux mains et la fit virevolter à travers la salle avec tous les petits lutins et les feux-follets qui se trouvaient là, les rouges araignées couraient aussi joyeuses le long des murs, les fleurs de feu étincelaient, le hibou battait son tambour, les grillons crissaient et les sauterelles noires soufflaient dans leur guimbarde. Ça, ce fut un bal diabolique.

Lorsqu'ils eurent assez dansé, le temps était venu pour la princesse de rentrer au château où l'on pourrait s'apercevoir de son absence, le sorcier voulut l'accompagner afin de rester ensemble jusqu'au bout.

Alors ils s'envolèrent à travers l'orage et le compagnon de route usa ses trois verges sur leur dos. Jamais le sorcier n'était sorti sous une pareille grêle. Devant le château, il dit adieu à la princesse et lui murmura tout doucement à l'oreille : «pense à ma tête», mais le compagnon l'avait entendu et à l'instant où la princesse se glissait par la fenêtre dans sa chambre et que le sorcier s'apprêtait à s'en retourner, il le saisit par sa longue barbe noire et trancha de son sabre sa hideuse tête de sorcier au ras des épaules, si bien que le sorcier lui-même n'y vit rien. Il jeta le corps aux poissons dans le lac mais la tête il la trempa seulement dans l'eau puis la noua dans son grand mouchoir de soie, l'apporta à l'auberge et se coucha.

Le lendemain matin, il donna à Johannès le mouchoir, mais le pria de ne pas l'ouvrir avant que la princesse ne demande à quoi elle avait pensé.

Il y avait foule dans la grande salle du château où les gens étaient serrés comme radis liés en botte. Le conseil siégeait dans les fauteuils toujours garnis de leurs coussins moelleux, le vieux roi portait des habits neufs, le sceptre et la couronne avaient été astiqués, toute la scène avait grande allure mais la princesse, toute pâle, vêtue d'une robe toute noire, semblait aller à un enterrement.

— A quoi ai-je pensé? demanda-t-elle à Johannès.

Il s'empressa d'ouvrir le mouchoir et recula lui-même très effrayé en apercevant la hideuse tête du sorcier. Un frémissement courut dans l'assistance devant cet affreux spectacle.

Quant à la princesse, assise immobile comme une statue, elle ne pouvait prononcer une parole. Finalement elle se leva et tendit sa main au jeune homme. Sans regarder à droite ni à gauche, elle soupira faiblement :

Maintenant tu es mon seigneur et maître! Ce soir nous nous marierons.

— Ah! que je suis content, dit le roi. C'est ainsi que nous ferons.

Tout le peuple criait : «Hourra!» La musique de la garde parcourait les rues, les cloches sonnaient et les marchandes enlevaient le crêpe noir du cou de leurs cochons de sucre puisqu'on était maintenant tout à la joie. Trois bœufs rôtis entiers fourrés de canards et de poulets, furent servis au milieu de la grand-place. Chacun pouvait s'en découper un morceau, des fontaines publiques jaillissait, à la place de l'eau, un vin délicieux, et si l'on achetait un craquelin chez le boulanger, il vous donnait en prime six grands pains mollets — et c'était des pains aux raisins!

Le soir toute la ville fut illuminée, les soldats tirèrent le canon, les gamins faisaient partir des pétards, on but et on mangea, on trinqua et on dansa au château. Les nobles seigneurs et les jolies demoiselles dansaient ensemble, on les entendait chanter de très loin :

On voit ici tant de belles filles
Qui ne demandent qu'à danser
Au son de la marche du tambour.
Tournez jolies filles, tournez encore
Dansez et tapez des pieds
Jusqu'à en user vos souliers.

Cependant la princesse était encore une sorcière, elle n'aimait pas Johannès le moins du monde, le compagnon de route s'en souvint heureusement. Il donna trois plumes de ses ailes de cygne à Johannès avec une petite fiole contenant quelques gouttes et il lui recommanda de faire placer un grand baquet plein d'eau auprès du lit nuptial. Lorsque la princesse voudrait monter dans son lit, il lui conseilla de la pousser un peu pour la faire tomber dans l'eau où il devrait la plonger trois fois, après y avoir jeté les trois plumes et les gouttes. Alors elle serait délivrée du sortilège et l'aimerait de tout son cœur.

Johannès fit tout ce que le compagnon lui avait conseillé. La princesse cria très fort lorsqu'il la plongea sous l'eau : la première fois, elle se débattait dans ses mains sous la forme d'un grand cygne noir aux yeux étincelants, lorsque, pour la deuxième fois, il la plongea dans le baquet, elle devint un cygne blanc avec un seul cercle noir autour du cou. Johannès pria Dieu et, pour la troisième fois, il plongea complètement l'oiseau. A l'instant, elle redevint une charmante princesse encore plus belle qu'auparavant.

Elle le remercia avec des larmes dans ses beaux yeux de l'avoir délivrée de l'ensorcellement.

Le lendemain matin, le vieux roi vint avec toute sa cour et le défilé des félicitations dura toute la journée. En tout dernier s'avança le compagnon de voyage, son bâton à la main et son sac au dos. Johannès l'embrassa mille fois, lui demanda instamment de ne pas s'en aller, de rester auprès de lui puisque c'était à lui qu'il devait tout son bonheur.

Le compagnon de route secoua la tête et lui répondit doucement, avec grande amitié :

— Non, non, maintenant mon temps est terminé, je n'ai fait que payer ma dette. Te souviens-tu du mort que deux mauvais garçons voulaient maltraiter. Tu leur as donné alors tout ce que tu possédais pour qu'ils le laissent en repos dans sa tombe. Ce mort, c'était moi.

Ayant parlé, il disparut.

Le mariage dura tout un mois. Johannès et la princesse s'aimaient d'amour tendre, le vieux roi vécut de longs jours heureux, il laissait leurs tout petits enfants monter à cheval sur son genou et même jouer avec le sceptre.

Et Johannès régnait sur tout le pays.

LA FÉE DU SUREAU

Il y avait une fois un petit garçon enrhumé ; il avait eu les pieds mouillés. Où ça? Nul n'aurait su le dire, le temps étant tout à fait au sec.

Sa mère le déshabilla, le mit au lit et apporta la bouilloire pour lui faire une bonne tasse de tisane de sureau : cela réchauffe! Au même instant, la porte s'ouvrit et le vieux monsieur si amusant qui habitait tout en haut de la maison entra. Il vivait tout seul n'ayant ni femme ni enfants, mais il adorait tous les enfants et savait raconter tant de contes et d'histoires pour leur faire plaisir!

— Bois ta tisane, dit la mère, et peut-être monsieur te dira-t-il un conte.

— Si seulement j'en connaissais un nouveau, dit le vieux monsieur en souriant doucement. Mais où donc le petit s'est-il mouillé les pieds?

— Ah! ça, dit la mère, je me le demande…

— Est-ce que vous me direz un conte? demande le petit garçon.

— Bien sûr, mais il faut d'abord que je sache exactement la profondeur de l'eau du caniveau de la petite rue que tu prends pour aller à l'école.

— L'eau monte juste à la moitié des tiges de mes bottes, si je passe à l'endroit le plus profond.

— Eh bien, voilà où nous avons eu les pieds mouillés, dit le vieux monsieur. Je te dois un conte et je n'en sais plus.

— Vous pouvez en inventer un immédiatement. Maman dit que tout ce que vous regardez, vous pouvez en faire un conte et que de tout ce que vous touchez peut sortir une histoire.

— Mais ces contes et des histoires ne valent rien. Les vrais doivent naître tout seuls et me frapper le front en disant : Me voilà!

— Est-ce que ça va frapper bientôt? demanda le petit garçon.

La maman se mit à rire, elle jeta quelques feuilles de sureau dans la théière et versa l'eau bouillante dessus.

— Racontez! racontez!

— Avec plaisir, si un conte venait tout seul, mais il est souvent capricieux et n'arrive que lorsque ça lui chante. Stop! s'écria-t-il tout d'un coup, en voilà un! Attention, il est là sur la théière!

Le petit garçon tourna les yeux vers la théière. Le couvercle se soulevait de plus en plus et des fleurs en jaillissaient, si fraîches et si blanches; de longues feuilles vertes sortaient même par le bec, cela devenait un ravissant buisson de sureau, tout un arbre bientôt qui envahissait le lit, en repoussant les rideaux. Que de fleurs, quel parfum! et au milieu de l'arbre une charmante vieille dame était assise. Elle portait une drôle de robe toute verte parsemée de grandes fleurs blanches; on ne voyait pas tout de suite si cette robe était faite d'une étoffe ou de verdure et de fleurs vivantes.

— Comment s'appelle-t-elle, cette dame? demanda le petit garçon.

— Oh! bien sûr, les Romains et les Grecs auraient dit que c'était une dryade, mais nous ne connaissons plus tout ça. Ici, à Nyboder, on l'appelle «la fée du Sureau». Regarde-la bien et écoute-moi...

Il y a à Nyboder un arbre tout fleuri pareil à celui-ci; il a poussé dans le coin d'une petite ferme très pauvre. Sous son ombrage, par une belle après-midi de soleil, deux bons vieux, un vieux marin et sa vieille épouse étaient assis. Arrière-grands-parents déjà, ils devaient bientôt célébrer leurs noces d'or, mais ne savaient pas au juste à quelle date. La fée du Sureau, assise dans l'arbre, avait l'air de rire. «Je connais bien, moi, la date des noces d'or!» Mais eux ne l'entendaient pas, ils parlaient des jours anciens.

— Te souviens-tu, disait le vieux marin, du temps que nous étions petits, nous courions et nous jouions justement dans cette même cour où nous sommes assis et nous piquions des baguettes dans la terre pour faire un jardin.

— Bien sûr, je me rappelle, répondit sa femme. Nous arrosions ces branches taillées et l'une d'elles, une branche de sureau, prit racine, bourgeonna et devint par la suite le grand arbre sous lequel nous deux, vieux, sommes assis.

— Oui, dit-il, et là, dans le coin, il y avait un grand baquet d'eau, mon bateau, que j'avais taillé moi-même, y naviguait! Mais bientôt, c'est moi qui devais naviguer d'une autre manière.

— Mais d'abord nous avions été à l'école pour tâcher d'apprendre un peu quelque chose; puis ce fut notre confirmation, on pleurait tous les deux. L'après-midi, nous montions tout au haut de la Tour Ronde, la main dans la main, et nous regardions de là-haut le vaste monde, et Copenhague et la mer. Après, nous sommes allés à Frederiksberg, où le roi et la reine, dans leurs barques magnifiques, voguaient sur les canaux.

— Mais je devais vraiment voguer tout autrement, et durant de longues années, et pour de grands voyages!

— Ce que j'ai pleuré à cause de toi! dit-elle, je croyais que tu étais mort et noyé, tombé tout au fond de la mer. Souvent, la nuit, je me levais et regardais la girouette pour voir si elle tournait. Elle tournait tant et plus, mais toi tu n'arrivais pas. Je me souviens si bien de la pluie torrentielle qui tombait un jour. Le boueur devait passer devant la maison où je servais; je descendis avec la poubelle et restai à la porte. Quel temps! Et comme j'attendais là, le facteur passa et me remit une lettre, une lettre de toi! Ce qu'elle avait voyagé! Je me jetai dessus et commençai à lire, je riais, je pleurais, j'étais si heureuse! Tu écrivais que tu étais dans les pays chauds où poussent les grains de café. Quel pays béni ce doit être! Tu en racontais des choses, et je lisais tout ça debout, ma poubelle près de moi, tandis que la pluie tombait en tourbillons. Tout d'un coup, derrière moi, quelqu'un me prit par la taille...

— Et tu lui allongeas une bonne claque sur l'oreille...

— Mais je ne savais pas que c'était toi! Tu étais arrivé en même temps que la lettre et tu étais si beau!... Tu l'es encore. Tu avais un grand mouchoir de soie jaune dans la poche et un suroît reluisant. Tu étais très élégant. Dieu, quel temps et comme la rue était sale!

— Ensuite, nous nous sommes mariés, dit-il; tu te souviens quand nous avons eu le premier garçon, et puis Marie, et Niels et Peter et Hans Christian?

— Oui, tous grands et tous de braves gens que tout le monde aime.

— Et leurs enfants, à leur tour, ont eu des petits! dit le vieil homme, de solides gaillards aussi! Il me semble que c'est bien à cette époque-ci de l'année que nous nous sommes mariés?

— Oui, c'est justement aujourd'hui le jour de vos noces d'or, dit la fée du Sureau en passant sa tête entre eux deux. Ils crurent que c'était la voisine qui les saluait, ils se regardaient, se tenant par la main.

Peu après arrivèrent les enfants et petits-enfants; ils savaient, eux, qu'on fêtait les noces d'or, ils avaient déjà le matin apporté leurs vœux. Les vieux l'avaient oublié, alors qu'ils se rappelaient si bien ce qui s'était passé de longues années auparavant.

Le sureau embaumait, le soleil couchant illuminait les visages des vieux et les rendait tout rubiconds, le plus jeune des petits enfants dansait tout autour et criait, tout heureux que ce fût jour de fête, qu'on allait manger des pommes de terre chaudes. La fée du Sureau souriait dans l'arbre et criait « Bravo » avec les autres.

— Mais ce n'est pas du tout un conte, dit le petit garçon qui écoutait.

— Tu dois t'y connaître, dit celui qui racontait. Demandons un peu à notre fée.

— Ce n'était pas un conte, dit-elle, mais il va venir maintenant. De la réalité naît le plus merveilleux des contes, sans quoi mon délicieux buisson ne serait pas jailli de la théière.

Elle prit le petit garçon dans ses bras contre sa poitrine. La verdure et les fleurs les enveloppant formaient autour d'eux une tonnelle qui s'envola avec eux à travers l'espace. Voyage délicieux. La fée était devenue subitement une petite fille, en robe verte et blanche avec une grande fleur de sureau sur la poitrine, et sur ses blonds cheveux bouclés, une couronne. Ses yeux étaient si grands, si bleus ! Quel plaisir de la regarder ! Les deux enfants s'embrassèrent, ils avaient le même âge et les mêmes goûts.

La main dans la main, ils sortirent de la tonnelle et les voici dans leur jardin fleuri. Sur le frais gazon de la pelouse, la canne du père était restée ; simple bois sec, elle était vivante pour les petits. Sitôt qu'ils l'enfourchèrent, le pommeau poli se transforma en une belle tête hennissante, la noire crinière voltigeait. Quatre pattes à la fois fines et fortes lui poussèrent, l'animal était robuste et fougueux. Au galop, ils tournaient autour de la pelouse. Hue ! Hue !

— Nous voilà partis, dit le petit garçon, à des lieues de chez nous, nous allons jusqu'au château où nous étions l'an passé. Et ils tournaient et tournaient autour de la pelouse, la petite fille, qui n'était autre que la fée, s'écriait :

— Nous voici dans la campagne, vois-tu la maison du paysan avec le grand four qui a l'air d'un immense œuf sur le mur du côté de la route, le sureau étend ses branches au-dessus et le coq gratte la terre pour les poules et se rengorge ! Nous voici à l'église, elle est tout en haut de la côte, au milieu des grands chênes dont l'un est presque mort. Et nous voici à la forge où brûle un grand feu, où des hommes à moitié nus tapent de leurs marteaux, faisant voler les étincelles de tous côtés. En route, en route vers le beau château !

Tout ce dont parlait la petite fille assise derrière, sur la canne, se déroulait devant eux ; le garçon le voyait, et cependant ils ne tournaient qu'autour de la pelouse.

Ensuite ils jouèrent dans l'allée et dessinèrent un jardin sur le sol; la petite fille enleva une fleur de sureau de sa tête et la planta. Et cette fleur poussa exactement comme cela s'était passé devant nos deux vieux de Nyboder, quand ils étaient petits — comme nous l'avons raconté tout à l'heure.

Ils marchèrent la main dans la main, comme les vieux étant enfants, mais ils ne montèrent pas sur la Tour Ronde et ne visitèrent pas le jardin de Frederiksberg, non, la petite fille tenait le garçon par la taille et ils volaient à travers le Danemark.

Le printemps se déroula, puis l'été, et l'automne et l'hiver; mille images se reflétaient dans les yeux du garçon et, dans son cœur, toujours la petite fille chantait : «Tu n'oublieras jamais tout ça!» Le sureau, tout au long du voyage embaumait si exquisément. Le garçon sentait bien les roses et la fraîcheur des hêtres, mais le parfum du sureau était bien plus ensorcelant car ses fleurs reposaient sur le cœur de la petite fille et dans la course la tête du garçon se tournait souvent vers elle.

— Comme c'est beau, ici, au printemps, dit la petite fille, tandis qu'ils passaient dans la forêt de hêtres aux bourgeons nouvellement éclos; le muguet embaumait à leurs pieds et les anémones roses faisaient bel effet sur l'herbe verte. Ah! si c'était toujours le printemps dans l'odorante forêt de hêtres danoise.

— Comme c'est beau ici, en été, dit-elle, tandis qu'à toute allure ils passaient devant les vieux châteaux du moyen âge, où les murs rouges et les pignons crénelés se reflétaient dans les fossés où les cygnes nageaient et levaient la tête vers les allées ombreuses et fraîches. Les blés ondulaient comme une mer dans la plaine, les fossés étaient pleins de fleurs rouges et jaunes et les haies de houblon sauvage et de liserons et le doux parfum des meules de foin flottait sur les prés. Le soir, la lune monta toute ronde dans le ciel. Cela ne s'oublie jamais.

— Comme c'est beau, ici, à l'automne, dit la petite, et le ciel devint deux fois plus élevé et plus intensément bleu, les plus ravissantes couleurs de rouge, de jaune et de vert envahirent la forêt, les chiens de chasse galopaient à toute allure, des bandes d'oiseaux sauvages s'envolaient en criant au-dessus des tumulus où les ronces s'accrochaient aux vieilles pierres, la mer était bleu-noir avec des voiliers blancs et dans la grange les femmes, les jeunes filles, les enfants égrenaient le sureau dans un grand récipient. Les jeunes chantaient des romances, les vieux racontaient des histoires de lutins et de sorciers.

— Comme c'est beau, ici, l'hiver! dit la petite fille. Tous les arbres couverts de givre semblaient de corail blanc. La neige crissait sous les pieds comme si l'on avait des chaussures neuves, et les étoiles filantes tombaient du ciel l'une après l'autre.

Dans la salle on allumait l'arbre de Noël. C'était l'heure des cadeaux et de la bonne humeur; dans la campagne le violon chantait; chez les paysans les beignets de pommes sautaient dans la graisse et même les plus pauvres enfants disaient : «Que c'est bon l'hiver!»

Oui, tout était exquis quand la petite fille l'expliquait au garçon. Toujours le sureau embaumait, et toujours flottait le drapeau rouge à la croix blanche, sous lequel le vieux marin de Nyboder avait navigué. Le garçon devenait un jeune homme; il devait partir dans le vaste monde, loin, loin, vers les pays chauds où pousse le café. Au moment de l'adieu, la petite fille prit sur sa poitrine une fleur de sureau et la lui tendit afin qu'il la garde entre les pages de son livre de psaumes, et, chaque fois que dans les pays étrangers il ouvrait son livre, c'était juste à la place de la fleur du souvenir.

A mesure qu'il la regardait, elle devenait de plus en plus fraîche, il lui semblait sentir le parfum des forêts danoises. Au milieu des pétales de la fleur, il voyait la petite fille aux clairs yeux bleus et elle lui murmurait : «Qu'il fait bon au printemps, en été, en automne, en hiver».

Des centaines d'images glissaient dans ses pensées.

Les années passèrent. Il devint un vieil homme assis avec sa femme sous un arbre en fleurs, la tenant par la main comme les aïeux de Nyboder, et, comme eux, ils parlaient des jours anciens, des noces d'or. La petite fée aux yeux bleus avec des fleurs dans les cheveux, était assise dans l'arbre et les saluait de la tête, en disant : «C'est le jour de vos noces d'or!» Elle prit deux fleurs de sa couronne, y posa deux baisers, alors elles brillèrent d'abord comme de l'argent, puis comme de l'or, et, lorsqu'elle les posa sur la tête des vieilles gens, chaque fleur devint une couronne. Tous deux étaient assis là, comme roi et reine, sous l'arbre odorant qui avait bien l'air d'un sureau, et le mari raconta à sa vieille l'histoire de la fée du Sureau comme on la lui avait contée quand il était un petit garçon et tous les deux trouvèrent qu'elle ressemblait à leur propre histoire, les passages les plus semblables étaient ceux qui leur plaisaient le plus.

— Oui, c'est ainsi, dit la fée dans l'arbre, les uns m'appellent fée, les autres dryade, mais mon vrai nom est «Souvenir». Je suis assise dans l'arbre qui pousse et qui repousse et je me souviens et je raconte! Fais-moi voir si tu as gardé mon cadeau.

Le vieil homme ouvrit son livre de psaumes; la fleur de sureau était là, fraîche comme si on venait de l'y déposer. Alors, «Souvenir» sourit, les deux vieux avec leur couronne d'or sur la tête, assis dans la lueur rouge du soleil couchant, fermèrent les yeux et! — et! — l'histoire est finie.

Le petit garçon, dans son lit, ne savait pas s'il avait dormi ou s'il avait entendu un conte. La théière était là, sur la table, mais aucun sureau n'en jaillissait, et le vieux monsieur qui avait raconté l'histoire, allait justement s'en aller.

— Comme c'était joli, maman, dit le petit garçon. J'ai été dans les pays chauds.

— Oui, ça, je veux bien le croire, dit la mère, quand on a dans le corps deux tasses de tisane de sureau brûlante, on doit bien se sentir dans les pays chauds.

Elle remonta bien les couvertures pour qu'il ne se refroidisse plus.

— Tu as sûrement dormi pendant que je me disputais avec le monsieur pour savoir si c'était un conte ou une histoire !

— Où est la fée du Sureau ? demanda l'enfant.

— Elle est là, sur la théière, dit la mère, eh bien, qu'elle y reste.

LES CYGNES SAUVAGES

Bien loin d'ici, là où s'envolent les hirondelles quand nous sommes en hiver, habitait un roi qui avait onze fils et une fille, Elisa. Les onze fils, quoique princes, allaient à l'école avec décorations sur la poitrine et sabre au côté; ils écrivaient sur des tableaux en or avec des crayons de diamant et apprenaient tout très facilement, soit par cœur soit par leur raison; on voyait tout de suite que c'étaient des princes. Leur sœur Elisa était assise sur un petit tabouret de cristal et avait un livre d'images qui avait coûté la moitié du royaume. Ah! ces enfants étaient très heureux, mais ça ne devait pas durer toujours.

Leur père, roi du pays, se remaria avec une méchante reine, très mal disposée à leur égard. Ils s'en rendirent compte dès le premier jour : tout le château était en fête; comme les enfants jouaient «à la visite», au lieu de leur donner, comme ils en avaient l'habitude, une abondance de gâteaux et de pommes au four, elle ne leur donna que du sable dans une tasse à thé en leur disant «de faire semblant».

La semaine suivante, elle envoya Elisa à la campagne chez quelque paysan et elle ne tarda guère à faire accroire au roi tant de mal sur les pauvres princes que Sa Majesté ne se souciait plus d'eux le moins du monde.

— Envolez-vous dans le monde et prenez soin de vous-même! dit la méchante reine, volez comme de grands oiseaux, mais muets.

Elle ne put cependant leur jeter un sort aussi affreux qu'elle l'aurait voulu : ils se transformèrent en onze superbes cygnes sauvages et, poussant un étrange cri, ils s'envolèrent par les fenêtres du château vers le parc et la forêt.

Ce fut le matin, de très bonne heure, qu'ils passèrent au-dessus de l'endroit où leur sœur Elisa dormait dans la maison du paysan; ils planèrent au-dessus du toit, tournant leurs longs cous de tous côtés, battant des ailes, mais personne ne les vit ni ne les entendit, alors il leur fallut poursuivre très haut, près des nuages, loin dans le vaste monde. Ils atteignirent enfin une sombre forêt descendant jusqu'à la grève. La pauvre petite Elisa restait dans la salle du paysan à jouer avec une feuille verte — elle n'avait pas d'autre jouet —, elle s'amusait à piquer un trou dans la feuille et à regarder le soleil au travers, il lui semblait voir les yeux clairs de ses frères et, chaque fois que les chauds rayons du soleil glissaient sur sa joue, elle pensait à tous leurs baisers.

Un jour suivait l'autre. Quand le vent soufflait à travers la grande haie de rosiers devant la maison, il murmurait aux roses: «Que peut-il y avoir au monde de plus beau que vous?» Les roses secouaient la tête et répondaient: «Elisa est plus belle que nous».

Et quand une vieille femme, le dimanche, s'asseyait sur le seuil de la porte pour lire son livre de psaumes, le vent tournait les pages et disait au livre:

— Qui peut être plus pieux que toi?

— C'est Elisa, répondait le livre de psaumes et il disait la pure vérité, comme les roses.

Lorsqu'elle eut quinze ans, elle rentra au château de son père et quand la méchante reine vit combien elle était belle, elle entra en grande colère et se prit à la haïr, elle l'aurait volontiers changée en cygne sauvage comme ses frères, mais elle n'osa pas tout d'abord, le roi voulant voir sa fille.

De bonne heure, le lendemain matin, la reine alla au bain, fait de marbre et garni de coussins et de tentures de toute beauté. Elle prit trois crapauds et les baisa. Au premier, elle dit:

— Pose-toi sur la tête d'Elisa quand elle entrera dans le bain, afin qu'elle devienne engourdie comme toi.

— Pose-toi sur son front, dit-elle au second, afin qu'elle devienne aussi laide que toi et que son père ne la reconnaisse pas.

— Pose-toi sur son cœur, dit-elle au troisième, afin qu'elle devienne méchante et qu'elle en souffre.

Elle lâcha les crapauds dans l'eau claire qui prit aussitôt une teinte verdâtre, appela Elisa, la dévêtit et la fit descendre dans l'eau. A l'instant le premier crapaud se posa dans ses cheveux, le second sur son front, le troisième sur sa poitrine, sans qu'Elise eût l'air seulement de s'en apercevoir. Dès que la jeune fille fut sortie du bain, trois coquelicots flottèrent à la surface; si les bêtes n'avaient pas été venimeuses et baisées par une sorcière, elles se seraient changées en roses pourpres, mais fleurs elles devaient tout de même devenir d'avoir reposé sur la tête et le cœur d'Elisa, trop innocente et trop pieuse pour que la magie puisse avoir quelque pouvoir sur elle.

Voyant cela, la méchante reine se mit à la frotter avec du brou de noix, de sorte qu'elle devint brune et noire sur tout le corps, enduisit son joli visage d'une pommade nauséabonde et emmêla si bien ses superbes cheveux qu'il était impossible de reconnaître la belle Elisa.

Son père en la voyant, en fut tout épouvanté et ne voulut croire que c'était là sa fille, personne ne la reconnut, sauf le chien de garde et les hirondelles, mais ce sont d'humbles bêtes dont le témoignage n'importe pas.

Alors la pauvre Elisa pleura en pensant à ses onze frères, si loin d'elle. Désespérée, elle se glissa hors du château et marcha tout le jour à travers champs et marais vers la forêt. Elle ne savait où aller, mais dans sa grande tristesse et son regret de ses frères qui chassés comme elle erraient sans doute de par le monde, elle résolut de les chercher, de les trouver.

La nuit tomba vite dans la forêt, elle ne voyait ni chemin ni sentier, elle s'étendit sur la mousse moelleuse, récita sa prière du soir et appuya sa tête sur une souche d'arbre.

Tout était tranquille, la nuit était si douce et autour d'elle, dans l'herbe et sur la mousse, brillaient comme de petites flammes, des centaines de vers luisants; quand de la main elle effleurait légèrement les branches, les insectes lumineux tombaient sur elle comme des étoiles filantes.

Toute la nuit, elle rêva de ses frères. Ils jouaient comme dans leur enfance, écrivaient avec des crayons en diamants sur des tableaux d'or et feuilletaient le merveilleux livre d'images qui avait coûté la moitié du royaume; mais sur les tableaux d'or ils n'écrivaient pas comme autrefois seulement des zéros et des traits, mais les hardis exploits accomplis, tout ce qu'ils avaient vu et vécu. Toutes les images du livre étaient vivantes, les oiseaux y chantaient, les hommes sortaient des pages et parlaient à Elisa et à ses frères. Cependant, dès qu'elle tournait une page, ils rentraient bien vite à leur place afin de ne pas amener du désordre dans les illustrations.

Lorsqu'elle s'éveilla, le soleil était haut dans le ciel, elle ne pouvait le voir car les grands arbres étendaient leurs frondaisons épaisses, mais ses rayons jouaient là-bas comme une gaze d'or ondulante; la verdure embaumait et les oiseaux allaient presque se poser sur ses épaules.

Elle entendait un clapotis d'eau, de grandes sources coulaient toutes vers un étang au fond de sable fin. Des buissons épais l'entouraient mais à un endroit les cerfs avaient percé une large ouverture par laquelle Elisa put s'approcher de l'eau si limpide que si le vent n'avait fait remuer les branches et les buissons, elle aurait pu les croire peints seulement au fond de l'eau, tant chaque feuille s'y reflétait clairement, celles sur lesquelles brillait le soleil et celles tout à fait à l'ombre aussi.

Dès qu'elle y vit son propre visage, elle fut épouvantée, si noir et si laid! Mais quand elle eut mouillé sa petite main et s'en fut essuyé les yeux et le front, sa peau blanche réapparut. Alors elle retira tous ses vêtements et entra dans l'eau fraîche et vraiment telle qu'elle était là, elle était la plus charmante fille de roi qui se pût trouver dans le monde.

Une fois rhabillée, quand elle eut tressé ses longs cheveux, elle alla à la source jaillissante, but dans le creux de sa main et s'enfonça plus profondément dans la forêt sans savoir elle-même où aller.

Elle pensait toujours à ses frères, elle pensait à Dieu, si bon, qui ne l'abandonnerait sûrement pas, lui qui fait pousser les pommes sauvages pour nourrir ceux qui ont faim. Et justement il lui fit voir un de ces arbres dont les branches ployaient sous le poids des fruits; elle en fit son repas, plaça un tuteur pour soutenir les branches et s'enfonça au plus sombre de la forêt. Le silence était si total qu'elle entendait ses propres pas et le craquement de chaque petite feuille sous ses pieds. Nul oiseau n'était visible, nul rayon de soleil ne pouvait percer les ramures épaisses et les grands troncs montaient si serrés les uns près des autres, qu'en regardant droit devant elle, elle eût pu croire qu'une grille de poutres l'encerclait. Jamais elle n'avait connu pareille solitude!

La nuit fut très sombre, aucun ver luisant n'éclairait la mousse, triste, très triste. Elle se coucha pour dormir. Alors il lui sembla que les frondaisons s'écartaient, que Notre-Seigneur la regardait d'en haut avec des yeux très tendres, que de petits anges passaient leur tête sous son bras. Elle ne savait, en s'éveillant, si elle avait rêvé ou si c'était vrai.

Elle fit quelques pas et rencontra une vieille femme portant des baies dans un panier et qui lui en offrit. Elisa lui demanda si elle n'avait pas vu onze princes chevauchant à travers la forêt.

— Non, dit la vieille, mais hier j'ai vu onze cygnes avec des couronnes d'or sur la tête nageant sur la rivière tout près d'ici.

Elle conduisit Elisa un bout de chemin jusqu'à un talus au pied duquel serpentait la rivière. Les arbres sur ses rives étendaient les unes vers les autres leurs branches touffues. Là où leur croissance naturelle ne leur permettait pas de s'unir, leurs racines s'étaient arrachées du sol et leurs branches emmêlées flottaient sur l'eau.

Elisa dit adieu à la vieille femme et marcha le long de la rivière jusqu'à son embouchure sur le rivage.

Toute l'immense mer splendide s'étendait devant la jeune fille, mais aucun voilier n'était en vue ni le moindre bateau. Comment pourrait-elle aller plus loin? Elle considéra les innombrables petits galets sur la grève, l'eau les avait tous polis et arrondis en les roulant. Verre, terre ou pierre, tout ce que le flot rejette prend la forme arrondie que lui donne l'eau pourtant bien plus douce que ces mains de femme si délicates.

— L'eau roule inlassablement et par elle ce qui est dur s'adoucit, moi, je veux être tout aussi inlassable qu'elle. Merci à vous pour cette leçon, vagues claires qui roulez! Un jour, mon cœur me le dit, vous me porterez jusqu'à mes frères chéris.

Sur le varech rejeté par la mer, onze plumes de cygne blanches étaient tombées, elle en fit un bouquet, des gouttes d'eau s'y trouvaient, rosée ou larmes, qui eût pu le dire? La plage était déserte mais Elisa ne sentait pas sa solitude, car la mer est éternellement changeante, bien plus différente en quelques heures qu'un lac intérieur en une année. Un gros nuage noir passait-il dans le ciel, l'océan semblait dire qu'il pouvait aussi être sombre, alors le vent soufflait, l'écume ourlait les vagues. Mais si les nuages se coloraient de rose et que le vent s'apaisait, la mer s'étendait comme un immense pétale de fleur, elle était tantôt verte, tantôt blanche, mais aussi paisible qu'elle fût, toujours un léger mouvement faisait monter et descendre l'onde sur ses bords comme se soulève la poitrine d'un petit enfant endormi.

Vers la fin du jour, Elisa vit onze cygnes sauvages avec des couronnes d'or sur la tête. Ils volaient vers la terre l'un derrière l'autre, et formaient un long ruban blanc. Vite, la jeune fille remonta le talus et se cacha derrière un buisson, les cygnes se posèrent tout près d'elle et battirent de leurs grandes ailes blanches.

Mais à l'instant où le soleil disparut dans les flots, leur plumage de cygne tomba subitement et elle vit devant elle onze charmants princes : ses frères.

Elisa poussa un grand cri, ils avaient certes beaucoup changé mais… elle savait que c'était eux, son cœur lui disait que c'était eux, elle se jeta dans leurs bras, les appela par leurs noms et ils eurent une immense joie de reconnaître leur petite sœur, devenue une grande et ravissante jeune fille. Ils riaient et pleuraient et bien vite ils eurent compris à quel point leur marâtre avait été méchante envers eux.

— Nous, tes frères, dit l'aîné, nous volons comme cygnes sauvages tant que dure le jour, mais lorsque vient la nuit, nous reprenons notre apparence humaine, c'est pourquoi il nous faut toujours au coucher du soleil prendre soin d'avoir une terre où poser nos pieds car si nous volions à ce moment dans les nuages, en devenant des hommes, nous serions précipités dans l'océan profond.

Nous n'habitons pas ici, de l'autre côté de l'océan existe un aussi beau pays mais le chemin pour y aller est fort long, il nous faut traverser la mer et il n'y a pas d'île sur le parcours où nous puissions passer la nuit, un rocher seulement émerge de l'eau, si petit qu'il nous faut nous serrer l'un contre l'autre pour nous y reposer et quand la mer est forte, l'eau rejaillit même par-dessus nous, mais nous remercions cependant Dieu pour ce rocher. Nous y passons la nuit sous notre forme humaine, s'il n'était pas là nous ne pourrions pas revoir notre chère patrie car il nous faut deux jours — et les deux plus longs de l'année — pour faire ce voyage.

Une fois par an seulement il nous est permis de visiter le pays de nos aïeux. Nous pouvons y rester onze jours! onze jours pour survoler notre grande forêt et apercevoir de loin notre château natal où vit notre père, la haute tour de l'église où repose notre mère. Les arbres, les buissons nous sont ici familiers, ici les chevaux sauvages courent sur la plaine comme au temps de notre enfance, ici le charbonnier chante encore les vieux airs sur lesquels nous dansions, ici est notre chère patrie, ici enfin nous t'avons retrouvée, toi notre petite sœur chérie. Nous ne pouvons plus rester que deux jours ici, puis il faudra nous envoler par-dessus la mer vers un pays certes beau, mais qui n'est pas notre pays. Et comment t'emmènerons-nous? Nous qui n'avons ni barque, ni bateau?

— Et comment pourrai-je vous sauver? demanda leur petite sœur.

Ils en parlèrent presque toute la nuit et ne reposèrent que quelques heures.

Elisa s'éveilla au bruissement des ailes des cygnes. Les frères de nouveau métamorphosés volaient en grands ronds au-dessus d'elle, puis s'éloignèrent tout à fait, un seul, le plus jeune, demeura en arrière, il posa sa tête sur les genoux de la jeune fille qui caressa ses ailes blanches. Tout le jour ils restèrent ensemble, le soir les autres étaient de retour, et une fois le soleil couché ils avaient repris leur forme réelle.

— Demain, nous nous envolerons d'ici pour ne pas revenir de toute une année mais nous ne pouvons pas t'abandonner ainsi. As-tu le courage de venir avec nous? Mon bras est assez fort pour te porter à travers le bois, comment tous ensemble n'aurions-nous pas des ailes assez puissantes pour voler avec toi par-dessus la mer?

— Oui, emmenez-moi! dit Elisa.

Ils passèrent toute la nuit à tresser un filet de souple écorce de saule et de joncs résistants. Ce filet devint grand et solide, Elisa s'y étendit et lorsque parut le soleil et que les frères furent changés en cygnes, ils saisirent le filet dans leurs becs et s'envolèrent très haut, vers les nuages, portant leur sœur chérie encore endormie. Comme les rayons du soleil tombaient juste sur son visage, l'un des frères vola au-dessus de sa tête pour que ses larges ailes étendues lui fassent ombrage.

Ils étaient loin de la terre lorsqu'Elisa s'éveilla, elle crut rêver en se voyant portée au-dessus de l'eau, très haut dans l'air. A côté d'elle étaient placées une branche portant de délicieuses baies mûres et une botte de racines savoureuses, le plus jeune des frères était allé les prendre et les avait déposées près d'elle, elle lui sourit avec reconnaissance car elle savait bien que c'était lui qui volait au-dessus de sa tête et l'ombrageait de ses ailes.

Ils volaient si haut que le premier voilier apparu au-dessous d'eux semblait une mouette posée sur l'eau. Un grand nuage passait derrière eux, une véritable montagne sur laquelle Elisa vit l'ombre d'elle-même et de ses onze frères en une image gigantesque, ils formaient un tableau plus grandiose qu'elle n'en avait jamais vu, mais à mesure que le soleil montait et que le nuage s'éloignait derrière eux, ces ombres fantastiques s'effaçaient.

Tout le jour, ils volèrent comme une flèche sifflant dans l'air, moins vite pourtant que d'habitude puisqu'ils portaient leur sœur. Un orage se préparait, le soir approchait, inquiète, Elisa voyait le soleil décliner et le rocher solitaire n'était pas encore en vue. Il lui parut que les battements d'ailes des cygnes étaient plus vigoureux toujours. Hélas! c'était sa faute s'ils n'avançaient pas assez vite. Quand le soleil serait couché, ils devaient redevenir des hommes, tomber dans la mer et se noyer.

Alors, du plus profond de son cœur monta vers Dieu une ardente prière. Cependant elle n'apercevait encore aucun rocher, les nuages se rapprochaient, des rafales de vent de plus en plus violentes annonçaient la tempête, les nuages s'amassaient en une seule énorme vague de plomb qui s'avançait menaçante, éclairs sur éclairs se succédaient.

Le soleil était maintenant tout près de toucher la mer, le cœur d'Elisa frémit, les cygnes piquèrent une descente si rapide qu'elle crut tomber, mais très vite ils planèrent de nouveau. Maintenant le soleil était à moitié sous l'eau, alors seulement elle aperçut le petit récif au-dessous d'elle, pas plus grand qu'un phoque qui sortirait la tête de l'eau. Le soleil s'enfonçait si vite, il n'était plus qu'une étoile — alors elle toucha du pied le sol ferme — et le soleil s'éteignit comme la dernière étincelle d'un papier qui brûle. Coude contre coude ses frères se tenaient debout autour d'elle, mais il n'y avait de place que pour eux et pour elle. La mer battait le récif, jaillissait et retombait sur eux en cascades, le ciel brûlait d'éclairs toujours recommencés et le tonnerre roulait ses coups répétés.

Alors la sœur et les frères, se tenant par la main, chantèrent un cantique où ils retrouvèrent courage et réconfort.

A l'aube, l'air était pur et calme, aussitôt le soleil levé les cygnes s'envolèrent avec Elisa. La mer était encore forte et lorsqu'ils furent très haut dans l'air, l'écume blanche sur les flots d'un vert sombre semblait des millions de cygnes nageant.

Lorsque le soleil fut plus haut, Elisa vit devant elle, flottant à demi dans l'air, un pays de montagnes avec des glaciers brillant parmi les rocs et un château d'au moins une lieue de long, orné de colonnades les unes au-dessus des autres. A ses pieds se balançaient des forêts de palmiers avec des fleurs superbes grandes comme des roues de moulin. Elle demanda si c'était là le pays où ils devaient aller mais les cygnes secouèrent la tête, ce qu'elle voyait disaient-ils, n'était qu'un joli mirage, le château de nuées toujours changeant de la fée Morgane où ils n'oseraient jamais amener un être humain. Tandis qu'Elisa le regardait, montagnes, bois et château s'écroulèrent et voici surgir vingt églises altières, toutes semblables, aux hautes tours, aux fenêtres pointues. Elle croyait entendre résonner l'orgue mais ce n'était que le bruit de la mer. Bientôt les églises se rapprochèrent et devinrent une flotte naviguant au-dessous d'eux et alors qu'elle baissait les yeux pour mieux voir, il n'y avait que la brume marine glissant à la surface.

Mais bientôt elle aperçut le véritable pays où ils devaient se rendre, pays de belles montagnes bleues, de bois de cèdres, de villes et de châteaux. Bien avant le coucher du soleil, elle était assise sur un rocher devant l'entrée d'une grotte tapissée de jolies plantes vertes grimpantes, on eût dit des tapis brodés.

— Nous allons bien voir ce que tu vas rêver, cette nuit, dit le plus jeune des frères en lui montrant sa chambre.

— Si seulement je pouvais rêver comment vous aider! répondit-elle. Et cette pensée la préoccupait si fort, elle suppliait si instamment Dieu de l'aider que, même endormie, elle poursuivait sa prière. Alors il lui sembla qu'elle s'élevait très haut

dans les airs jusqu'au château de la fée Morgane qui venait elle-même à sa rencontre, éblouissante de beauté et cependant semblable à la vieille femme qui lui avait offert des baies dans la forêt et lui avait parlé des cygnes portant des couronnes.

— Tes frères peuvent être sauvés! dit la fée, mais auras-tu assez de courage et de patience? Si la mer est plus douce que tes mains délicates, elle façonne pourtant les pierres les plus dures, mais elle ne ressent pas la douleur que tes doigts souffriront, elle n'a pas de cœur et ne connaît pas l'angoisse et le tourment que tu auras à endurer.

Vois cette ortie que je tiens à la main, il en pousse beaucoup de cette sorte autour de la grotte où tu habites, mais celles-ci seulement et celles qui poussent sur les tombes du cimetière sont utilisables — cueille-les malgré les cloques qui brûleront ta peau, piétine-les pour en faire du lin que tu tordras, puis tresse-les en onze cottes de mailles aux manches longues, tu les jetteras sur les onze cygnes sauvages et le charme mauvais sera rompu. Mais n'oublie pas qu'à l'instant où tu commenceras ce travail et jusqu'à ce qu'il soit terminé, même s'il faut des années, tu ne dois prononcer aucune parole, le premier mot que tu diras, comme un poignard meurtrier frappera le cœur de tes frères, de ta langue dépend leur vie. N'oublie pas!

La fée effleura de l'ortie la main d'Elisa et la brûlure l'éveilla. Il faisait grand jour, et tout près de l'endroit où elle avait dormi, il y avait une ortie pareille à celle de son rêve. Alors elle tomba à genoux et remercia Notre-Seigneur puis elle sortit de la grotte pour commencer son travail.

De ses mains délicates, elle arrachait les orties qui brûlaient comme du feu formant de grosses cloques douloureuses sur ses mains et ses bras mais elle était contente de souffrir pourvu qu'elle pût sauver ses frères. Elle foula chaque ortie avec ses pieds nus et tordit le lin vert.

Au coucher du soleil les frères rentrèrent. Ils s'effrayèrent de la trouver muette, craignant un autre mauvais sort jeté par la méchante belle-mère, mais voyant ses mains, ils se rendirent compte de ce qu'elle faisait pour eux. Le plus jeune des frères se prit à pleurer et là où tombaient ses larmes, Elisa ne sentait plus de douleur, les cloques brûlantes s'effaçaient.

Elle passa la nuit à travailler n'ayant de cesse qu'elle n'eût sauvé ses frères chéris et tout le jour suivant, tandis que les cygnes étaient absents, elle demeura à travailler solitaire mais jamais le temps n'avait volé si vite. Une cotte de mailles était déjà terminée, elle commençait la seconde.

Alors un cor de chasse sonna dans les montagnes, elle en fut tout inquiète, le bruit se rapprochait, elle entendait les abois des chiens. Effrayée, elle se réfugia dans la grotte, lia en botte les orties qu'elle avait cueillies et démêlées et s'assit dessus.

A ce moment un grand chien bondit hors du hallier suivi d'un autre et d'un autre encore. Ils aboyaient très fort, couraient de tous côtés, au bout de quelques minutes tous les chasseurs étaient là devant la grotte et le plus beau d'entre eux, le roi du pays, s'avança vers Elisa. Jamais il n'avait vu fille plus belle.

— Comment es-tu venue ici, adorable enfant? s'écria-t-il. Elisa secoua la tête, elle n'osait parler, le salut et la vie de ses frères en dépendait. Elle cacha ses jolies mains sous son tablier pour que le roi ne vît pas sa souffrance.

— Viens avec moi, dit le roi, ne reste pas ici. Si tu es aussi bonne que belle, je te vêtirai de soie et de velours, je mettrai une couronne d'or sur ta tête et tu habiteras le plus riche de mes palais! Il la souleva et la plaça sur son cheval, mais elle pleurait et se tordait les mains, alors le roi lui dit:

— Je ne veux que ton bonheur, un jour tu me remercieras! et il s'élança à travers les montagnes la tenant devant lui sur son cheval et suivi au galop par les autres chasseurs.

Au soleil couchant la magnifique ville royale avec ses églises et ses coupoles s'étalait devant eux. Le roi conduisit la jeune fille dans le palais où les jets d'eau jaillissaient dans les salles de marbre, où les murs et les plafonds rutilaient de peintures, mais elle n'avait pas d'yeux pour ces merveilles; elle pleurait et se désolait. Indifférente elle laissa les femmes la parer de vêtements royaux, tresser des perles dans ses cheveux et passer des gants très fins sur ses doigts brûlés.

Alors, dans ces superbes atours, elle était si resplendissante de beauté que toute la cour s'inclina profondément devant elle et que le roi l'élut pour fiancée, malgré l'archevêque qui hochait la tête et murmurait que cette belle fille des bois ne pouvait être qu'une sorcière qui éblouissait tous les regards et séduisait le cœur du roi.

Le roi ne voulait rien entendre, il commanda la musique et les mets les plus rares. Les filles les plus ravissantes dansèrent pour elle. On la conduisit à travers des jardins embaumés dans des salons superbes, mais pas le moindre sourire ne lui venait aux lèvres ni aux yeux, la douleur seule semblait y régner pour l'éternité. Le roi ouvrit alors la porte d'une petite pièce attenante à celle où elle devait dormir, qui était ornée de riches tapisseries vertes rappelant tout à fait la grotte où elle avait habité. La botte de lin qu'elle avait filée avec les orties était là sur le parquet et au plafond pendait la cotte de mailles déjà terminée, — un des chasseurs avait emporté tout ceci comme curiosité.

— Ici tu pourras rêver que tu es encore dans ton ancien logis, dit le roi, voici ton ouvrage qui t'occupait alors, ici, au milieu de tout ton luxe, tu t'amuseras à repenser à ce temps-là.

Quand Elisa vit ces choses qui lui tenaient tant à cœur, un sourire joua sur ses lèvres et le sang lui revint aux joues. Elle pensait au salut de ses frères et baisa la main du roi qui la pressa sur son cœur et ordonna de sonner toutes les cloches des églises pour annoncer les fêtes du mariage. L'adorable fille muette des bois allait devenir reine.

L'archevêque avait beau murmurer de méchants propos aux oreilles du roi, ils n'allaient pas jusqu'à son cœur, la noce devait avoir lieu. C'est l'archevêque lui-même qui devait mettre la couronne sur la tête de la mariée et dans sa malveillance, il enfonça avec tant de force le cercle étroit sur le front d'Elisa qu'il lui fit mal, mais une douleur autrement lourde lui serrait le cœur, le chagrin qu'elle avait pour ses frères. Sa bouche demeurait muette puisqu'un seul mot trancherait leur vie, mais ses yeux exprimaient un amour profond pour ce roi si bon et si beau qui ordonnait tout pour son plaisir. Jour après jour, elle s'attachait à lui davantage. Oh! si elle osait seulement se confier à lui, lui dire sa souffrance, mais non, il lui fallait être muette, muette elle devait achever son ouvrage. Aussi se glissait-elle la nuit hors de leur lit pour aller dans la petite chambre décorée comme la grotte et là elle tricotait une cotte de mailles après l'autre. Quand elle fut à la septième, il ne lui restait plus de lin.

Elle savait que les orties qu'il lui fallait employer poussaient au cimetière, mais elle devait les cueillir elle-même, comment pourrait-elle sortir?

— Oh! qu'est-ce que la souffrance à mes doigts à côté du tourment de mon cœur, pensait-elle, il faut que j'ose, Dieu ne m'abandonnera pas! Le cœur battant comme si elle commettait une mauvaise action, elle sortit dans la nuit éclairée par la lune, descendit au jardin, suivit les longues allées et les rues désertes jusqu'au cimetière. Là elle vit sur une des plus larges pierres tombales un groupe de hideuses sorcières se dépouillant de leurs affreux haillons comme pour aller au bain et se mettant à creuser les tombes fraîches de leurs longs doigts maigres, puis sortir les cadavres et manger leur chair. Elisa était obligée de passer à côté d'elles et elles la fixaient de leurs yeux mauvais, mais la jeune fille récita sa prière, cueillit les orties brûlantes et rentra au château.

Une seule personne l'avait vue : l'archevêque resté debout tandis que les autres dormaient. Ainsi il avait donc eu raison dans ses soupçons malveillants sur la reine, elle n'était qu'une sorcière, c'est pourquoi elle avait séduit le roi et le peuple entier!

Dans le secret du confessionnal, il dit au roi ce qu'il avait vu, ce qu'il craignait et quand ces paroles si dures sortirent de sa bouche, les saints de bois sculptés secouaient la tête comme s'ils voulaient dire que ce n'était pas vrai, qu'Elisa était innocente. Mais l'archevêque interpréta la chose autrement et crut qu'ils portaient témoignage contre elle comme s'ils la jugeaient coupable.

Des larmes amères coulaient sur les joues du roi, il rentra chez lui avec un doute au cœur. Maintenant, la nuit, il faisait semblant de dormir mais il ne trouvait pas le sommeil, il remarquait qu'Elisa se levait chaque nuit et chaque nuit il la suivait et la voyait disparaître dans sa petite chambre.

Jour après jour, il devenait plus sombre, Elisa le voyait bien mais ne se l'expliquait pas; elle s'inquiétait cependant et que ne souffrit-elle alors en son cœur pour ses frères! Ses larmes coulaient sur le velours et la pourpre royale, elles y tombaient comme des diamants scintillants et les dames de la cour qui voyaient toute cette magnificence eussent bien voulu être reines à sa place.

Cependant, elle devait être bientôt au terme de son ouvrage il ne manquait plus qu'une cotte de mailles, encore une fois elle n'avait plus de lin et plus une seule ortie. Il lui fallait encore une fois, la dernière, s'en aller au cimetière en cueillir quelques poignées. Elle redoutait cette course solitaire et les terribles sorcières, mais sa volonté restait ferme et aussi sa confiance en Dieu.

Elisa partit donc mais le roi et l'archevêque la suivaient; ils la virent disparaître à la grille du cimetière et quand eux-mêmes s'en approchèrent, ils virent les affreuses sorcières assises sur la dalle comme Elisa les avait vues. Alors le roi s'en retourna, il se la figurait parmi ces sorcières, elle dont la tête avait, ce même soir, reposé sur sa poitrine.

— C'est le peuple qui la jugera, dit-il.

Le peuple la condamna, elle devait être brûlée vive dans les flammes rouges d'un bûcher.

Arrachée aux magnifiques salons royaux, Elisa fut jetée dans un cachot sombre et humide où le vent soufflait à travers les barreaux de la fenêtre, au lieu du velours et de la soie, on lui donna, pour poser sa tête, la botte d'orties qu'elle avait cueillie, les rudes cottes de mailles brûlantes qu'elle avait tricotées devaient lui servir de couvertures et de couette, mais aucun présent ne pouvait lui être plus cher. Elle se remit à son ouvrage en priant Dieu. Au-dehors les gamins des rues la moquaient dans leurs chansons, pas une âme pour la consoler d'un mot affectueux.

Vers le soir elle entendit un bruissement d'ailes de cygne devant les barreaux : c'était le plus jeune des frères qui l'avait retrouvée. Alors elle sanglota de joie et pourtant elle savait que cette nuit serait sans doute la dernière de sa vie. Mais maintenant, l'ouvrage était presque achevé et ses frères étaient là…

L'archevêque arriva pour passer les heures ultimes avec elle — il l'avait promis au roi — mais elle, secouant la tête, le pria par ses regards et sa mimique de s'en aller, cette nuit même il fallait que son travail fût terminé, sinon tout aurait été inutile, sa douleur, ses larmes et ses nuits sans sommeil. L'archevêque la quitta sur quelques méchantes paroles, mais elle se savait innocente, et continua sa besogne.

Les petites souris couraient sur le plancher et traînaient des orties jusqu'à ses pieds afin de l'aider de leur mieux et un merle se posa devant les barreaux de la fenêtre et siffla joyeusement toute la nuit pour qu'elle ne perdît pas courage.

Ce n'était pas encore l'aube — le soleil ne se lèverait qu'une heure plus tard — quand les onze frères se présentèrent au portail du château. Ils demandaient qu'on les mène auprès du souverain mais on leur répondit que c'était tout à fait impossible. Sa Majesté dormait et nul n'eût osé le réveiller. Ils supplièrent, ils menacèrent jusqu'à ce que la garde parût et le roi lui-même. A cet instant, le soleil se leva, plus de frères, mais au-dessus du palais, onze cygnes sauvages volaient à tire-d'aile.

Maintenant la foule se pressait aux portes de la ville, tout le peuple voulait voir brûler la sorcière. Une vieille haridelle traînait la charrette où on l'avait assise vêtue d'une blouse de grosse toile à sac, ses admirables cheveux tombaient autour de son visage d'une mortelle pâleur, ses lèvres remuaient doucement tandis que ses doigts tordaient le lin vert. Même sur le chemin de la mort, elle n'abandonnerait pas l'œuvre commencée, dix cottes de mailles étaient posées à ses pieds, elle tricotait la onzième.

— Voyez la sorcière, qu'est-ce qu'elle marmonne, elle n'a bien sûr pas de livre de psaumes dans les mains, mais bien toutes ses sorcelleries, arrachez-lui ça, mettez tout en pièces.

Ils se ruaient et se pressaient pour l'atteindre, mais voici venir par les airs onze cygnes blancs, ils se posèrent autour d'elle dans la charrette en battant de leurs larges ailes. La foule, épouvantée, recula.

— C'est un avertissement du ciel, elle est innocente, murmurait-on tout bas, pourtant personne n'osait le dire tout haut.

Déjà le bourreau saisissait sa main, alors en toute hâte elle jeta les onze cottes de mailles sur les cygnes et à leur place parurent onze princes délicieux, le plus jeune avait une aile de cygne à la place d'un de ses bras, car il manquait encore une manche à la dernière tunique qu'elle n'avait pu terminer.

— Maintenant j'ose parler, s'écria-t-elle, je suis innocente.

Et le peuple ayant vu le miracle s'inclina devant elle comme devant une sainte, mais elle tomba inanimée dans les bras de ses frères, brisée par l'attente, l'angoisse et la douleur.

— Oui, elle est innocente ! dit l'aîné des frères. Il raconta tout ce qui était arrivé et, tandis qu'il parlait, un parfum se répandait comme des millions de roses. Chaque morceau de bois du bûcher avait pris racine et des branches avaient poussé formant un grand buisson de roses rouges. A sa cime, une fleur blanche resplendissait de lumière comme une étoile, le roi la cueillit et la posa sur la poitrine d'Elisa. Alors elle revint à elle, la paix et la béatitude dans le cœur.

Toutes les cloches des églises se mirent à sonner d'elles-mêmes et les oiseaux arrivèrent volant en grandes troupes. Le retour au château fut un nouveau cortège nuptial comme aucun roi au monde n'en avait jamais vu.

LA PRINCESSE ET LE PORCHER

Il y avait une fois un prince pauvre. Son royaume était tout petit mais tout de même assez grand pour s'y marier et justement il avait le plus grand désir de se marier.

Il y avait peut-être un peu de hardiesse à demander à la fille de l'empereur voisin : «Veux-tu de moi?». Il l'osa cependant car son nom était honorablement connu, même au loin et cent princesses auraient accepté en remerciant, mais allez donc comprendre celle-ci... Ecoutez, plutôt :

Sur la tombe du père du prince poussait un rosier, un rosier miraculeux. Il ne donnait qu'une unique fleur tous les cinq ans, mais c'était une rose d'un parfum si doux qu'à la respirer on oubliait tous ses chagrins et ses soucis. Le prince avait aussi un rossignol qui chantait comme si toutes les plus belles mélodies du monde étaient enfermées dans son petit gosier. Cette rose et ce rossignol, il les destinait à la princesse, tous deux furent donc placés dans deux grands écrins d'argent et envoyés chez elle.

L'empereur les fit apporter devant lui dans le grand salon où la princesse jouait «à la visite» avec ses dames d'honneur — elles n'avaient du reste pas d'autre occupation — et lorsqu'elle vit les grandes boîtes contenant les cadeaux elle applaudit de plaisir.

— Si seulement c'était un petit minet, dit-elle. Mais c'est la merveilleuse rose qui parut.

— Comme elle est joliment faite! s'écrièrent toutes les dames d'honneur.

— Elle est plus que jolie, surenchérit l'empereur, elle est la beauté même.

Cependant la princesse la toucha du doigt et fut sur le point de pleurer.

— Oh! papa, cria-t-elle, quelle horreur, elle n'est pas artificielle, c'est une vraie!

— Fi donc! s'exclamèrent toutes ces dames, c'est une vraie!

— Avant de nous fâcher, regardons ce qu'il y a dans la deuxième boîte, opina l'empereur.

Alors le rossignol apparut et il se mit à chanter si divinement que tout d'abord on ne trouva pas de critique à lui faire.

— *Superbe! charmant!*[1] s'écrièrent toutes les dames de la cour, car elles parlaient toutes français, l'une plus mal que l'autre du reste.

— Comme cet oiseau me rappelle la boîte à musique de notre défunte impératrice! dit un vieux gentilhomme. Mais oui, c'est tout à fait la même manière, la même diction musicale!

— Eh oui! dit l'empereur. Et il se mit à pleurer comme un enfant.

— Mais au moins j'espère que ce n'est pas un vrai, dit la princesse.

— Mais si, c'est un véritable oiseau, affirmèrent ceux qui l'avaient apporté.

— Ah! alors qu'il s'envole, commanda la princesse. Et elle ne voulut pour rien au monde recevoir le prince.

Mais lui ne se laissa pas décourager, il se barbouilla le visage de brun et de noir, enfonça sa casquette sur sa tête et alla frapper là-bas.

— Bonjour, empereur! dit-il, ne pourrais-je pas trouver du travail au château?

— Euh! il y en a tant qui demandent, répondit l'empereur, mais, écoutez... je cherche un valet pour garder les cochons car nous en avons beaucoup.

Et voilà le prince engagé comme porcher impérial. On lui donna une mauvaise petite chambre à côté de la porcherie et c'est là qu'il devait se tenir. Cependant, il s'assit et travailla toute la journée, et le soir il avait fabriqué une jolie petite marmite garnie de clochettes tout autour. Quand la marmite se mettait à bouillir, les clochettes tintaient et jouaient:

Ach, du lieber Augustin,
Alles ist hin, hin, hin.[2]

Mais le plus ingénieux était sans doute que si l'on mettait le doigt dans la vapeur de la marmite, on sentait immédiatement quel plat on faisait cuire dans chaque cheminée de la ville. Ça, c'était autre chose qu'une rose.

Au cours de sa promenade avec ses dames d'honneur la princesse vint à passer devant la porcherie, et lorsqu'elle entendit la mélodie, elle s'arrêta toute contente car elle aussi savait jouer «Ach, du lieber Augustin», c'était même le seul air qu'elle sût et elle le jouait d'un doigt seulement.

— C'est l'air que je sais, dit-elle, ce doit être un porcher bien doué. Entrez et demandez-lui ce que coûte son instrument.

[1] En français, dans le texte. — [2] Ah! mon cher Augustin, tout est fini, fini — célèbre chanson allemande.

155

Une des dames de la cour fut obligée d'y aller mais elle mit des sabots.

— Combien veux-tu pour cette marmite? demanda-t-elle.

— Je veux dix baisers de la princesse!

— Grands dieux! s'écria la dame.

— C'est comme ça et pas moins! insista le porcher.

— Eh bien qu'est-ce qu'il dit? demanda la princesse.

— Je ne peux vraiment pas le dire, c'est trop affreux.

— Alors, dis-le tout bas.

La dame d'honneur le murmura dans l'oreille de la princesse.

— Mais il est insolent, dit celle-ci, et elle s'en fut immédiatement.

Dès qu'elle eut fait un petit bout de chemin, les clochettes se mirent à tinter.

— Ecoute, dit la princesse, va lui demander s'il veut dix baisers de mes dames d'honneur.

— Oh! que non, répondit le porcher. Dix baisers de la princesse ou je garde la marmite.

— Que c'est ennuyeux! dit la princesse. Alors il faut que vous vous teniez toutes autour de moi afin que personne ne puisse me voir.

Les dames d'honneur l'entourèrent en étalant leurs jupes, le garçon eut dix baisers et elle emporta la marmite. Comme on s'amusa au château! Toute la soirée et toute la journée la marmite cuisait, il n'y avait pas une cheminée de la ville dont on ne sût ce qu'on y préparait tant chez le chambellan que chez le cordonnier. Les dames d'honneur dansaient et battaient des mains.

— Nous savons ceux qui auront du potage sucré ou bien des crêpes, ou bien encore de la bouillie ou des côtelettes, comme c'est intéressant.

— Supérieurement intéressant! dit la Grande Maîtresse de la Cour.

— Oui, mais pas un mot à personne, car je suis la fille de l'empereur.

— Dieu nous en garde! firent-elles toutes ensemble.

Le porcher, c'est-à-dire le prince, mais personne ne se doutait qu'il pût être autre chose qu'un véritable porcher, ne laissa pas passer la journée suivante sans travailler, il confectionna une crécelle. Lorsqu'on la faisait tourner, résonnaient en grinçant toutes les valses, les galops et les polkas connus depuis la création du monde.

— Mais c'est superbe, dit la princesse lorsqu'elle passa devant la porcherie. Je n'ai jamais entendu plus merveilleuse improvisation! Ecoutez, allez lui demander ce que coûte cet instrument — mais je n'embrasse plus!

— Il veut cent baisers de la princesse, affirma la dame d'honneur qui était allée s'enquérir.

— Je pense qu'il est fou, dit la princesse.

Et elle s'en fut. Mais après avoir fait un petit bout de chemin, elle s'arrêta.

— Il faut encourager les arts, dit-elle. Je suis la fille de l'empereur. Dites-lui que je lui donnerai dix baisers, comme hier, le reste mes dames d'honneur s'en chargeront.

— Oh! ça ne nous plaît pas du tout, dirent ces dernières.

— Quelle bêtise! répliqua la princesse. Si moi je peux l'embrasser, vous le pouvez aussi. Souvenez-vous que je vous entretiens et vous honore.

Et, encore une fois, la dame d'honneur dut aller s'informer.

— Cent baisers de la princesse, a-t-il dit, sinon il garde son bien.

— Alors, mettez-vous devant moi.

Toutes les dames l'entourèrent et l'embrassade commença.

— Qu'est-ce que c'est que cet attroupement, là-bas, près de la porcherie! s'écria l'empereur. Il était sur sa terrasse où il se frottait les yeux et mettait ses lunettes. Mais ce sont les dames de la cour qui font des leurs, il faut que j'y aille voir. Il releva l'arrière de ses pantoufles qui n'étaient que des souliers dont le contrefort avait lâché...

Saperlipopette! comme il se dépêchait...

Lorsqu'il arriva dans la cour, il se mit à marcher tout doucement. Les dames d'honneur occupées à compter les baisers afin que tout se déroule honnêtement, qu'il n'en reçoive pas trop, mais pas non plus trop peu, ne remarquèrent pas du tout l'empereur. Il se hissa sur les pointes:

— Qu'est-ce que c'est! cria-t-il quand il vit ce qui se passait. Et il leur donna de sa pantoufle un grand coup sur la tête, juste au moment où le porcher recevait le quatre-vingtième baiser.

— Hors d'ici! cria-t-il, furieux.

La princesse et le porcher furent jetés hors de l'empire.

Elle pleurait, le porcher grognait et la pluie tombait à torrent.

— Ah! je suis la plus malheureuse des créatures, gémissait la princesse. Que n'ai-je accepté ce prince si charmant! Oh! que je suis malheureuse!

Le porcher se retira derrière un arbre, essuya le noir et le brun de son visage, jeta ses vieux vêtements et s'avança dans ses habits princiers, si charmant que la princesse fit la révérence devant lui.

— Je suis venu pour te faire affront, à toi! dit le garçon. Tu ne voulais pas d'un prince plein de loyauté. Tu n'appréciais ni la rose, ni le rossignol, mais le porcher tu voulais bien l'embrasser pour un jouet mécanique! Honte à toi!

Il retourna dans son royaume, ferma la porte, tira le verrou.

Quant à elle, elle pouvait bien rester dehors et chanter si elle en avait envie:

Ach, du lieber Augustin,
Alles ist hin, hin, hin.

L'HEUREUSE FAMILLE

La plus grande feuille dans ce pays est certainement la feuille de bardane. Si on la tient devant son petit estomac, on croit avoir un véritable tablier et si, les jours de pluie, on la pose sur sa tête, elle vaut presque un parapluie, tant elle est immense. Jamais une bardane ne pousse isolée; où il y en a une, il y en a beaucoup d'autres et c'est une nourriture véritablement délicieuse pour les escargots. Je parle des grands escargots blancs que les gens distingués faisaient autrefois préparer en fricassée et qu'ils mangeaient en s'écriant: «Oh! que c'est bon!» Les escargots se nourrissaient de feuilles de bardane, c'est pourquoi on semait des bardanes.

Il y avait un vieux château où l'on ne mangeait plus d'escargots, ils avaient presque disparu, mais la bardane, elle, était plus vivace que jamais, elle envahissait les allées et les plates-bandes; on ne pouvait en venir à bout, c'était une vraie forêt. De-ci, de-là s'élevait un prunier ou un pommier, sans lesquels on n'aurait jamais cru que ceci avait été un jardin. Tout était bardane... et là-dedans vivaient les deux derniers et très vieux escargots.

Ils ne savaient pas eux-mêmes quel âge ils pouvaient avoir, mais ils se souvenaient qu'ils avaient été très nombreux, qu'ils étaient d'une espèce venue de l'étranger, et que c'est pour eux que toute la forêt avait été plantée. Ils n'en étaient jamais sortis, mais ils savaient qu'il y avait dans le monde quelque chose qui s'appelait «le château», où l'on était apporté pour être cuit, ce qui avait pour effet de vous faire devenir tout noir, puis on était posé sur un plat d'argent, sans que l'on puisse savoir ce qui arrivait par la suite. Etre cuit, devenir tout noir et couché sur un plat d'argent, ils ne s'imaginaient pas ce que cela pouvait être, mais ce devait être très agréable et supérieurement distingué.

Ni la taupe, ni le crapaud, ni le ver de terre interrogés, ne pouvaient donner là-dessus le moindre renseignement, aucun d'eux n'avait été cuit, ni mis sur un plat.

Les vieux escargots blancs savaient qu'ils étaient les plus nobles de tous, la forêt existait à leur usage unique et le château était là afin qu'ils puissent être cuits et mis sur un plat d'argent.

Ils vivaient très solitaires, mais heureux et comme ils n'avaient pas d'enfants, ils avaient recueilli un petit colimaçon tout ordinaire, qu'ils élevaient comme s'il était leur propre fils. Le petit ne grandissait guère parce qu'il était d'une espèce très vulgaire, mais, cependant, la mère escargot croyait remarquer qu'il profitait un peu, et comme le père ne le voyait pas, elle le pria de tâter la petite coquille, ce qu'il fit et il trouva que la mère avait raison.

Un jour, une forte pluie tomba. «Ecoutez comme ça tape sur les feuilles de bardane!» dit le père.

— Et les gouttes transpercent tout, dit la mère. Il y en a qui descendent même le long des tiges. Tout va être mouillé. Quelle chance d'avoir chacun une bonne maison et le petit aussi. On a fait plus pour nous que pour toutes les autres créatures, on voit bien que nous sommes les maîtres du monde! Dès notre naissance, nous avons notre propre maison et la forêt de bardanes semée pour notre usage. Je me demande jusqu'où elle s'étend cette forêt et ce qu'il y a au-delà?

— Il n'y a rien au-delà, dit le père. Nulle part, on ne pourrait être mieux que chez nous et je n'ai rien à désirer.

— Si, dit la mère, je voudrais être portée au château, être cuite et mise sur un plat d'argent. Tous nos ancêtres l'ont été et, crois-moi, ce doit être quelque chose d'extraordinaire.

— Le château est sans doute écroulé, dit le père, ou bien la forêt a poussé par-dessus, et les hommes n'ont plus pu en sortir. Du reste, il n'y a rien d'urgent à le savoir. Mais tu es toujours si agitée et le petit commence à l'être aussi —ne grimpe-t-il pas depuis trois jours le long de cette tige? J'ai mal dans la tête quand je le regarde là-haut.

— Ne le gronde pas, dit la mère, il grimpe si prudemment; tu verras, nous en

164

aurons de la satisfaction, et nous autres vieux n'avons pas d'autre raison d'exister. Mais une chose me préoccupe : comment lui trouver une femme? Crois-tu que, au loin dans la forêt, on trouverait encore une jeune fille de notre race?

— Oh! des limaces noires, ça je crois qu'il y en a encore, mais sans coquille et vulgaires! Et avec ça, elles ont des prétentions. Nous pourrions en parler aux fourmis qui courent de tous les côtés, comme si elles avaient quelque chose à faire. Peut-être qu'elles connaîtraient une femme pour notre petit?

— Je connais la plus belle des belles, dit la fourmi, mais je crains qu'elle ne fasse pas l'affaire; c'est une reine!

— Qu'est-ce que ça fait, dit le père, a-t-elle une «maison»?

— Un château qu'elle a, dit la fourmi, un merveilleux château de fourmis, avec sept cents couloirs.

— Merci bien, dit la mère, notre fils n'ira pas dans une fourmilière. Si vous n'avez rien de mieux à nous offrir, nous nous adresserons aux moustiques blancs; ils volent de tous côtés sous la pluie et dans le soleil et connaissent la forêt dans tous les coins.

— Nous avons une femme pour lui, susurrèrent les moustiques. A cent pas humains d'ici se tient, sur un groseillier, une petite jeune fille escargot à coquille qui est là toute seule et en âge de se marier.

— Qu'elle vienne vers lui, dit le père; il possède une forêt de bardanes, elle n'a qu'un simple buisson...

Alors les moustiques allèrent chercher la petite jeune fille escargot. On l'attendit huit jours, ce qui prouve qu'elle était bien de leur race.

Ensuite, la noce eut lieu. Six vers luisants étincelèrent de leur mieux. Du reste, tout se passa très calmement, le vieux ménage escargots ne supportant ni la bombance ni le chahut. Maman escargot tint un émouvant discours —le père était trop ému—, et c'est toute la forêt de bardanes que le jeune ménage reçut en dot, les parents disant, comme ils l'avaient toujours dit, que c'était là ce qu'il y avait de meilleur au monde, et que si les jeunes vivaient dans l'honnêteté et la droiture et se multipliaient, eux et leurs enfants auraient un jour l'honneur d'être portés au château, cuits et mis sur un plat d'argent.

Après ce discours, les vieux rentrèrent dans leur coquille et n'en sortirent plus jamais. Ils dormaient. Le jeune couple régna sur la forêt et eut une grande descendance, mais ils ne furent jamais cuits et ils n'eurent jamais l'honneur du plat d'argent. Ils en conclurent que le château s'était écroulé, que tous les hommes sur la terre étaient morts, et comme il n'y avait personne pour les contredire, ce fut chez eux une vérité acquise.

La pluie battait sur les feuilles de bardane pour leur offrir un concert de tambours, le soleil brillait afin de donner une belle couleur aux feuilles de bardane. Ils en étaient très heureux, oui, toute la famille vivait heureuse.

LES HABITS NEUFS DE L'EMPEREUR

Il y a de longues années vivait un empereur qui aimait par-dessus tout les beaux habits neufs ; il dépensait tout son argent pour être bien habillé.

Il ne s'intéressait nullement à ses soldats, ni à la comédie, ni à ses promenades en voiture dans les bois, si ce n'était pour faire parade de ses habits neufs. Il en avait un pour chaque heure du jour et, comme on dit d'un roi : « Il est au conseil », on disait de lui : « L'empereur est dans sa garde-robe ».

La vie s'écoulait joyeuse dans la grande ville où il habitait ; beaucoup d'étrangers la visitaient. Un jour arrivèrent deux escrocs, se faisant passer pour tisserands et se vantant de savoir tisser l'étoffe la plus splendide que l'on puisse imaginer. Non seulement les couleurs et les dessins en étaient exceptionnellement beaux, mais encore, les vêtements cousus dans ces étoffes avaient l'étrange vertu d'être invisibles pour tous ceux qui étaient incapables dans leur emploi, ou plus simplement irrémédiablement des sots.

— Ce seraient de précieux habits, pensa l'empereur, en les portant je connaîtrais aussitôt les hommes incapables de mon empire, et je distinguerais les intelligents des imbéciles. Cette étoffe, il faut au plus vite la faire tisser. Il donna d'avance une grosse somme d'argent aux deux escrocs pour qu'ils se mettent à l'ouvrage.

Ils installèrent bien deux métiers à tisser et firent semblant de travailler, mais ils n'avaient absolument aucun fil sur le métier. Ils s'empressèrent de réclamer les plus beaux fils de soie, les fils d'or les plus éclatants, ils les mettaient dans leur sac à eux et continuaient à travailler sur des métiers vides jusque dans la nuit.

— J'aimerais savoir où ils en sont de leur étoffe, se disait l'empereur, mais il se sentait très mal à l'aise à l'idée qu'elle était invisible aux sots et aux incapables. Il pensait bien n'avoir rien à craindre pour lui-même, mais il décida, d'envoyer d'abord quelqu'un pour voir ce qu'il en était.

Tous les habitants de la ville étaient au courant de la vertu miraculeuse de l'étoffe et tous étaient impatients de voir combien leurs voisins étaient incapables ou sots.

— Je vais envoyer mon vieux et honnête ministre, pensa l'empereur. C'est lui qui jugera de l'effet produit par l'étoffe, il est d'une grande intelligence et personne ne remplit mieux sa fonction que lui.

Alors le vieux ministre honnête se rendit dans l'atelier où les deux menteurs travaillaient sur les deux métiers vides.

— Mon Dieu! pensa le vieux ministre en écarquillant les yeux, je ne vois rien du tout!

Mais il se garda bien de le dire. Les deux autres le prièrent d'avoir la bonté de s'approcher et lui demandèrent si ce n'était pas là un beau dessin, de ravissantes couleurs. Ils montraient le métier vide et le pauvre vieux ministre ouvrait des yeux de plus en plus grands, mais il ne voyait toujours rien puisqu'il n'y avait rien.

— Grands dieux! se disait-il, serais-je un sot? Je ne l'aurais jamais cru et il faut que personne ne le sache! Remplirais-je mal mes fonctions? Non, il ne faut surtout pas que je dise que je ne vois pas cette étoffe.

— Eh! bien, vous ne dites rien? dit l'un des artisans.

— Oh! c'est vraiment ravissant, tout ce qu'il y a de plus joli, dit le vieux ministre en admirant à travers ses lunettes. Ce dessin!... ces couleurs!... Oui, je dirai à l'empereur que cela me plaît infiniment.

— Ah! nous en sommes contents.

Les deux tisserands disaient le nom des couleurs, détaillaient les beautés du dessin. Le vieux ministre écoutait de toutes ses oreilles pour pouvoir répéter chaque mot à l'empereur quand il serait rentré, et c'est bien ce qu'il fit.

Les escrocs réclamèrent alors encore de l'argent et encore des soies et de l'or filé. Ils mettaient tout dans leurs poches, pas un fil sur le métier, où cependant ils continuaient à faire semblant de travailler.

Quelque temps après, l'empereur envoya un autre fonctionnaire important pour voir où on en était du tissage et si l'étoffe serait bientôt prête. Il arriva à cet homme la même chose qu'au ministre, il avait beau regarder, comme il n'y avait que des métiers vides, il ne voyait rien.

— N'est-ce pas là une belle pièce d'étoffe, disaient les deux escrocs, et ils recommençaient leurs explications.

— Je ne suis pas bête, pensait le fonctionnaire, c'est donc que je ne conviens pas à ma haute fonction. C'est assez bizarre, mais il ne faut pas que cela se sache. Il loua donc le tissu qu'il ne voyait pas et les assura de la joie que lui causait la vue de ces belles couleurs, de ce ravissant dessin.

— C'est tout ce qu'il y a de plus beau, dit-il à l'empereur.

Tous les gens de la ville parlaient du merveilleux tissu.

Enfin, l'empereur voulut voir par lui-même, tandis que l'étoffe était encore sur le métier. Avec une grande suite de courtisans triés sur le volet, parmi lesquels les deux vieux excellents fonctionnaires qui y étaient déjà allés, il se rendit auprès des deux rusés compères qui tissaient de toutes leurs forces — sans le moindre fil de soie.

— N'est-ce pas *magnifique*[1], s'écriaient les deux vieux fonctionnaires, que Votre Majesté admire ce dessin, ces teintes.

Ils montraient du doigt le métier vide, s'imaginant que les autres voyaient quelque chose.

— Comment! pensa l'empereur, je ne vois rien! Mais c'est épouvantable! Suis-je un sot? Ne suis-je pas fait pour être empereur? Ce serait terrible! Oh! de toute beauté, disait-il en même temps, vous avez ma plus haute approbation.

Il faisait de la tête un signe de satisfaction et contemplait le métier vide. Il ne voulait pas dire qu'il ne voyait rien. Toute sa suite regardait et regardait sans rien voir de plus que les autres, mais ils disaient comme l'empereur: «Oh! de toute beauté!» Et ils lui conseillèrent d'étrenner l'habit taillé dans cette étoffe splendide à l'occasion de la grande procession qui devait avoir lieu bientôt.

— Magnifique! Ravissant! Parfait! Ces mots volaient de bouche en bouche, tous se disaient enchantés.

L'empereur décora chacun des deux escrocs de la croix de chevalier pour mettre à leur boutonnière et leur octroya le titre de gentilshommes tisserands.

Toute la nuit qui précéda le jour de la procession, les escrocs restèrent à travailler à la lueur de seize chandelles. Toute la ville pouvait ainsi se rendre compte de la peine qu'ils se donnaient pour terminer les habits neufs de l'empereur. Ils faisaient semblant d'enlever l'étoffe de sur le métier, ils taillaient en l'air avec de grands ciseaux, ils cousaient sans aiguille et sans fil, et à la fin ils s'écrièrent:

— Voyez, l'habit est terminé!

L'empereur vint lui-même avec ses courtisans les plus hauts placés. Les deux menteurs levaient un bras en l'air comme s'ils tenaient quelque chose:

— Voici le pantalon, voici l'habit! voilà le manteau! et ainsi de suite. C'est léger comme une toile d'araignée, on croirait n'avoir rien sur le corps, c'est là le grand avantage de l'étoffe.

[1] En français dans le texte.

— Oui, oui, dirent les courtisans de la suite, mais ils ne voyaient rien, puisqu'il n'y avait rien.

— Votre Majesté Impériale veut-elle avoir l'insigne bonté de retirer ses vêtements, afin que nous puissions lui mettre les nouveaux, là, devant le grand miroir.

L'empereur enleva tous ses beaux vêtements et les escrocs firent les gestes de lui en mettre, l'un après l'autre, des nouveaux qui étaient soi-disant cousus. Ils le prenaient par la taille et faisaient semblant d'attacher quelque chose; c'était le manteau de cour. L'empereur se tournait et se retournait devant le miroir.

— Dieu! comme cela va bien! Comme c'est bien pris, disait chacun. Quel dessin, quelles couleurs, voilà des vêtements luxueux.

— Ceux qui doivent porter le dais au-dessus de Votre Majesté ouvrant la procession, sont arrivés, dit le Grand Maître des Cérémonies.

— Je suis prêt, dit l'empereur. Est-ce que cela ne va pas bien? Et il se tournait encore une fois devant le miroir pour faire semblant de bien tout examiner.

Les chambellans qui devaient porter la traîne du manteau de cour tâtonnaient de leurs mains le parquet et les élevaient ensuite comme s'ils ramassaient cette traîne. Ils se mirent à marcher les mains levées comme s'ils portaient quelque chose; ils ne voulaient pas que l'on s'aperçût qu'ils ne voyaient rien.

C'est ainsi que l'empereur marchait devant la procession sous le magnifique dais, et tous ses sujets, dans la rue et aux fenêtres, s'écriaient :

— Dieu! que le nouvel habit de l'empereur est admirable, quel manteau avec traîne de toute beauté, comme elle s'étale avec splendeur.

Personne ne voulait avouer qu'il ne voyait rien, puisque cela aurait montré qu'il était incapable dans son emploi, ou simplement un sot. Jamais un habit neuf de l'empereur n'avait connu un tel succès.

— Mais il n'a pas d'habit du tout! cria un petit enfant dans la foule.

— Grands dieux! entendez, c'est la voix de l'innocence, dit son père. Et chacun de chuchoter de l'un à l'autre :

— Il n'a pas d'habit du tout...

— Il n'a pas d'habit du tout! cria à la fin le peuple entier.

L'empereur frissonna, car il lui semblait bien que tout son peuple avait raison, mais il pensait en même temps qu'il fallait tenir bon jusqu'à la fin de la procession. Il se redressa encore plus fièrement, et les chambellans continuèrent à porter le manteau de cour et la traîne qui n'existait pas.

LE CRAPAUD

Le puits était très profond et par conséquent la corde était longue, qui servait à monter le seau plein d'eau. Quand ce seau arrivait jusqu'à la margelle, on avait bien du mal à l'y poser, tant le vent était violent. Jamais le soleil ne descendait assez bas dans ce puits pour se mirer dans l'eau, aussi claire qu'elle fût, mais aussi loin qu'atteignaient ses rayons, les pierres étaient couvertes d'une maigre verdure.

Une famille de crapauds vivait dans le puits. Ils étaient nouveaux venus, puisque c'est la vieille grand-mère — encore vivante — qui y était arrivée, la tête la première. Les grenouilles vertes, établies là depuis bien plus longtemps, et qui nageaient de tous côtés dans l'eau, les considéraient comme des invités de passage, mais voyaient bien qu'ils étaient un peu de leur espèce.

Les crapauds avaient décidé de rester là, ils se plaisaient à vivre «au sec», comme ils disaient des pierres humides.

La mère crapaude avait fait un vrai voyage, et elle s'était trouvée justement dans le seau au moment où quelqu'un le remontait, mais la subite lumière du jour l'éblouit; elle tomba du seau, droit dans l'eau, avec un «plouf» si terrifiant qu'elle dut rester trois jours couchée, les reins presque brisés. C'est ainsi qu'elle était arrivée là. Elle ne pouvait raconter grand-chose sur le monde extérieur, mais elle savait — et elle le fit savoir à tous — que le puits n'était pas le monde entier. Mère crapaude aurait pu raconter davantage, mais si les grenouilles la questionnaient, elle ne répondait jamais, alors elles ne questionnaient plus.

— Comme elle est grosse et horrible, laide et répugnante, disaient les jeunes grenouilles vertes, et ses petits deviendront exactement comme elle.

— C'est possible, répondait la mère crapaude, mais l'un d'eux a une pierre précieuse dans la tête, ou bien je l'ai moi-même.

Les grenouilles vertes écoutaient ce propos, les yeux ronds de surprise, mais comme elles ne désiraient pas en savoir davantage, elles tournèrent le dos à la vieille et plongèrent jusqu'au fond de l'eau.

Les jeunes crapauds, au contraire, allongeaient leurs pattes de derrière par pure fierté, chacun d'eux croyant avoir la pierre précieuse, ils tenaient la tête raide et parfaitement immobile. Ils finirent cependant par se demander eux-mêmes de quoi ils devaient être fiers et ce que c'était au juste qu'une pierre précieuse; ils désiraient vivement le savoir.

— C'est un bijou, répondit la mère crapaude, si beau et si précieux, que je ne peux même pas le décrire. On le porte pour son propre plaisir et les autres vous l'envient. Mais ne me demandez plus rien, je ne répondrai pas.

— Je suis sûr que ce n'est pas moi qui ai ce bijou, dit le plus petit crapaud qui était aussi laid que possible; pourquoi, parmi tous, aurai-je quelque chose d'aussi splendide? Et si cela devait déplaire aux autres, je n'en aurais aucun plaisir. Non, tout ce que je désire, c'est seulement de pouvoir un jour monter jusqu'à la margelle du puits et regarder au-dehors, ce doit être magnifique!

— Reste bien tranquille où tu es, répliqua la vieille, tu connais le coin et sais ce qu'il vaut. Prends bien garde au seau, il pourrait t'écraser. Et si tu réussis à y entrer, tu peux en retomber et tout le monde n'a pas comme moi la chance de survivre à une pareille chute avec ses quatre membres entiers — et tous ses œufs.

— Couac, dit le petit, ce qui répond à Oh! Oh!

Il avait un immense désir d'être assis sur la margelle du puits et de regarder au dehors, une vraie nostalgie de la verdure de là-haut. Le lendemain matin, comme on remontait le seau plein d'eau, le seau, par hasard, s'arrêta un instant juste devant la pierre sur laquelle était assis le petit crapaud; celui-ci trembla, mais sauta dans le seau et tomba tout au fond.

En haut du puits, il fut vidé en même temps que l'eau.

— Quelle horreur, cria un garçon qui se trouvait là, je n'en ai jamais vu d'aussi laid. Et il lui allongea un grand coup de sabot.

Le petit crapaud aurait été complètement écrasé s'il ne s'était vite caché au milieu des hautes orties.

Il était assis là et regardait les tiges serrées et il regardait aussi vers le ciel, le soleil brillait sur les feuilles transparentes, il avait l'impression que nous éprouvons, nous autres hommes, en pénétrant dans une grande forêt où le soleil luit entre les branches et les feuilles des arbres.

— C'est bien mieux ici que dans le puits, dit le petit crapaud. J'aimerais y rester toute ma vie.

Il resta là une heure — et même deux.

— Je me demande ce qu'il peut y avoir dehors, pensa-t-il. Puisque je suis venu jusqu'ici, il faut que je continue.

Il sautilla aussi vite qu'il le put et arriva sur une route où le soleil brillait, mais où la poussière tomba, épaisse, sur son dos, tandis qu'il traversait la grand-route.

— Je suis vraiment au sec, ici, peut-être même un peu trop. J'ai des démangeaisons.

Il sauta jusqu'au fossé où poussaient des myosotis et des spirées et que bordait une haie de sureau et d'aubépine, le long de laquelle grimpaient des liserons blancs. Que de couleurs de tous côtés! Un papillon vint à passer, le crapaud le prit pour une fleur qui s'était détachée pour voir le monde. Cela lui parut tout naturel.

— Si je pouvais seulement m'envoler comme lui, pensa le petit crapaud. Couac, ce serait merveilleux.

Il demeura huit jours et huit nuits dans le fossé où il ne manquait certes pas de nourriture. Au neuvième jour, il se dit:

— Il faut vraiment que je continue, mais que pourrai-je trouver de mieux qu'ici. Peut-être un autre petit crapaud ou quelques grenouilles vertes.

La nuit précédente, il avait entendu dans l'air des bruits semblant indiquer qu'il avait quelques cousins dans le voisinage.

— Que c'est bon de vivre, de sortir du puits, coucher dans les orties, ramper sur la route poussiéreuse et se reposer dans le fossé humide. Mais il faut continuer, essayer de trouver un petit crapaud ou quelques grenouilles. Ils me manquent. C'est donc que la nature ne suffit pas.

Et il continua son voyage.

Il traversa un champ et arriva à une mare entourée de joncs. Il regarda les joncs avec intérêt et s'aperçut qu'il y avait là des grenouilles.

— C'est peut-être trop mouillé pour vous, lui dirent-elles, mais vous êtes le bienvenu. Etes-vous un mâle ou une femelle? Qu'importe! vous êtes en tout cas le bienvenu.

Cette nuit-là, le petit crapaud fut invité à un concert familial, grand enthousiasme et voix faibles. On ne servit rien à manger, mais à boire à profusion, tout l'étang si l'on voulait... ou pouvait!

— Maintenant, allons plus loin, se dit le petit crapaud; quelque chose le poussait à chercher toujours mieux.

Il vit les étoiles, grandes et brillantes; il vit la lune, il vit le soleil se lever et monter de plus en plus haut dans le ciel.

— Je suis toujours dans un puits, plus grand peut-être, mais puits tout de même. Il faut monter plus haut, je suis inquiet et sens une étrange nostalgie.

Quand il y eut pleine lune, la pauvre petite bête se dit:

— C'est peut-être un seau que l'on descend et où je dois sauter pour arriver ensuite plus haut, ou, peut-être, le soleil est-il un immense seau, combien grand et lumineux! Nous pourrions tous y trouver place, il me faut en attendre l'occasion. Comme ma tête me semble claire et brillante, je ne crois pas qu'un bijou puisse briller davantage. La pierre précieuse, je ne l'ai sûrement pas, mais je ne pleure pas pour cela, non, allons plus haut, toujours plus près de cette lumière étincelante où tout est joie! J'en ai un grand désir et en même temps de l'effroi. C'est un immense pas que je me prépare à faire, mais il est nécessaire. En avant, droit vers la route!

Il fit quelques pas, à sa manière d'animal rampant, et se trouva sur la grand-route. Des gens vivaient là ; il y avait des jardins fleuris et des potagers. Il se reposa devant un carré de choux.

— Quelle variété de créatures que je n'ai jamais vues ! Comme le monde est grand et beau. Mais il faut le parcourir et ne pas rester à la même place.

Et il sauta dans le carré de choux.

— Comme tout est vert. Que c'est beau !

— Je le sais bien, dit une chenille verte couchée sur une feuille de chou. Ma feuille est la plus large de toutes, elle cache la moitié de l'univers, mais je me passe fort bien de cette moitié-là.

Cott, cott, des poules arrivaient et couraient dans le potager. La première avait bonne vue. Apercevant la chenille sur la feuille frisée, elle lui donna un coup de bec. La chenille tomba à terre où elle se tortillait. La poule l'examina de côté, d'abord d'un œil puis de l'autre, car elle ne savait ce que signifiaient ces contorsions.

— Il n'arrivera à rien de bon, se dit la poule en se préparant à lui donner un autre coup de bec.

Le petit crapaud en fut si effrayé qu'il rampa droit devant elle.

— Ah ! il est accompagné, se dit la poule. Quelle horrible créature rampante !

Et elle s'en alla disant :

— Ces petites bouchées vertes ne m'intéressent pas, cela ne fait que vous chatouiller dans la gorge.

Les autres poules furent du même avis et toutes s'en allèrent.

— M'en voilà débarrassée, dit la chenille. Heureusement, j'ai de la présence d'esprit. Mais comment vais-je remonter sur ma feuille. Où est-elle ?

Le petit crapaud s'approcha d'elle pour lui exprimer sa sympathie et lui dire qu'il était tout heureux d'avoir chassé la poule par sa laideur.

— Que voulez-vous dire ? demanda la chenille. Je m'en suis débarrassée moi-même en me tortillant. Vous êtes vraiment affreux à regarder. Et, en tout cas, j'ai le droit de rester à ma place. Je sens déjà l'odeur du chou, voici ma feuille. Rien n'est plus beau que ce qui vous appartient. Mais il faut que je monte plus haut.

— Oui, plus haut, dit le crapaud. Elle a les mêmes sentiments que moi, mais elle n'est pas de bonne humeur aujourd'hui, ce doit être le choc. Nous souhaitons tous monter plus haut.

Et il regarda aussi haut qu'il le put.

Le père cigogne était debout dans son nid sur le toit du paysan et claquait du bec, la mère cigogne également.

— Comme ils habitent haut, pensa le crapaud. Pourrait-on monter si haut ?

Deux jeunes étudiants vivaient à la ferme, l'un était un poète et l'autre un naturaliste. L'un chantait dans ses écrits toutes les créations de Dieu qui se reflétaient dans son cœur, l'autre s'emparait du fait lui-même et l'examinait comme une vaste opération mathématique; il soustrayait, multipliait, désirant connaître à fond les problèmes et en parler avec sa raison et son enthousiasme. Tous deux étaient d'un bon naturel et très gais.

— Regarde! voilà un beau spécimen de crapaud, là-bas, disait le naturaliste. Je veux le mettre dans l'alcool.

— Oh! mais tu en as déjà deux, répliquait le poète. Laisse-le jouir de la vie.

— Mais il est si joliment laid, dit l'autre.

— Evidemment, si nous pouvions trouver la pierre philosophale dans sa tête je vous aiderais volontiers à le disséquer.

— La pierre philosophale, répliqua son ami, tu t'y connais donc en histoire naturelle?

— Mais ne trouves-tu pas que c'est très beau cette croyance populaire qui veut que le crapaud, le plus laid des animaux, possède souvent dans sa tête le plus précieux des joyaux. N'en est-il pas de même chez les hommes? Deux des hommes les plus sages des temps anciens, Esope et Socrate, ne possédaient-ils pas ce joyau, alors qu'ils étaient physiquement peu attrayants?

C'est tout ce qu'entendit le crapaud et il n'en avait compris que la moitié. Les deux amis s'éloignèrent et il échappa au bocal d'alcool.

— Eux aussi parlaient de pierre précieuse. Que je suis content de ne pas l'avoir, sans quoi quelque chose de très désagréable aurait pu m'arriver.

Le jacassement du père cigogne se fit entendre sur le toit de la ferme. Il faisait une conférence à sa famille et lançait de mauvais regards aux deux jeunes gens dans le carré de choux.

— Les hommes sont les animaux les plus infatués d'eux-mêmes. Ecoutez leurs jacassements précipités, et ils ne savent même pas les articuler convenablement. Ils sont si fiers de leur don de parole, de leur langage. Et quel étrange langage, à quelques jours de vol d'une cigogne ils ne se comprennent plus les uns les autres. Nous, au contraire, nous pouvons nous faire comprendre partout, même en Egypte. Et ils ne savent même pas voler. Pour voyager un peu vite, ils ont inventé ce qu'ils appellent le «chemin de fer» et souvent ils y sont blessés. J'ai des frissons le long du corps et mon bec commence à trembler quand j'y pense. Le monde pourrait très bien durer sans les hommes. Ils ne nous manqueraient certes pas, aussi longtemps que nous aurons des vers de terre et des grenouilles.

— Voilà un beau discours, pensa le petit crapaud. Quel grand homme et comme il siège haut! Et comme il nage bien, s'écria-t-il quand le père cigogne étendit ses ailes et s'élança dans les airs.

La mère cigogne se mit alors à parler à ses petits, dans le nid, du pays appelé Egypte, des eaux du Nil, et de tous les magnifiques marais que l'on trouve dans ce pays lointain. Tout ceci était nouveau pour le petit crapaud et l'intéressait vivement.

— Il faut que j'aille en Egypte, dit-il. Si seulement la cigogne ou l'un des petits voulait bien m'emmener, je lui ferai une politesse le jour de ses noces. N'importe comment, je trouverai moyen d'aller en Egypte. Que je suis heureux! Le désir que j'éprouve rend certainement plus heureux que la pierre précieuse dans la tête.

Et c'était justement lui, qui avait le joyau: l'éternel désir de s'élever plus haut, toujours plus haut, il rayonnait de joie et d'amour de la vie.

A ce moment, le père cigogne descendit en vol plané; il avait aperçu le crapaud dans l'herbe et il se saisit de lui sans aucune douceur. Il serrait le bec, ses grandes ailes battaient avec bruit, ce n'était pas du tout agréable, mais le petit crapaud savait qu'il montait très haut, vers l'Egypte, c'est pourquoi ses yeux brillaient et lançaient des étincelles.

— Couac! couac!

Mort était le petit crapaud. Et que devenaient les étincelles? Les rayons du soleil emportèrent le joyau qui était dans la tête du petit animal. Pour le porter où?

Ne le demandez pas au naturaliste, demandez-le plutôt au poète, il vous le dit sous la forme d'un conte dans lequel il y aura aussi une chenille et une famille de cigognes. Réfléchissez: la chenille devient un beau papillon; la famille de cigognes volera par-dessus monts et océans jusqu'à l'Afrique lointaine et trouvera pourtant au retour le chemin le plus court pour regagner son nid, à la même place, sur le même toit. Cela n'a-t-il pas trop l'air d'un conte de fées, et, pourtant, c'est l'exacte vérité. Demandez au naturaliste, il vous le confirmera et vous-mêmes le savez bien, car vous l'avez vu.

Mais la pierre précieuse dans la tête du crapaud? Cherchez-la dans le soleil, vous l'y trouverez, si vous savez chercher.

Cependant, le joyau scintille trop fort. Nos yeux ne sont pas encore assez puissants pour le voir dans toute sa gloire, comme Dieu l'a créé. Un jour, peut-être, nous le pourrons, et ce sera le plus merveilleux des contes, car nous y prendrons notre part.

LA PETITE SIRÈNE

Au large dans la mer, l'eau est bleue comme les pétales du plus beau bleuet et transparente comme le plus pur cristal; mais elle est si profonde qu'on ne peut y jeter l'ancre et qu'il faudrait mettre l'une sur l'autre bien des tours d'église pour que la dernière émerge à la surface. Tout en bas, les habitants des ondes ont leur demeure.

Mais n'allez pas croire qu'il n'y a là que des fonds de sable nu blanc, non il y pousse les arbres et les plantes les plus étranges dont les tiges et les feuilles sont si souples qu'elles ondulent au moindre mouvement de l'eau. On dirait qu'elles sont vivantes. Tous les poissons, grands et petits, glissent dans les branches comme ici les oiseaux dans l'air.

A l'endroit le plus profond s'élève le château du Roi de la Mer. Les murs en sont de corail et les hautes fenêtres pointues sont faites de l'ambre le plus transparent, mais le toit est en coquillages qui se ferment ou s'ouvrent au passage des courants. L'effet en est féerique car dans chaque coquillage il y a des perles brillantes dont une seule serait un ornement splendide sur la couronne d'une reine.

Le Roi de la Mer était veuf depuis de longues années, sa vieille maman tenait sa maison. C'était une femme d'esprit, mais fière de sa noblesse; elle portait douze huîtres à sa queue, les autres dames de qualité n'ayant droit qu'à six. Elle méritait du reste de grands éloges et cela surtout parce qu'elle aimait infiniment les petites princesses de la mer, filles de son fils. Elles étaient six enfants charmantes, mais la plus jeune était la plus belle de toutes, la peau fine et transparente tel un pétale de rose blanche, les yeux bleus comme l'océan profond… mais comme toutes les autres elle n'avait pas de pieds, son corps se terminait en queue de poisson.

Tout le long du jour elles pouvaient jouer en bas dans les grandes salles du palais où des fleurs vivantes poussaient sur les murs. On ouvrait les grandes fenêtres d'ambre blond et les poissons entraient chez elles comme les hirondelles font chez nous lorsqu'on ouvre, mais les poissons nageaient tout droit vers les princesses, mangeaient dans leurs mains et se laissaient caresser.

Le château était entouré d'un grand jardin aux arbres rouges et bleu sombre, aux fruits rayonnants comme de l'or, les fleurs semblaient de feu, car leurs tiges et leurs pétales pourpres ondulaient comme des flammes. Le sol était fait du sable le plus fin, mais bleu comme un soufre en flammes. Sur tout cela planait une étrange lueur bleuâtre, on se serait cru très haut dans l'azur avec le ciel au-dessus et en dessous de soi, plutôt qu'au fond de la mer.

Par temps très calme, on apercevait le soleil comme une fleur de pourpre, dont la corolle irradiait des faisceaux de lumière.

Chaque princesse avait son carré de jardin où elle pouvait bêcher et planter à son gré, l'une donnait à sa corbeille de fleurs la forme d'une baleine, l'autre préférait qu'elle figurât une sirène, mais la plus jeune fit la sienne toute ronde comme le soleil et n'y planta que des fleurs éclatantes comme lui.

C'était une singulière enfant, silencieuse et réfléchie. Tandis que ses sœurs ornaient leurs jardinets des objets les plus disparates tombés de navires naufragés, elle ne voulut, en dehors des fleurs rouges comme le soleil de là-haut, qu'une statuette de marbre, un charmant jeune garçon taillé dans une pierre d'une blancheur pure, et échouée, par suite d'un naufrage, au fond de la mer. Elle planta près de la statue un saule pleureur rouge qui grandit à merveille et dont les fraîches branches pendaient autour du garçon jusqu'au sable bleu, où l'ombre violette s'agitait comme les branches ; on eût dit que la cime et la racine jouaient à s'embrasser.

Elle n'avait pas de plus grande joie que d'entendre parler du monde des humains. La grand-mère devait raconter tout ce qu'elle savait des bateaux et des villes, des hommes et des bêtes et, ce qui l'étonnait le plus, c'est que là-haut, sur la terre, les fleurs eussent un parfum, ce qu'elles n'avaient pas au fond de la mer, et que la forêt y fût verte et que les poissons voltigeant dans les branches chantent si délicieusement que c'en était un plaisir. C'étaient les oiseaux que la grand-mère appelait poissons, autrement les petites filles ne l'auraient pas comprise, n'ayant jamais vu d'oiseaux.

— Quand vous aurez vos quinze ans, dit la grand-mère, vous aurez la permission de monter à la surface, de vous asseoir au clair de lune sur les rochers et de voir passer les grands vaisseaux qui naviguent et vous verrez les forêts et les villes, vous verrez!!!

Au cours de l'année, l'une des sœurs eut quinze ans et comme elles se suivaient toutes à un an de distance, la plus jeune devait attendre cinq grandes années avant de pouvoir monter du fond de la mer et voir comment tout est chez nous.

Mais chacune promettait aux plus jeunes de leur raconter ce qu'elle avait vu de plus beau dès le premier jour, grand-mère n'en disait jamais assez à leur gré, elles voulaient savoir tant de choses!

Aucune n'était plus impatiente que la plus jeune, justement celle qui avait le plus longtemps à attendre, la silencieuse, la pensive...

Que de nuits elle passait debout à la fenêtre ouverte, scrutant la sombre eau bleue que les poissons battaient de leurs nageoires et de leur queue. Elle apercevait la lune et les étoiles plus pâles il est vrai à travers l'eau, mais plus grandes aussi qu'à nos yeux. Si parfois un nuage noir glissait au-dessous d'elles, la petite savait que c'était une baleine qui nageait dans la mer, ou encore un navire portant de nombreux hommes, lesquels ne pensaient sûrement pas qu'une adorable petite sirène, là, tout en bas, tendait ses fines mains blanches vers la quille du bateau.

Vint le temps où l'aînée des princesses eut quinze ans et put monter à la surface de la mer.

A son retour, elle avait mille choses à raconter mais le plus grand plaisir, disait-elle, était de s'étendre au clair de lune sur un banc de sable par une mer calme et de voir, tout près de la côte, la grande ville aux lumières scintillantes comme des centaines d'étoiles, d'entendre la musique et tout ce vacarme des voitures et des gens, d'apercevoir tant de tours d'églises et de clochers, d'entendre sonner les cloches. Justement, parce qu'elle ne pouvait y aller, c'était de cela qu'elle avait le plus grand désir.

Oh! comme la plus jeune sœur l'écoutait passionnément, et depuis lors, le soir, lorsqu'elle se tenait près de la fenêtre ouverte et regardait en haut à travers l'eau sombre et bleue, elle pensait à la grande ville et à ses rumeurs, et il lui semblait entendre le son des cloches descendant jusqu'à elle.

L'année suivante, il fut permis à la deuxième sœur de monter à la surface et de nager comme elle voudrait. Elle émergea juste au moment du coucher du soleil et ce spectacle lui parut le plus merveilleux. Tout le ciel semblait d'or et les nuages —

comment décrire leur splendeur? — pourpres et violets, ils voguaient au-dessus d'elle, mais, plus rapide qu'eux, comme un long voile blanc, une troupe de cygnes sauvages volaient très bas au-dessus de l'eau vers le soleil qui baissait. Elle avait nagé de ce côté, mais il s'était enfoncé, il avait disparu et la lueur rose s'était éteinte sur la mer et sur les nuages.

L'année suivante, ce fut le tour de la troisième sœur. Elle était la plus hardie de toutes, aussi remonta-t-elle le cours d'un large fleuve qui se jetait dans la mer. Elle vit de jolies collines vertes couvertes de vigne, des châteaux et des fermes apparaissant au milieu des forêts, elle entendait les oiseaux chanter et le soleil ardent l'obligeait souvent à plonger pour rafraîchir son visage brûlant.

Dans une petite anse, elle rencontra un groupe d'enfants qui couraient tout nus et barbotaient dans l'eau. Elle aurait aimé jouer avec eux, mais ils s'enfuirent effrayés et un petit animal noir — c'était un chien, mais elle n'en avait jamais vu — aboya si férocement après elle qu'elle prit peur et nagea vers le large. Mais jamais elle n'oublierait la magnificence de la forêt, les collines vertes et les jolis enfants qui pouvaient nager à la surface, quoiqu'ils n'eussent pas de queue de poisson.

La quatrième n'était pas si téméraire, elle resta au large et raconta que c'était là précisément le plus beau. On voyait à des lieues autour de soi et le ciel, au-dessus, semblait une grande cloche de verre. Elle avait bien vu des navires mais de très loin, ils ressemblaient à de grandes mouettes, les dauphins avaient fait des culbutes et les immenses baleines avaient fait jaillir l'eau de leurs narines, des centaines de jets d'eau.

Vint enfin le tour de la cinquième sœur. Son anniversaire se trouvait en hiver, elle vit ce que les autres n'avaient pas vu. La mer était toute verte, de-ci de-là flottaient de grands icebergs dont chacun avait l'air d'une perle, mais d'une perle plus grande que les tours des églises bâties par les hommes. Ils avaient les formes les plus étranges et l'éclat des diamants.

Elle était montée sur l'un d'eux et tous les voiliers s'écartaient effrayés de l'endroit où elle était assise, ses longs cheveux flottant au vent, mais vers le soir les nuages obscurcirent le ciel, il y eut des éclairs et du tonnerre, la mer noire élevait très haut les blocs de glace scintillant dans le zigzag de la foudre. Sur tous les bateaux, on carguait les voiles dans l'angoisse et l'inquiétude, mais elle, assise sur l'iceberg flottant, regardait la lame bleue de l'éclair tomber dans la mer un instant illuminée.

La première fois que l'une des sœurs émergeait à la surface de la mer, elle était toujours enchantée de la beauté, de la nouveauté du spectacle, mais, devenues des filles adultes, lorsqu'elles étaient libres d'y remonter comme elles le voulaient, cela leur devenait indifférent, elles regrettaient leur foyer et, au bout d'un mois, elles disaient que le fond de la mer c'était plus beau et qu'on était si bien chez soi!

Maintes fois, les cinq sœurs se tenant par le bras montaient en rang nager à la surface. Leurs voix exquises étaient plus belles que celle d'aucun être humain. Lorsque la tempête s'élevait, qu'elles pouvaient craindre le naufrage des navires, elles nageaient en avant d'eux et chantaient merveilleusement. Elles vantaient la beauté du fond de la mer, invitaient les marins à ne pas craindre d'y descendre. Eux, incapables de les comprendre, croyaient n'entendre que la tempête. Et il ne leur arrivait jamais, du reste, de connaître la beauté dont elles parlaient : si le vaisseau sombrait, les hommes se noyaient et ils n'arrivaient que morts au château du Roi de la Mer.

Lorsque le soir les sœurs se tenant par le bras, montaient à travers l'eau profonde, la petite dernière restait toute seule et les suivait des yeux ; elle aurait voulu pleurer, mais les sirènes n'ont pas de larmes et n'en souffrent que davantage.

— Hélas! que n'ai-je quinze ans! soupirait-elle. Je sais que moi j'aimerais le monde de là-haut et les hommes qui y construisent leurs demeures.

— Eh bien, tu vas échapper à notre autorité, lui dit sa grand-mère, la vieille reine douairière. Viens, que je te pare comme tes sœurs. Elle mit sur ses cheveux une couronne de lys blancs dont chaque pétale était une demi-perle et elle lui fit attacher huit huîtres à sa queue pour marquer sa haute naissance.

— Cela fait mal, dit la petite.

— Il faut souffrir pour être belle, dit la vieille.

Oh! que la petite aurait aimé secouer d'elle toutes ces parures et déposer cette lourde couronne! Les fleurs rouges de son jardin lui seyaient mille fois mieux, mais elle n'osait pas à présent en changer.

— Au revoir, dit-elle, en s'élevant aussi légère et brillante qu'une bulle à travers les eaux.

Le soleil venait de se coucher lorsqu'elle sortit sa tête à la surface, mais les nuages portaient encore son reflet de rose et d'or et, dans l'atmosphère tendre, scintillait l'étoile du soir, si douce et si belle! L'air était pur et frais, et la mer sans un pli.

Un grand navire à trois mâts se trouvait là, une seule voile tendue, car il n'y avait pas le moindre souffle de vent, et tous à la ronde sur les cordages et les vergues, les matelots étaient assis. On faisait de la musique, on chantait, et lorsque le soir s'assombrit, on alluma des centaines de lumières de couleurs diverses. On eût dit que flottaient dans l'air les drapeaux de toutes les nations.

La petite sirène nagea jusqu'à la fenêtre du salon du navire et, chaque fois qu'une vague la soulevait, elle apercevait à travers les vitres transparentes une réunion de personnes en grande toilette. Le plus beau de tous était un jeune prince aux yeux noirs ne paraissant guère plus de seize ans. C'était son anniversaire, c'est pourquoi il y avait grande fête.

Les marins dansaient sur le pont et lorsque le jeune prince y apparut, des centaines de fusées montèrent vers le ciel et éclatèrent en éclairant comme en plein jour. La petite sirène en fut tout effrayée et replongea dans l'eau, mais elle releva bien vite de nouveau la tête et il lui parut alors que toutes les étoiles du ciel tombaient sur elle. Jamais elle n'avait vu pareille magie embrasée. De grands soleils flamboyants tournoyaient, des poissons de feu s'élançaient dans l'air bleu et la mer paisible réfléchissait toutes ces lumières. Sur le navire, il faisait si clair qu'on pouvait voir le moindre cordage et naturellement les personnes. Que le jeune prince était beau, il serrait les mains à la ronde, tandis que la musique s'élevait dans la belle nuit.

Il se faisait tard mais la petite sirène ne pouvait détacher ses regards du bateau ni du beau prince. Les lumières colorées s'éteignirent, plus de fusées dans l'air, plus de canons, seulement, dans le plus profond de l'eau un sourd grondement. Elle flottait sur l'eau et les vagues la balançaient, en sorte qu'elle voyait l'intérieur du salon. Le navire prenait de la vitesse, l'une après l'autre on larguait les voiles, la mer devenait houleuse, de gros nuages parurent, des éclairs sillonnèrent au loin le ciel. Il allait faire un temps épouvantable! Alors, vite les matelots replièrent les voiles. Le grand navire roulait dans une course folle sur la mer démontée, les vagues, en hautes montagnes noires, déferlaient sur le grand mât comme pour l'abattre, le bateau plongeait comme un cygne entre les lames et s'élevait ensuite sur elles.

Les marins, eux, si la petite sirène s'amusait de cette course, ne semblaient pas la goûter, le navire craquait de toutes parts, les épais cordages ployaient sous les coups. La mer attaquait. Bientôt le mât se brisa par le milieu comme un simple roseau, le bateau prit de la bande, l'eau envahit la cale.

Alors seulement la petite sirène comprit qu'il y avait danger, elle devait elle-même se garder des poutres et des épaves tourbillonnant dans l'eau.

Un instant tout fut si noir qu'elle ne vit plus rien et, tout à coup, le temps d'un éclair, elle les aperçut tous sur le pont. Chacun se sauvait comme il pouvait. C'était le jeune prince qu'elle cherchait du regard et, lorsque le bateau s'entrouvrit, elle le vit s'enfoncer dans la mer profonde.

Elle en eut d'abord de la joie à la pensée qu'il descendait chez elle, mais ensuite elle se souvint que les hommes ne peuvent vivre dans l'eau et qu'il ne pourrait atteindre que mort le château de son père.

186

Non! il ne fallait pas qu'il mourût! Elle nagea au milieu des épaves qui pouvaient l'écraser, plongea profondément puis remonta très haut au milieu des vagues, et enfin elle approcha le prince. Il n'avait presque plus la force de nager, ses bras et ses jambes déjà s'immobilisaient, ses beaux yeux se fermaient, il serait mort sans la petite sirène. Soulevant sa tête au-dessus des flots, elle se laissa dériver avec lui par les vagues à leur gré.

Quand vint le matin, la tempête s'était apaisée, pas le moindre débris du bateau n'était en vue; le soleil se leva, rouge et étincelant et semblant ranimer les joues du prince, mais ses yeux restaient clos. La petite sirène déposa un baiser sur son beau front élevé et repoussa ses cheveux ruisselants. Elle pensait qu'il ressemblait à la statue de marbre dans son petit jardin, elle le baisa encore et souhaita ardemment qu'il vive.

Elle voyait maintenant devant elle la terre ferme aux hautes montagnes bleues couvertes de neige, aux belles forêts vertes descendant jusqu'à la côte. Une église ou un cloître s'élevait là — elle ne savait au juste, mais un bâtiment.

Des citrons et des oranges poussaient dans le jardin et devant le portail se dressaient des palmiers. La mer creusait là une petite crique à l'eau parfaitement calme, mais très profonde, baignant un rivage rocheux couvert d'un sable blanc très fin. Elle nagea jusque-là avec le beau prince, le déposa sur le sable en ayant soin de relever sa tête sous les chauds rayons du soleil.

Les cloches se mirent à sonner dans le grand édifice blanc et des jeunes filles traversèrent le jardin. Alors la petite sirène s'éloigna à la nage et se cacha derrière quelques hauts récifs émergeant de l'eau, elle couvrit d'écume ses cheveux et sa gorge pour passer inaperçue et se mit à observer qui allait venir vers le pauvre prince.

Une jeune fille ne tarda pas à s'approcher, elle eut d'abord grand-peur, mais un instant seulement, puis elle courut chercher du monde. La petite sirène vit le prince revenir à lui, il sourit à tous à la ronde, mais pas à elle, il ne savait pas qu'elle l'avait sauvé. Elle en eut grand-peine et lorsque le prince eut été porté dans le grand bâtiment, elle plongea désespérée et retourna chez elle au palais de son père.

Elle avait toujours été silencieuse et pensive, elle le devint bien davantage. Ses sœurs lui demandèrent ce qu'elle avait vu là-haut, mais elle ne raconta rien.

Bien souvent le soir et le matin elle montait jusqu'à la place où elle avait laissé le prince. Elle vit mûrir les fruits du jardin et elle les vit cueillir, elle vit la neige fondre sur les hautes montagnes, mais le prince, elle ne le vit pas, et elle retournait chez elle toujours plus désespérée. Là, sa seule consolation était de s'asseoir dans son petit jardin et d'enlacer de ses bras la statue de marbre qui ressemblait au prince. Ses belles fleurs qu'elle ne soignait plus poussaient à l'état sauvage par-dessus les allées, et leurs longues tiges et leurs feuilles s'emmêlaient dans les branches des arbres, de sorte que le jardin était devenu très obscur.

A la fin elle n'y tint plus et se confia à l'une de ses sœurs. Aussitôt les autres furent au courant, mais elles seulement et deux ou trois autres sirènes qui ne le répétèrent qu'à leurs amies les plus intimes. L'une d'elles savait qui était le prince, elle avait vu aussi la fête à bord, elle savait d'où il était, où se trouvait son royaume.

— Viens, petite sœur, dirent les autres princesses.

Et, s'enlaçant, elles montèrent en une longue chaîne vers la côte où s'élevait le château du prince. Ce château était construit de pierres de taille jaune clair polies, avec de grands escaliers de marbre dont l'un descendait jusqu'à la mer. De superbes coupoles dorées s'élevaient au-dessus de la toiture et entre les colonnes qui entouraient l'édifice, des statues de marbre semblaient vivantes.

Par les vitres claires des hautes fenêtres on voyait les salons magnifiques où pendaient de riches rideaux de soie et de précieuses portières. Les murs s'ornaient, pour le plaisir des yeux, de grandes peintures. Dans la plus grande salle chantait un jet d'eau jaillissant très haut vers la verrière du plafond à travers laquelle les rayons du soleil illuminaient l'eau et les plantes ravissantes qui poussaient dans la grande vasque.

Elle savait maintenant où il habitait et elle revint souvent, le soir et la nuit. Elle s'avançait dans l'eau bien plus près du rivage qu'aucune de ses sœurs n'avait osé le faire, oui, elle entra même dans l'étroit canal passant sous le balcon de marbre qui jetait une longue ombre sur l'eau et là elle restait à regarder le jeune prince qui se croyait seul au clair de lune.

Bien des soirs, elle le vit voguant au son de la musique sur son superbe navire où flottaient des bannières. Elle jetait un regard à travers les verts roseaux et si le vent agitait son voile d'un blanc argenté, et que quelqu'un la vît, il croyait que c'était un cygne étendant ses ailes.

Bien des nuits, lorsque les pêcheurs étaient en mer avec leurs torches, elle les entendit dire du bien du jeune prince, elle se réjouissait de lui avoir sauvé la vie lorsqu'il roulait à demi mort dans les vagues. Elle songeait au poids de sa tête sur sa jeune poitrine et de quels fervents baisers elle l'avait embrassé. Lui ne savait rien de tout cela, il ne pouvait même pas rêver d'elle.

De plus en plus elle en venait à chérir les humains, de plus en plus elle désirait pouvoir monter parmi eux, leur monde, pensait-elle, était bien plus vaste que le sien. Ne pouvaient-ils pas sur leurs bateaux sillonner les mers, escalader les montagnes bien au-dessus des nuages et les pays qu'ils possédaient ne s'étendaient-ils pas en forêts et en champs bien au-delà de ce que ses yeux pouvaient saisir?

Elle voulait savoir tant de choses pour lesquelles ses sœurs n'avaient pas toujours de réponse, c'est pourquoi elle interrogea sa vieille grand-mère, bien informée sur le monde d'en haut, comme elle appelait fort justement les pays au-dessus de la mer.

— Si les hommes ne se noient pas, demandait la petite sirène, peuvent-ils vivre toujours et ne meurent-ils pas comme nous autres ici au fond de la mer?

— Si, dit la vieille, il leur faut mourir aussi et la durée de leur vie est même plus courte que la nôtre. Nous pouvons atteindre trois cents ans, mais lorsque nous cessons d'exister ici nous devenons écume sur les flots, sans même une tombe parmi ceux que nous aimons. Nous n'avons pas d'âme immortelle, nous ne reprenons jamais vie, pareils au roseau vert qui, une fois coupé, ne reverdit jamais.

Les hommes au contraire ont une âme qui vit éternellement, qui vit lorsque leur corps est retourné en poussière. Elle s'élève dans l'air limpide jusqu'aux étoiles scintillantes.

De même que nous émergeons de la mer pour voir les pays des hommes, ils montent vers des pays inconnus et pleins de délices que nous ne pourrons voir jamais.

— Pourquoi n'avons-nous pas une âme éternelle? dit la petite, attristée; je donnerais les centaines d'années que j'ai à vivre pour devenir un seul jour un être humain et avoir part ensuite au monde céleste!

— Ne pense pas à tout cela, dit la vieille, nous vivons beaucoup mieux et sommes bien plus heureux que les hommes là-haut.

— Donc, il faudra que je meure et flotte comme écume sur la mer et n'entende jamais plus la musique des vagues, ne plus voir les fleurs ravissantes et le rouge soleil. Ne puis-je rien faire pour gagner une vie éternelle?

— Non, dit la vieille, à moins que tu sois si chère à un homme que tu sois pour lui plus que père et mère, qu'il s'attache à toi de toutes ses pensées, de tout son amour, qu'il fasse par un prêtre mettre sa main droite dans la tienne en te promettant fidélité ici-bas et dans l'éternité. Alors son âme glisserait dans ton corps et tu aurais part au bonheur humain. Il te donnerait une âme et conserverait la sienne. Mais cela ne peut jamais arriver. Ce qui est ravissant ici dans la mer, ta queue de poisson, il la trouve très laide là-haut sur la terre. Ils n'y entendent rien, pour être beau, il leur faut avoir deux grossières colonnes qu'ils appellent des jambes.

La petite sirène soupira et considéra sa queue de poisson avec désespoir.

— Allons, un peu de gaieté, dit la vieille, nous avons trois cents ans pour sauter et danser, c'est un bon laps de temps. Ce soir il y a bal à la cour. Il sera toujours temps de sombrer dans le néant.

Ce bal fut, il est vrai, splendide, comme on n'en peut jamais voir sur la terre. Les murs et le plafond, dans la grande salle, étaient d'un verre épais, mais clair. Plusieurs centaines de coquilles roses et vert pré étaient rangées de chaque côté et jetaient une intense clarté de feu bleue qui illuminait toute la salle et brillait à travers les murs de sorte que la mer, au-dehors, en était tout illuminée. Les poissons innombrables, grands et petits, nageaient contre les murs de verre, luisants d'écailles pourpres ou étincelants comme l'argent et l'or.

Au travers de la salle coulait un large fleuve sur lequel dansaient tritons et sirènes au son de leur propre chant délicieux. La voix de la petite sirène était la plus jolie de toutes, on l'applaudissait et son cœur en fut un instant éclairé de joie car elle savait qu'elle avait la plus belle voix sur terre et sous l'onde.

Mais très vite elle se reprit à penser au monde au-dessus d'elle, elle ne pouvait oublier le beau prince ni son propre chagrin de ne pas avoir comme lui une âme immortelle. C'est pourquoi elle se glissa hors du château de son père et, tandis que là tout était chants et gaieté, elle s'assit, désespérée, dans son petit jardin.

Soudain elle entendit le son d'un cor venant vers elle à travers l'eau.

— Il s'embarque sans doute là-haut maintenant, celui que j'aime plus que père et mère, celui vers lequel vont toutes mes pensées et dans la main de qui je mettrais tout le bonheur de ma vie. J'oserais tout pour les gagner, lui et une âme immortelle. Pendant que mes sœurs dansent dans le château de mon père, j'irai chez la sorcière marine, elle m'a toujours fait si peur, mais peut-être pourra-t-elle me conseiller et m'aider !

Alors la petite sirène sortit de son jardin et nagea vers les tourbillons mugissants derrière lesquels habitait la sorcière. Elle n'avait jamais été de ce côté où ne poussait aucune fleur, aucune herbe marine, il n'y avait là rien qu'un fond de sable gris et nu s'étendant jusqu'au gouffre. L'eau y bruissait comme une roue de moulin, tourbillonnait et arrachait tout ce qu'elle pouvait atteindre et l'entraînait vers l'abîme. Il fallait à la petite traverser tous ces terribles tourbillons pour arriver au quartier où habitait la sorcière, et sur un long trajet il fallait passer au-dessus de vases chaudes et bouillonnantes que la sorcière appelait sa tourbière. Au-delà s'élevait sa maison au milieu d'une étrange forêt. Les arbres et les buissons étaient des polypes, mi-animaux mi-plantes, ils avaient l'air de serpents aux centaines de têtes sorties de terre. Toutes les branches étaient des bras, longs et visqueux, aux doigts souples comme des vers et leurs anneaux remuaient de la racine à la pointe. Ils s'enroulaient autour de tout ce qu'ils pouvaient saisir dans la mer et ne lâchaient jamais prise.

Debout dans la forêt la petite sirène s'arrêta tout effrayée, son cœur battait d'angoisse et elle fut sur le point de s'en retourner, mais elle pensa au prince, à l'âme humaine et elle reprit courage. Elle enroula, bien serrés autour de sa tête, ses longs cheveux flottants pour ne pas donner prise aux polypes, croisa ses mains sur sa poitrine et s'élança comme le poisson peut voler à travers l'eau, au milieu des hideux polypes qui étendaient vers elle leurs bras et leurs doigts agiles. Des cadavres de naufragés tombés dans ces profondeurs et réduits à l'état de squelettes blancs, apparaissaient dans leurs bras et aussi des gouvernails de navires, des caisses, des squelettes d'animaux terrestres et — ceci presque le plus épouvantable — une petite sirène qu'ils avaient capturée et étranglée.

Elle arriva dans la forêt à un espace visqueux où s'ébattaient de grandes couleuvres d'eau montrant des ventres jaunâtres, affreux et gras. Au milieu de cette place s'élevait une maison construite en ossements humains. La sorcière y était assise et donnait à manger à un crapaud sur ses lèvres, comme on donne du sucre à un canari. Elle les appelait, ces hideuses et grasses couleuvres, ses petits poussins et les laissait se vautrer sur sa large poitrine molle.

— Je sais bien ce que tu veux, dit la sorcière, et c'est bien bête de ta part! Mais ta volonté sera faite car elle t'apportera le malheur, ma charmante princesse. Tu voudrais te débarrasser de ta queue de poisson et avoir à sa place deux moignons pour marcher comme le font les hommes afin que le jeune prince s'éprenne de toi, que tu puisses l'avoir, en même temps qu'une âme immortelle.

A cet instant, la sorcière éclata d'un rire si bruyant et si hideux que le crapaud et les couleuvres tombèrent à terre et grouillèrent.

— Tu viens juste au bon moment, ajouta-t-elle, demain matin, au lever du soleil, je n'aurais plus pu t'aider avant une année entière. Je vais te préparer un breuvage avec lequel tu nageras, avant le lever du jour, jusqu'à la côte et là, assise sur la grève, tu le boiras. Alors ta queue se divisera et se rétrécira jusqu'à devenir ce que les hommes appellent deux jolies jambes, mais cela fait mal, tu souffriras comme si la lame d'une épée te traversait. Tous, en te voyant, diront que tu es la plus ravissante enfant des hommes qu'ils aient jamais vue. Tu garderas ta démarche ailée, nulle danseuse n'aura ta légèreté, mais chaque pas que tu feras sera comme si tu marchais sur un couteau effilé qui ferait couler ton sang. Si tu veux souffrir tout cela, je t'aiderai.

— Oui, dit la petite sirène d'une voix tremblante en pensant au prince et à son âme immortelle.

— Mais n'oublie pas, dit la sorcière, que lorsque tu auras une apparence humaine, tu ne pourras jamais redevenir sirène, jamais redescendre auprès de tes sœurs dans le palais de ton père. Et si tu ne gagnes pas l'amour du prince au point qu'il oublie pour toi son père et sa mère, qu'il s'attache à toi de toutes ses pensées et demande au pasteur d'unir vos mains afin que vous soyez mari et femme, alors tu n'auras jamais une âme immortelle. Le lendemain matin du jour où il en épouserait une autre, ton cœur se briserait et tu ne serais plus qu'écume sur la mer.

— Je le veux, dit la petite sirène, pâle comme une morte.

— Mais moi, il faut aussi me payer, dit la sorcière, et ce n'est pas peu de chose que je te demande. Tu as la plus jolie voix de toutes ici-bas et tu crois sans doute grâce à elle ensorceler ton prince, mais cette voix, il faut me la donner. Le meilleur de ce que tu possèdes, il me le faut pour mon précieux breuvage! Moi, j'y mets de mon sang afin qu'il soit coupant comme une lame à deux tranchants.

— Mais si tu prends ma voix, dit la petite sirène, que me restera-t-il?

— Ta forme ravissante, ta démarche ailée et le langage de tes yeux, c'est assez pour séduire un cœur d'homme. Allons, as-tu déjà perdu courage? Tends ta jolie langue, afin que je la coupe pour me payer et je te donnerai le philtre tout puissant.

— Qu'il en soit ainsi, dit la petite sirène, et la sorcière mit son chaudron sur le feu pour faire cuire la drogue magique.

— La propreté est une bonne chose, dit-elle en récurant le chaudron avec les couleuvres dont elle avait fait un nœud, elle s'égratigna le sein et laissa couler son sang épais et noir. La vapeur s'élevait en silhouettes étranges, terrifiantes. A chaque instant la sorcière jetait quelque chose dans le chaudron et la mixture se mit à bouillir, on eût cru entendre pleurer un crocodile. Enfin le philtre fut à point, il était clair comme l'eau la plus pure!

— Voilà, dit la sorcière et elle coupa la langue de la petite sirène. Muette, elle ne pourrait jamais plus ni chanter, ni parler.

— Si les polypes essayent de t'agripper, lorsque tu retourneras à travers la forêt, jette une seule goutte de ce breuvage sur eux et leurs bras et leurs doigts se briseront en mille morceaux.

La petite sirène n'eut pas à le faire, les polypes reculaient effrayés en voyant le philtre lumineux qui brillait dans sa main comme une étoile. Elle traversa rapidement la forêt, le marais et le courant mugissant.

Elle était devant le palais de son père. Les lumières étaient éteintes dans la grande salle de bal, tout le monde dormait sûrement, et elle n'osa pas aller auprès des siens maintenant qu'elle était muette et allait les quitter pour toujours. Il lui sembla que son cœur se brisait de chagrin. Elle se glissa dans le jardin, cueillit une fleur du parterre de chacune de ses sœurs, envoya de ses doigts mille baisers au palais et monta à travers l'eau sombre et bleue de la mer.

Le soleil n'était pas encore levé lorsqu'elle vit le palais du prince et gravit les degrés du magnifique escalier de marbre. La lune brillait merveilleusement claire. La petite sirène but l'âpre et brûlante mixture, ce fût comme si une épée à deux tranchants fendait son tendre corps, elle s'évanouit et resta étendue comme morte. Lorsque le soleil resplendit au-dessus des flots, elle revint à elle et ressentit une douleur aiguë. Mais devant elle, debout, se tenait le jeune prince, ses yeux noirs fixés si intensément sur elle qu'elle en baissa les siens et vit qu'à la place de sa queue de poisson disparue, elle avait les plus jolies jambes blanches qu'une jeune fille pût avoir. Et comme elle était tout à fait nue, elle s'enveloppa dans sa longue chevelure.

Le prince demanda qui elle était, comment elle était venue là, et elle leva vers lui doucement, mais si tristement, ses grands yeux bleus puisqu'elle ne pouvait parler.

Alors il la prit par la main et la conduisit au palais. A chaque pas, comme la sorcière l'en avait prévenue, il lui semblait marcher sur des aiguilles pointues et des couteaux aiguisés, mais elle supportait son mal. Sa main dans la main du prince, elle montait aussi légère qu'une bulle et lui-même et tous les assistants s'émerveillèrent de sa démarche gracieuse et ondulante.

On lui fit revêtir les plus précieux vêtements de soie et de mousseline, elle était au château la plus belle, mais elle restait muette. Des esclaves ravissantes, parées de soie et d'or, venaient chanter devant le prince et ses royaux parents. L'une d'elles avait une voix plus belle encore que les autres. Le prince l'applaudissait et lui souriait, alors une tristesse envahit la petite sirène, elle savait qu'elle-même aurait chanté encore plus merveilleusement et elle pensait : Oh! si seulement il savait que pour rester près de lui, j'ai renoncé à ma voix à tout jamais!

Puis les esclaves commencèrent à danser au son d'une musique admirable, des danses légères et gracieuses. Alors la petite sirène, élevant ses beaux bras blancs, se dressa sur la pointe des pieds et dansa avec plus de grâce qu'aucune autre. Chaque mouvement révélait davantage le charme de tout son être et ses yeux s'adressaient au cœur plus profondément que le chant des esclaves.

Tous en étaient enchantés et surtout le prince qui l'appelait sa petite enfant trouvée.

195

Elle continuait à danser et danser mais chaque fois que son pied touchait le sol, c'était comme si elle avait marché sur des couteaux aiguisés. Le prince voulut l'avoir toujours auprès de lui, il lui permit de dormir devant sa porte sur un coussin de velours.

Il lui fit faire un habit d'homme pour qu'elle pût le suivre à cheval. Ils chevauchaient à travers les bois embaumés où les branches vertes lui battaient les épaules, et les petits oiseaux chantaient dans le frais feuillage. Elle grimpa avec le prince sur les hautes montagnes et quand ses pieds si délicats saignaient et que les autres s'en apercevaient, elle riait et le suivait là-haut d'où ils admiraient les nuages défilant au-dessous d'eux comme un vol d'oiseau migrateur partant vers des cieux lointains.

La nuit, au château du prince, lorsque les autres dormaient, elle sortait sur le large escalier de marbre et, debout dans l'eau froide, elle rafraîchissait ses pieds brûlants. Et puis, elle pensait aux siens, en bas, au fond de la mer.

Une nuit elle vit ses sœurs qui nageaient enlacées, elles chantaient tristement et elle leur fit signe. Ses sœurs la reconnurent et lui dirent combien elle avait fait de peine à tous. Depuis lors, elles lui rendirent visite chaque soir, une fois même la petite sirène aperçut au loin sa vieille grand-mère qui depuis bien des années n'était montée à travers la mer et même le roi, son père, avec sa couronne sur la tête. Tous deux lui tendaient le bras mais n'osaient s'approcher autant que ses sœurs.

De jour en jour, elle devenait plus chère au prince; il l'aimait comme on aime un gentil enfant tendrement chéri, mais en faire une reine! Il n'en avait pas la moindre idée, et c'est sa femme qu'il fallait qu'elle devînt, sinon elle n'aurait jamais une âme immortelle et, au matin qui suivrait le jour de ses noces, elle ne serait plus qu'écume sur la mer.

— Ne m'aimes-tu pas mieux que toutes les autres? semblaient dire les yeux de la petite sirène quand il la prenait dans ses bras et baisait son beau front.

— Oui, tu m'es la plus chère, disait le prince, car ton cœur est le meilleur, tu m'es la plus dévouée et tu ressembles à une jeune fille une fois aperçue, mais que je ne retrouverai sans doute jamais. J'étais sur un vaisseau qui fit naufrage, les vagues me jetèrent à la côte près d'un temple desservi par quelques jeunes filles; la plus jeune me trouva sur le rivage et me sauva la vie. Je ne l'ai vue que deux fois et elle est la seule que j'eusse pu aimer d'amour en ce monde, mais toi tu lui ressembles, tu effaces presque son image dans mon âme puisqu'elle appartient au temple. C'est ma bonne étoile qui t'a envoyée à moi. Nous ne nous quitterons jamais.

— Hélas! il ne sait pas que c'est moi qui ai sauvé sa vie! pensait la petite sirène. Je l'ai porté sur les flots jusqu'à la forêt près de laquelle s'élève le temple, puis je me cachais derrière l'écume et regardais si personne ne viendrait. J'ai vu la belle jeune fille qu'il aime plus que moi.

La petite sirène poussa un profond soupir. Pleurer, elle ne le pouvait pas.

— La jeune fille appartient au lieu saint, elle n'en sortira jamais pour retourner dans le monde, ils ne se rencontreront plus, moi, je suis chez lui, je le vois tous les jours, je le soignerai, je l'adorerai, je lui dévouerai ma vie.

Mais voilà qu'on commence à murmurer que le prince va se marier, qu'il épouse la ravissante jeune fille du roi voisin, que c'est pour cela qu'il arme un vaisseau magnifique... On dit que le prince va voyager pour voir les états du roi voisin, mais c'est plutôt pour voir la fille du roi voisin et une grande suite l'accompagnera... Mais la petite sirène secoue la tête et rit, elle connaît les pensées du prince bien mieux que tous les autres.

— Je dois partir en voyage, lui avait-il dit. Je dois voir la belle princesse, mes parents l'exigent, mais m'obliger à la ramener ici, en faire mon épouse, cela ils n'y réussiront pas, je ne peux pas l'aimer d'amour, elle ne ressemble pas comme toi à la belle jeune fille du temple. Si je devais un jour choisir une épouse ce serait plutôt toi, mon enfant trouvée qui ne dis rien, mais dont les yeux parlent.

Et il baisait ses lèvres rouges, jouait avec ses longs cheveux et posait sa tête sur son cœur qui se mettait à rêver de bonheur humain et d'une âme immortelle.

— Toi, tu n'as sûrement pas peur de la mer, ma petite muette chérie! lui dit-il lorsqu'ils montèrent à bord du vaisseau qui devait les conduire dans le pays du roi voisin. Il lui parlait de la mer tempétueuse et de la mer calme, des étranges poissons des grandes profondeurs et de ce que les plongeurs y avaient vu. Elle souriait de ce qu'il racontait, ne connaissait-elle pas mieux que quiconque le fond de l'océan!

Dans la nuit, au clair de lune, alors que tous dormaient à bord, sauf le marin au gouvernail, debout près du bastingage elle scrutait l'eau limpide, il lui semblait voir le château de son père et, dans les combles, sa vieille grand-mère, couronne d'argent sur la tête, cherchant des yeux à travers les courants la quille du bateau. Puis ses sœurs arrivèrent à la surface la regardant tristement et tordant leurs mains blanches. Elle leur fit signe, leur sourit, voulut leur dire que tout allait bien, qu'elle était heureuse, mais un mousse s'approchant, les sœurs replongèrent et le garçon demeura persuadé que cette blancheur aperçue n'était qu'écume sur l'eau.

Le lendemain matin le vaisseau fit son entrée dans le port splendide de la capitale du roi voisin. Les cloches des églises sonnaient, du haut des tours on soufflait dans les trompettes tandis que les soldats sous les drapeaux flottants présentaient les armes.

Chaque jour il y eut fête; bals et réceptions se succédaient mais la princesse ne paraissait pas encore. On disait qu'elle était élevée au loin, dans un couvent où lui étaient enseignées toutes les vertus royales.

Elle vint, enfin!

La petite sirène était fort impatiente de juger de sa beauté. Il lui fallut reconnaître qu'elle n'avait jamais vu fille plus gracieuse. Sa peau était douce et pâle et derrière les longs cils deux yeux fidèles, d'un bleu sombre, souriaient. C'était la jeune fille du temple...

— C'est toi! dit le prince, je te retrouve — toi qui m'as sauvé lorsque je gisais comme mort sur la grève! Et il serra dans ses bras sa fiancée rougissante. Oh! je suis trop heureux, dit-il à la petite sirène. Voilà que se réalise ce que je n'eusse jamais osé espérer. Toi qui m'aimes mieux que tous les autres, tu te réjouiras de mon bonheur.

La petite sirène lui baisait les mains, mais elle sentait son cœur se briser. Ne devait-elle pas mourir au matin qui suivrait les noces? Mourir et n'être plus qu'écume sur la mer!

Des hérauts parcouraient les rues à cheval proclamant les fiançailles. Bientôt toutes les cloches des églises sonnèrent, sur tous les autels des huiles parfumées brûlaient dans de précieux vases d'argent, les prêtres balancèrent les encensoirs et l'époux et l'épouse se tendirent la main et reçurent la bénédiction de l'évêque.

La petite sirène, vêtue de soie et d'or, tenait la traîne de la mariée mais elle n'entendait pas la musique sacrée, ses yeux ne voyaient pas la cérémonie sainte, elle pensait à la nuit de sa mort, à tout ce qu'elle avait perdu en ce monde.

Le soir même les époux s'embarquèrent aux salves des canons, sous les drapeaux flottants. Au milieu du pont, une tente d'or et de pourpre avait été dressée, garnie de coussins moelleux où les époux reposeraient dans le calme et la fraîcheur de la nuit.

Les voiles se gonflèrent au vent et le bateau glissa sans effort et sans presque se balancer sur la mer limpide. La nuit venue on alluma des lumières de toutes couleurs et les marins se mirent à danser.

La petite sirène pensait au soir où, pour la première fois, elle avait émergé de la mer et avait aperçu le même faste et la même joie. Elle se jeta dans le tourbillon de la danse, ondulant comme ondule un cygne pourchassé et tout le monde l'acclamait et l'admirait : elle n'avait jamais dansé si divinement. Si des lames aiguës transperçaient ses pieds délicats, elle ne les sentait même pas, son cœur était meurtri d'une bien plus grande douleur. Elle savait qu'elle le voyait pour la dernière fois, lui, pour lequel elle avait abandonné les siens et son foyer, perdu sa voix exquise et souffert chaque jour d'indicibles tourments, sans qu'il en ait connaissance. C'était la dernière nuit où elle respirait le même air que lui, la dernière fois qu'elle pouvait admirer cette mer profonde, ce ciel plein d'étoiles.

La nuit éternelle, sans pensée et sans rêve, l'attendait, elle qui n'avait pas d'âme et n'en pouvait espérer.

Sur le navire tout fut plaisir et réjouissance jusque bien avant dans la nuit. Elle dansait et riait mais la pensée de la mort était dans son cœur. Le prince embrassait son exquise épouse qui caressait les cheveux noirs de son époux, puis la tenant à son bras il l'amena se reposer sous la tente splendide.

Alors, tout fut silence et calme sur le navire. Seul veillait l'homme à la barre. La petite sirène appuya ses bras purs et blancs sur le bastingage et chercha à l'orient la première lueur rose de l'aurore, le premier rayon du soleil qui allait la tuer.

Soudain elle vit ses sœurs apparaître au-dessus de la mer. Elles étaient pâles comme elle-même, leurs longs cheveux ne flottaient plus au vent, on les avait coupés.

— Nous les avons sacrifiés chez la sorcière pour qu'elle nous aide, pour que tu ne meures pas cette nuit. Elle nous a donné un couteau. Le voici. Regarde comme il est aiguisé… Avant que le jour ne se lève, il faut que tu le plonges dans le cœur du prince et lorsque son sang tout chaud tombera sur tes pieds, ils se réuniront en une queue de poisson et tu redeviendras sirène. Tu pourras descendre sous l'eau jusque chez nous et vivre trois cents ans avant de devenir un peu d'écume salée. Hâte-toi! L'un de vous deux doit mourir avant l'aurore. Notre vieille grand-mère a tant de chagrin qu'elle a, comme nous, laissé couper ses cheveux blancs par les ciseaux de la sorcière. Tue le prince, et reviens-nous. Hâte-toi! Ne vois-tu pas déjà cette traînée rose à l'horizon? Dans quelques minutes le soleil se lèvera et il te faudra mourir. Un soupir étrange monta à leurs lèvres et elles s'enfoncèrent dans les vagues.

La petite sirène écarta le rideau de pourpre de la tente, elle vit la douce épousée dormant la tête appuyée sur l'épaule du prince. Alors elle se pencha et posa un baiser sur le beau front du jeune homme. Son regard chercha le ciel de plus en plus envahi par l'aurore, puis le poignard pointu, puis à nouveau le prince, lequel, dans son sommeil, murmurait le nom de son épouse qui occupait seule ses pensées, et le couteau trembla dans sa main. Alors, tout à coup, elle le lança au loin dans les vagues qui rougirent à l'endroit où il toucha les flots comme si des gouttes de sang jaillissaient à la surface. Une dernière fois, les yeux voilés, elle contempla le prince et se jeta dans la mer où elle sentit son corps se dissoudre en écume.

Maintenant le soleil surgissait majestueusement de la mer. Ses rayons tombaient doux et chauds sur l'écume glacée et la petite sirène ne sentait pas la mort. Elle voyait le clair soleil et, au-dessus d'elle, planaient des centaines de charmants êtres transparents. A travers eux, elle apercevait les voiles blanches du navire, les nuages roses du ciel, leurs voix étaient mélodieuses, mais si immatérielles qu'aucune oreille terrestre ne pouvait les capter, pas plus qu'aucun regard humain ne pouvait les voir. Sans ailes, elles flottaient par leur seule légèreté à travers l'espace. La petite sirène sentit qu'elle avait un corps comme le leur, qui s'élevait de plus en plus haut au-dessus de l'écume.

— Où vais-je? demanda-t-elle. Et sa voix, comme celle des autres êtres, était si immatérielle qu'aucune musique humaine ne peut l'exprimer.

— Chez les filles de l'air, répondirent-elles. Une sirène n'a pas d'âme immortelle, ne peut jamais en avoir, à moins de gagner l'amour d'un homme. C'est d'une volonté étrangère que dépend son existence éternelle. Les filles de l'air n'ont pas non plus d'âme immortelle, mais elles peuvent, par leurs bonnes actions, s'en créer une. Nous nous envolons vers les pays chauds où les effluves de la peste tuent les hommes, nous y soufflons la fraîcheur. Nous répandons le parfum des fleurs dans l'atmosphère et leur arôme porte le réconfort et la guérison. Lorsque durant trois cents ans nous nous sommes efforcées de faire le bien, tout le bien que nous pouvons, nous obtenons une âme immortelle et prenons part à l'éternelle félicité des hommes. Toi, pauvre petite sirène, tu as de tout cœur cherché le bien comme nous, tu as souffert et supporté de souffrir, tu t'es haussée jusqu'au monde des esprits de l'air, maintenant tu peux toi-même, par tes bonnes actions, te créer une âme immortelle dans trois cents ans.

Alors, la petite sirène leva ses bras transparents vers le soleil de Dieu et, pour la première fois, des larmes montèrent à ses yeux.

Sur le bateau, la vie et le bruit avaient repris, elle vit le prince et sa belle épouse la chercher de tous côtés, elle les vit fixer tristement leurs regards sur l'écume dansante, comme s'ils avaient deviné qu'elle s'était précipitée dans les vagues. Invisible elle baisa le front de l'époux, lui sourit et avec les autres filles de l'air elle monta vers les nuages roses qui voguaient dans l'air.

— Dans trois cents ans, nous entrerons ainsi au royaume de Dieu.

— Nous pouvons même y entrer avant, murmura l'une d'elles. Invisibles nous pénétrons dans les maisons des hommes où il y a des enfants, et, chaque fois que nous trouvons un enfant sage, qui donne de la joie à ses parents et mérite leur amour, Dieu raccourcit notre temps d'épreuve.

Lorsque nous voltigeons à travers la chambre et que de bonheur nous sourions, l'enfant ne sait pas qu'un an nous est soustrait sur les trois cents, mais si nous trouvons un enfant cruel et méchant, il nous faut pleurer de chagrin et chaque larme ajoute une journée à notre temps d'épreuve.

OLE FERME-L'ŒIL

D ans le monde entier, il n'est personne qui sache autant d'histoires qu'Ole Ferme-l'Œil. Lui, il sait raconter...

Vers le soir, quand les enfants sont assis sagement à table ou sur leur petit tabouret, Ole Ferme-l'Œil arrive, il monte sans bruit l'escalier — il marche sur ses bas — il ouvre doucement la porte et pfutt! il jette du lait doux dans les yeux des enfants, un peu seulement, mais assez cependant pour qu'ils ne puissent plus tenir les yeux ouverts ni par conséquent le voir; il se glisse juste derrière eux et leur souffle dans la nuque, alors leur tête devient lourde, lourde — mais ça ne fait aucun mal, car Ole Ferme-l'Œil ne veut que du bien aux enfants — il veut seulement qu'ils se tiennent tranquilles et ils le sont surtout quand on les a mis au lit. Il faut qu'ils soient tranquilles pour qu'il puisse leur raconter des histoires.

Quand les enfants dorment, Ole Ferme-l'Œil s'assied sur leur lit. Il est bien habillé, son habit est de soie, mais il est impossible d'en dire la couleur, il semble vert, rouge ou bleu selon qu'il se tourne, il tient un parapluie sous chaque bras, l'un décoré d'images et celui-là il l'ouvre au-dessus des enfants sages qui rêvent alors toute la nuit des histoires ravissantes, et sur l'autre parapluie il n'y a rien. Il l'ouvre au-dessus des enfants méchants, alors ils dorment si lourdement que le matin en s'éveillant ils n'ont rien rêvé du tout.

Et maintenant nous allons vous dire comment Ole Ferme-l'Œil, durant toute une semaine, vint tous les soirs chez un petit garçon qui s'appelait Hjalmar et ce qu'il lui a raconté. Cela fait en tout sept histoires puisqu'il y a sept jours dans la semaine.

LUNDI

— Ecoute un peu, dit Ole Ferme-l'Œil le soir lorsqu'il eut mis Hjalmar au lit, maintenant je vais décorer ta chambre. Et voilà que toutes les fleurs en pots devinrent de grands arbres étendant leurs branches jusqu'au plafond et le long des murs, de sorte que la pièce avait l'air d'une jolie tonnelle. Toutes les branches étaient couvertes de fleurs chacune plus belle qu'une rose embaumant délicieusement, et s'il vous prenait envie de la manger, elle était plus sucrée que de la confiture. Les fruits brillaient comme de l'or et il y avait aussi des petits pains mollets, bourrés de raisins, c'était merveilleux. Mais tout à coup, des gémissements lamentables se firent entendre dans le tiroir de la table où Hjalmar rangeait ses livres de classe.

— Qu'est-ce que c'est? dit Ole Ferme-l'Œil. Il alla vers la table, ouvrit le tiroir. C'était l'ardoise qui se trouvait mal parce qu'un chiffre faux s'était introduit dans le calcul, le crayon d'ardoise sautait et s'agitait au bout de sa ficelle comme s'il était un petit chien, il aurait voulu corriger le calcul mais il n'y arrivait pas. Et puis il y avait le cahier d'écriture de Hjalmar, il se lamentait en dedans que ça faisait mal de l'entendre! Sur chaque page il y avait des lettres majuscules modèles, chacune avec une petite lettre à côté d'elle formant une rangée modèle du haut en bas, et à côté de celles-là, il y en avait qui croyaient être semblables aux modèles, c'étaient celles que Hjalmar avait écrites, celles-là allaient tout de travers comme si elles avaient trébuché sur le trait de crayon où elles auraient dû se poser.

— Regardez! Voilà comment il faut vous tenir, disait le modèle, comme ça, à côté de moi, d'un seul trait.

— Oh! nous voudrions bien, disaient les lettres de Hjalmar, mais nous n'y arrivons pas, nous sommes très malades.

— Alors, il faut vous purger, disait Ole Ferme-l'Œil.

— Oh! non, non, criaient-elles, et les voilà debout toutes droites que c'en était un plaisir de les voir.

— Mais maintenant nous n'allons pas raconter d'histoire, dit Ole Ferme-l'Œil. Il faut que je leur fasse faire l'exercice! Un deux, un deux! et il fit faire l'exercice aux lettres. Elles se tenaient aussi droites, étaient aussi bien constituées que n'importe quel modèle, mais une fois Ole Ferme-l'Œil parti, quand Hjalmar alla les voir, elles étaient aussi lamentables qu'auparavant.

MARDI

Aussitôt que Hjalmar fut au lit, Ole Ferme-l'Œil toucha de sa petite seringue magique tous les meubles de la chambre, aussitôt ils se mirent tous à bavarder, mais ils ne parlaient que d'eux-mêmes, sauf le crachoir qui restait muet mais s'irritait de les voir si vaniteux, ne s'occupant que d'eux-mêmes, ne pensant qu'à eux-mêmes et n'ayant pas la plus petite pensée pour lui qui, modestement, restait dans son coin et tolérait qu'on lui crache dessus.

Au-dessus de la commode était suspendue une grande peinture dans un cadre doré, on y voyait un paysage avec de grands vieux arbres, des fleurs dans l'herbe, une pièce d'eau et une rivière qui coulait derrière le bois, passait devant de nombreux châteaux et se jetait au loin dans la mer libre.

Ole Ferme-l'Œil toucha le tableau de sa seringue, alors les oiseaux peints commencèrent à chanter, les branches des arbres ondulèrent et les nuages coururent dans le ciel, on pouvait voir leur ombre se déplacer sur le paysage.

Ole Ferme-l'Œil souleva Hjalmar jusqu'au cadre et le petit garçon posa ses jambes dans la peinture et le voilà debout dans l'herbe haute, le soleil brillait sur lui à travers la ramure.

Il courut jusqu'à l'eau, s'assit dans la barque peinte en rouge et blanc, les voiles brillaient comme de l'argent et six cygnes portant chacun un collier d'or autour du cou et une étoile bleue étincelante sur la tête, tiraient le bateau au long de la verte

206

forêt où les arbres parlaient de brigands et de sorcières et les fleurs de ravissants petits elfes et de ce que les papillons leur avaient raconté.

De beaux poissons aux écailles d'or et d'argent nageaient derrière la barque, de temps en temps ils faisaient un saut et l'eau clapotait, les oiseaux rouges et blancs, grands et petits, volaient derrière en deux longues rangées, les moustiques dansaient, les hannetons bourdonnaient, ils voulaient tous accompagner Hjalmar et ils avaient tous une histoire à raconter.

Ah! ce fut une belle promenade en bateau! par moment, les bois étaient épais et sombres, puis ils devenaient des jardins ensoleillés et fleuris, avec de grands châteaux de cristal et de marbre. Sur les balcons se tenaient des princesses qui étaient toutes des petites filles connues de Hjalmar avec lesquelles il avait déjà joué. Elles étendaient la main et tendaient chacune le petit cochon de sucre le plus exquis qu'aucun confiseur n'eût jamais vendu. Hjalmar au passage saisissait par un bout le petit cochon, la petite fille tenait ferme de l'autre, en sorte que chacun en avait un morceau, elle le plus petit, Hjalmar de beaucoup le plus gros.

Devant chaque château de petits princes montaient la garde, ils portaient armes avec des sabres d'or et faisaient pleuvoir des raisins secs et des soldats de plomb. C'étaient de véritables princes!

Hjalmar naviguait tantôt à travers des forêts, tantôt à travers d'immenses salles ou à travers une ville. Il lui arriva même de traverser la ville où habitait sa bonne d'enfant, celle qui le portait dans ses bras quand il était tout petit et qui l'aimait tant. Elle lui fit des signes et lui sourit et chanta cet air charmant qu'elle avait, elle-même, composé pour lui :

> Je pense à toi à toute heure
> Mon cher petit Hjalmar chéri.
> C'est moi qui baisais ta petite bouche
> Et aussi ton front, tes joues vermeilles.
>
> Je t'ai entendu dire tes premiers mots
> Et puis il a fallu te quitter.
> Que Notre-Seigneur te bénisse ici-bas
> Mon bel ange descendu des cieux.

Tous les oiseaux chantaient avec elle, les fleurs dansaient sur leur tige et les vieux arbres dodelinaient de la tête comme si Ole Ferme-l'Œil eût aussi, pour eux, raconté cette histoire.

MERCREDI

Oh! comme la pluie tombait au-dehors. Hjalmar l'entendait même dans son sommeil et quand Ole Ferme-l'Œil entrouvrit une fenêtre, il vit que l'eau montait jusqu'au ras du chambranle. Un vrai lac. Mais un magnifique navire mouillait devant la maison.

— Viens-tu avec nous, petit Hjalmar? dit Ole Ferme-l'Œil. Tu pourras voyager cette nuit dans les pays étrangers et être de retour demain matin.

Et voilà Hjalmar, dans son costume du dimanche, debout sur le magnifique navire.

Le temps devint aussitôt radieux. Ils naviguèrent de par les rues, croisèrent devant l'église et bientôt ils furent en pleine mer. On alla si loin qu'on ne voyait plus aucune terre, mais seulement une troupe de cigognes qui venait aussi du Danemark et allaient vers les pays chauds. Elles se suivaient l'une derrière l'autre et avaient déjà volé si longtemps, si longtemps! L'une d'elles était très fatiguée, ses ailes ne pouvaient plus la porter, elle était la dernière de la file. Bientôt elle fut loin derrière les autres, elle volait de plus en plus bas, donna encore quelques faibles coups d'ailes, mais en vain, elle toucha de ses pieds le cordage du bateau, glissa le long de la voile et poum! la voilà sur le pont.

Le mousse la prit et l'enferma dans le poulailler avec les poules, les canards et les dindons; la pauvre cigogne était toute confuse de cette compagnie.

— En voilà un drôle d'oiseau, dirent les poules. Et le dindon gonfla ses plumes autant que possible et lui demanda qui elle était. Quant aux canards, ils marchaient à reculons, pouffaient entre eux et cancanaient: Rap Rap!

La cigogne parla de la chaude Afrique, des pyramides et de l'autruche qui court à travers le désert comme un cheval sauvage, mais les canards ne comprenaient pas ce qu'elle disait et ils se poussaient entre eux:

— Nous sommes bien tous d'accord, elle est stupide.

— Bien sûr, elle est stupide, gloussa le dindon.

Alors la cigogne se tut et rêva de son Afrique.

— Comme vous avez là de jolies longues jambes maigres, dit la dinde. Combien en vaut l'aune?

— Coin, coin, coin, ricanaient les canards. Mais la cigogne fit celle qui n'a rien entendu.

— Vous pourriez bien rire avec nous, dit le dindon, car c'était très spirituel ou bien peut-être n'était-ce pas d'un goût assez relevé pour vous, si haut perchée! Glouglou, madame n'aime pas la plaisanterie. Alors, soyons spirituels entre nous.

Et les poules de glousser et les canards de cancaner. Coin! Coin! Coin! c'était extraordinaire comme ils se trouvaient drôles.

Mais Hjalmar alla droit au poulailler, ouvrit la porte, appela la cigogne qui sautilla sur le pont jusqu'à lui; elle s'était reposée et saluait Hjalmar comme pour le remercier, puis elle étendit ses ailes et s'envola vers les pays chauds tandis que les poules gloussaient, que les canards faisaient coin, coin, et que la tête du dindon devenait toute rouge.

— Demain on fera une soupe de vous tous, disait Hjalmar et il s'éveilla, couché dans son petit lit.

C'était un voyage extraordinaire qu'Ole Ferme-l'Œil lui avait fait faire cette nuit-là...

— Attends! dit Ole Ferme-l'Œil, n'aie pas peur, tu vas voir une petite souris. Et il tendit vers lui sa main où était assise la jolie petite bête. Elle est venue t'inviter au mariage de deux petites souris qui vont entrer en ménage cette nuit. Elles habitent sous le garde-manger de ta mère, il paraît que c'est un appartement incomparable.

— Mais comment pourrai-je passer dans le petit trou de souris du parquet? demanda Hjalmar.

— Laisse-moi faire! dit Ole Ferme-l'Œil, je vais te rendre tout petit.

De sa seringue magique il toucha Hjalmar qui aussitôt devint de plus en plus petit jusqu'à n'être pas plus grand qu'un doigt.

— Maintenant tu peux emprunter ses vêtements au soldat de plomb, je crois qu'ils t'iront bien et cela vous a fière allure d'être en uniforme quand on est en société.

— Allons-y, fit Hjalmar, et en un instant le voilà habillé comme le plus mignon petit soldat de plomb.

— Voulez-vous avoir la bonté de vous asseoir dans le dé à coudre de votre mère, dit la souris, j'aurai l'honneur de vous tirer.

— Mon Dieu, mademoiselle, allez-vous vous-même prendre cette peine? dit Hjalmar.

Et les voilà partis au mariage de souris.

D'abord, ils passèrent sous le parquet dans un long couloir, juste assez haut pour que l'attelage du dé à coudre pût y passer.

— Est-ce que ça ne sent pas bon ici, dit la souris, tout le couloir a été enduit de couenne, on ne peut pas faire mieux.

Puis ils arrivèrent dans la salle du mariage. A droite se tenaient toutes les souris femelles; elles susurraient et chuchotaient comme si elles se moquaient les unes des autres, à gauche se tenaient les mâles, ils se lissaient la moustache avec leur patte. Au milieu de la salle se tenaient les mariés, debout dans une croûte de fromage évidée, et ils s'embrassaient à bouche que veux-tu, devant tout le monde, puisqu'ils étaient fiancés et allaient se marier dans un instant.

Il arrivait de plus en plus d'invités et les souris étaient serrées à s'écraser, les mariés étaient placés au beau milieu de la porte, de sorte qu'on ne pouvait ni entrer ni sortir. La salle étant frottée à la couenne, on n'offrait rien d'autre à manger, mais comme dessert on apporta un pois dans lequel une souris de la famille avait, de ses petites dents, gravé le nom des mariés ou du moins leurs initiales. C'était tout à fait splendide.

Toutes les souris furent d'accord pour dire que c'était un beau mariage et que la conversation n'avait pas chômé.

Alors Hjalmar rentra chez lui dans sa voiture-dé, il avait été dans le grand monde, mais pour cela il avait dû se ratatiner sérieusement, devenir tout petit et venir en uniforme de soldat de plomb.

V

ENDREDI

— C'est inouï combien de gens d'un certain âge voudraient m'avoir auprès d'eux, dit Ole Ferme-l'Œil, surtout ceux qui ont quelque chose à se reprocher. «Mon bon petit Ole, me disent-ils, nous ne pouvons nous endormir et toute la nuit nous sommes là à voir défiler nos mauvaises actions qui comme d'affreux petits démons s'asseyent sur notre lit et nous aspergent d'eau bouillante. Ne voudrais-tu pas venir les chasser que nous puissions dormir d'un bon somme!» Ils soupirent et ajoutent tout bas: «Nous te paierons bien. Bonsoir Ole, l'argent est sur le bord de la fenêtre». Mais je ne fais pas ça pour de l'argent, terminait Ole Ferme-l'Œil.

— Qu'est-ce qui va arriver cette nuit? demanda Hjalmar.

— Eh bien! je ne sais pas si tu as envie de venir encore ce soir à un mariage — d'un tout autre genre que celui d'hier. La grande poupée de ta sœur, celle qui a l'air d'un homme et qu'on appelle Hermann va épouser la poupée Bertha, c'est d'ailleurs l'anniversaire de la poupée, il y aura donc beaucoup de cadeaux.

— Oui, je connais ça! dit Hjalmar, quand les poupées ont besoin de robes neuves, ma sœur décide que c'est leur anniversaire ou qu'elles se marient. C'est arrivé plus de cent fois.

— Oui, mais cette nuit, c'est le cent unième mariage et quand le cent unième est terminé, tout est fini. C'est pourquoi celui-ci sera splendide. Regarde un peu!

Hjalmar regarda vers la table, la petite maison de carton était là avec ses fenêtres éclairées et tous les soldats de plomb présentaient armes. Les couples de fiancés étaient

assis par terre, le dos appuyé au pied de la table, très songeurs, et ils avaient sans doute pour cela de bonnes raisons. Ole Ferme-l'Œil vêtu de la jupe noire de grand-mère les bénit. Après la bénédiction tous les meubles de la chambre entonnèrent la jolie chanson que voici, écrite par le crayon sur l'air de la retraite :

> Notre chanson arrive comme le vent
> Sur le couple nuptial dans la chambre
> Tous deux raides comme des baguettes
> Ils sont faits de peau de gants
> Bravo, bravo pour la peau et les baguettes
> Nous le chantons à tous les vents.

Puis on leur offrit tous les cadeaux, ils avaient demandé qu'il n'y eût rien de comestible car leur amour leur suffisait.

— Allons-nous rester dans le pays ou voyager à l'étranger? demanda le marié. Ils prirent conseil de l'hirondelle qui avait beaucoup voyagé et de la vieille poule de la basse-cour qui avait couvé cinq fois des poussins.

L'hirondelle parla des pays chauds où le raisin pend en grandes et lourdes grappes, où l'air est doux et où les montagnes ont des couleurs qu'on ne connaît pas du tout ici.

— Mais ils n'ont pas nos choux verts, dit la poule. J'ai passé un été à la campagne avec mes poussins, il y avait un coin de gravier où nous pouvions gratter, et puis il y avait une sortie vers un potager plein de choux verts. Oh! qu'ils étaient verts. Je ne peux rien m'imaginer de plus beau.

— Mais un chou est pareil à un autre, dit l'hirondelle, et puis il fait souvent si mauvais temps ici.

— Oui mais on y est bien habitué.

— Et puis il fait froid, on gèle ici.

— Cela fait beaucoup de bien au chou. D'ailleurs, il arrive que nous ayons chaud. Il y a quatre ans, nous avons eu un été qui a duré cinq semaines où il faisait si chaud qu'on suffoquait. Et puis, nous n'avons pas de ces bêtes venimeuses qu'ils ont là-bas et nous n'avons pas de brigands. C'est une honte de ne pas trouver notre pays le plus beau du monde. Vous ne mériteriez pas d'y vivre.

— Moi aussi, j'ai voyagé. J'ai fait plus de douze lieues en voiture, dans un panier, et je vous assure qu'un voyage n'a rien d'agréable.

— La poule est une femme raisonnable, dit la poupée Bertha. Moi non plus je n'aime pas voyager dans les montagnes pour monter et descendre tout le temps! Nous allons tout simplement nous installer là-bas sur le gravier et nous nous promènerons dans le jardin aux choux.

Et on en resta là.

S AMEDI

— Vas-tu me raconter des histoires maintenant, dit le petit Hjalmar dès que Ole Ferme-l'Œil l'eut mis au lit.

— Nous n'avons pas le temps ce soir, dit Ole en ouvrant au-dessus du petit son plus beau parapluie. Regarde ces Chinois!

Et tout le parapluie ressemblait à une grande coupe chinoise ornée d'arbres bleus et de ponts arqués sur lesquels des petits Chinois hochaient la tête.

— Il faut que le monde entier soit astiqué pour demain, dit encore Ole, car c'est un jour saint, c'est dimanche. Je vais aller jusqu'à la tour de l'église voir si les petits génies de l'église fourbissent les cloches pour qu'elles résonnent bien, puis je sortirai dans les champs voir si le vent enlève en soufflant la poussière sur l'herbe et les feuilles et puis mon plus grand travail sera de descendre toutes les étoiles pour les astiquer aussi. Je les prends toutes dans mon tablier mais il faut d'abord les numéroter et mettre le même chiffre dans les trous où elles sont fixées là-haut afin de les remettre à leur bonne place, sinon elles ne tiendraient pas bien et nous aurions trop d'étoiles filantes tombant les unes après les autres.

— Non, écoutez M. Ferme-l'Œil, vous exagérez, s'écria un portrait accroché sur le mur contre lequel dormait le petit garçon. Je suis l'arrière-grand-père de Hjalmar. Merci de lui raconter des histoires, mais vous ne devriez pas lui fausser ses notions. On ne peut pas décrocher les étoiles et les polir. Les étoiles sont des globes comme notre terre et c'est justement ce qu'elles ont de bon.

— Merci à toi, vieil arrière-grand-père, dit Ole Ferme-l'Œil, merci à toi, tu es la tête de la famille, mais moi je suis encore plus ancien que toi, je suis un vieux païen, les Romains et les Grecs m'appelaient le dieu des Rêves. J'ai toujours fréquenté les plus nobles maisons et j'y vais encore; je sais parler aux petits et aux grands! Tu n'as qu'à raconter à ton idée maintenant.

Ole Ferme-l'Œil partit là-dessus en emportant son parapluie.

— Alors, si on ne peut plus donner son avis, marmonna le vieux portrait.

Là-dessus Hjalmar se réveilla.

D IMANCHE

— Bonsoir, dit Ole Ferme-l'Œil, et Hjalmar le salua, puis il se leva tout debout et retourna contre le mur le portrait de l'arrière-grand-père afin qu'il ne prenne pas part à la conversation comme la veille.

— Voilà! tu vas me raconter des histoires, celle des «Cinq pois verts qui habitaient la même cosse», celle de «l'Os de coq qui faisait la cour à l'os de poule», celle de «l'Aiguille à repriser si fière d'elle-même qu'elle se figurait être une aiguille à coudre».

— Il ne faut pas abuser des meilleures choses! dit Ole Ferme-l'Œil, je vais plutôt te montrer quelqu'un; je vais te montrer mon frère, il s'appelle aussi Ole Ferme-l'Œil mais ne vient jamais plus d'une fois chez quelqu'un et quand il vient, il le prend avec lui sur son cheval et il raconte: oh! quelles histoires! Il n'en sait que deux: une si merveilleusement belle que personne au monde ne pourrait l'imaginer, une si affreuse et si cruelle — impossible de la décrire. Et puis il éleva dans ses bras le petit Hjalmar jusqu'à la fenêtre et lui dit:

— Regarde! voilà mon frère, l'autre Ole Ferme-l'Œil qu'on appelle aussi la Mort. Tu vois, il n'a pas du tout l'air méchant comme dans les livres d'images où il n'est qu'un squelette, non, son costume est brodé d'argent et c'est un bel uniforme de hussard, une cape de velours noir flotte derrière lui sur le cheval et il va au galop!

Hjalmar vit comment Ole Ferme-l'Œil galopait en entraînant des jeunes et des vieux sur son cheval, il en plaçait certains devant lui et d'autres par derrière, mais toujours d'abord il demandait:

— Et comment est ton carnet de notes?

Tous répondaient : «Excellent».

— Faites-moi voir ça! disait-il, et il fallait lui montrer le carnet.

Ceux qui avaient «Très bien» ou «Excellent» venaient par-devant et ils entendaient une merveilleuse histoire, ceux qui n'avaient que «Passable» ou «Médiocre», ils allaient par-derrière et entendaient l'histoire horrible. Ils tremblaient et pleuraient, ils voulaient sauter à bas du cheval mais ils ne le pouvaient plus, ils étaient enchaînés à l'animal.

— Mais la Mort est un très gentil Ole Ferme-l'Œil numéro deux, dit Hjalmar, je n'en ai pas peur du tout.

— Il ne faut pas en avoir peur, dit Ole, il faut seulement veiller à avoir un bon carnet de notes.

— Ça, c'est un bon enseignement! murmura le portrait de l'arrière-grand-père, il est toujours utile de donner son avis! Et il était fort satisfait.

Et ceci est l'histoire d'Ole Ferme-l'Œil, il viendra sûrement ce soir vous en raconter lui-même bien davantage.

HANS LE BALOURD

Il y avait dans la campagne un vieux manoir et, dans ce manoir, un vieux seigneur qui avait deux fils si pleins d'esprit qu'avec la moitié ils en auraient déjà eu assez. Ils voulaient demander la main de la fille du roi mais ils n'osaient pas car elle avait fait savoir qu'elle épouserait celui qui saurait le mieux plaider sa cause.

Les deux garçons se préparèrent pendant huit jours — ils n'avaient pas plus de temps devant eux —, mais c'était suffisant car ils avaient des connaissances préalables fort utiles. L'un savait par cœur tout le lexique latin et trois années complètes du journal du pays, et cela en commençant par le commencement ou en commençant par la fin; l'autre avait étudié les statuts de toutes les corporations et appris tout ce que devait connaître un maître-juré, il pensait pouvoir discuter de l'Etat et, de plus, il s'entendait à broder les harnais car il était fin et adroit de ses mains.

— J'aurai la fille du roi, disaient-ils tous les deux. Leur père donna à chacun d'eux un beau cheval, noir comme le charbon pour celui à la mémoire impeccable, blanc comme neige pour le maître en sciences corporatives et broderie, puis ils se graissèrent les commissures des lèvres avec de l'huile de foie de morue pour rendre leur parole plus fluide.

Tous les domestiques étaient dans la cour pour les voir monter à cheval quand soudain arriva le troisième frère — ils étaient trois, mais le troisième ne comptait absolument pas, il n'était pas instruit comme les autres, on l'appelait Hans le Balourd.

— Où allez-vous ainsi en grande tenue? demanda-t-il.

— A la cour, gagner la main de la princesse par notre conversation. Tu n'as pas entendu ce que le tambour proclame dans tout le pays?

Et ils le mirent au courant.

— Parbleu! il faut que j'en sois! fit Hans le Balourd. Ses frères se moquèrent de lui et partirent.

— Père, donne-moi aussi un cheval, cria Hans le Balourd, j'ai une terrible envie de me marier. Si la princesse me prend, c'est bien, et si elle ne me prend pas, je la prendrai quand même.

— Bêtises, fit le père, je ne te donnerai pas de cheval, tu ne sais rien dire, tes frères, eux, sont gens d'importance.

— Si tu ne veux pas me donner de cheval, répliqua Hans le Balourd, je monterai mon bouc, il est à moi et il peut bien me porter.

Et il se mit à califourchon sur le bouc, l'éperonna de ses talons et prit la route à toute allure. Ah! comme il filait!

— J'arrive, criait-il, et il chantait d'une voix claironnante.

Les frères avançaient tranquillement sur la route sans mot dire, ils pensaient aux bonnes réparties qu'ils allaient lancer, il fallait que ce soit longuement médité.

— Holà! holà! criait Hans, me voilà! Regardez ce que j'ai trouvé sur la route et il leur montra une corneille morte qu'il avait ramassée.

— Balourd! qu'est-ce que tu vas faire de ça?

— Je l'offrirai à la fille du roi.

— C'est parfait! dirent les frères, et ils continuèrent leur route en riant.

— Holà! holà! voyez ce que j'ai trouvé maintenant! Ce n'est pas tous les jours qu'on trouve ça sur la route.

Les frères tournèrent encore une fois la tête.

— Balourd, c'est un vieux sabot dont le dessus est parti. Est-ce aussi pour la fille du roi?

— Bien sûr! dit Hans. Et les frères de rire et de prendre une grande avance.

— Holà! holà! ça devient de plus en plus beau! Holà! c'est merveilleux!

— Qu'est-ce que tu as encore trouvé?

— Oh! elle va être joliment contente, la fille du roi!

— Pfuu! mais ce n'est que de la boue qui vient de jaillir du fossé!

— Oui, oui, c'est ça, et de la plus belle espèce, on ne peut même pas la tenir dans la main.

Là-dessus il en remplit sa poche.

Les frères chevauchèrent à bride abattue et arrivèrent avec une heure d'avance aux portes de la ville. Là, les prétendants recevaient l'un après l'autre un numéro et on les mettait en rang six par six, si serrés qu'ils ne pouvaient remuer les bras et c'était fort bien ainsi, car sans cela ils se seraient peut-être battus rien que parce que l'un était devant l'autre.

Tous les autres habitants du pays se tenaient autour du château, juste devant les fenêtres pour voir la fille du roi recevoir les prétendants. A mesure que l'un d'eux entrait dans la salle, il ne savait plus que dire.

— Bon à rien, disait la fille du roi, sortez !

Vint le tour du frère qui savait le lexique par cœur, mais il l'avait complètement oublié pendant qu'il faisait la queue. Le parquet craquait et le plafond était tout en glace, de sorte qu'il se voyait à l'envers marchant sur la tête. A chaque fenêtre se tenaient trois secrétaires-journalistes et un maître-juré (surveillant) qui inscrivaient tout ce qui se disait afin que cela paraisse aussitôt dans le journal que l'on vendait au coin pour deux sous. C'était affreux. De plus, on avait chargé le poêle au point qu'il était tout rouge.

— Quelle chaleur ! disait le premier des frères.

— C'est parce qu'aujourd'hui mon père rôtit des poulets, dit la fille du roi.

Euh ! le voilà pris, il ne s'attendait pas à ça. Il aurait voulu répondre quelque chose de drôle et ne trouvait rien. Euh !...

— Bon à rien. Sortez !

L'autre frère entra.

— Il fait terriblement chaud ici, commença-t-il...

— Oui, nous rôtissons des poulets aujourd'hui.

— Comment ? Quoi ? Quoi ? dit-il, et tous les journalistes écrivaient : Comment ? quoi ? quoi ?

— Bon à rien ! Sortez !

Vint le tour de Hans le Balourd. Il entra sur son bouc jusqu'au milieu de la salle.

— Quelle fournaise ! dit-il.

— Oui, nous rôtissons des poulets aujourd'hui.

— Quelle chance ! fit Hans le Balourd, alors je pourrai sans doute me faire rôtir une corneille.

— Mais bien sûr, dit la princesse, mais as-tu quelque chose pour la faire rôtir, car moi je n'ai ni pot ni poêle.

— Et moi j'en ai, dit Hans, voilà une casserole cerclée d'étain, et il sortit le vieux sabot et posa la corneille au milieu.

— Voilà tout un repas, dit la fille du roi, mais où prendrons-nous la sauce ?

— Dans ma poche, dit Hans le Balourd. J'en ai tant que je veux ! et il fit couler un peu de boue de sa poche.

— Ça, ça me plaît ! dit la fille du roi. Toi, tu as réponse à tout et tu sais parler et je te veux pour époux. Mais sais-tu que chaque mot que nous avons dit paraîtra demain matin dans le journal ? A chaque fenêtre se tiennent trois secrétaires-journalistes et un vieux maître-juré (surveillant) et ce vieux-là est pire encore que les autres car il ne comprend rien de rien.

Elle disait cela pour lui faire peur. Tous les secrétaires-journalistes, par protestation, firent des taches d'encre sur le parquet.

— Voilà du beau monde! dit Hans le Balourd. Je vois qu'il faut que je m'en mêle et que je donne à leur patron tout ce que j'ai de mieux.

Il retourna sa poche et lança au maître-juré le reste de la boue en pleine figure.

— Ça, c'est du beau travail! dit la princesse, je n'en aurais pas fait autant... mais j'apprendrai à mon tour à les traiter comme ils le méritent.

C'est ainsi que Hans le Balourd devint roi, il eut une femme et une couronne et s'assit sur un trône et c'est le journal qui nous en informa... mais peut-on vraiment se fier aux journaux?

LA PRINCESSE AU PETIT POIS

Il était une fois un prince qui voulait épouser une princesse, mais une *vraie* princesse. Il fit le tour de la terre pour en trouver une mais il y avait toujours quelque chose qui clochait; des princesses, il n'en manquait pas, mais étaient-elles de vraies princesses? C'était difficile à apprécier, toujours une chose ou l'autre ne lui semblait pas parfaite. Il rentra chez lui tout triste, il aurait tant voulu avoir une véritable princesse.

Un soir par un temps affreux, éclairs et tonnerre, cascades de pluie que c'en était effrayant, on frappa à la porte de la ville et le vieux roi lui-même alla ouvrir.

C'était une princesse qui était là dehors. Mais grands dieux! de quoi avait-elle l'air dans cette pluie, par ce temps! L'eau coulait de ses cheveux et de ses vêtements, entrait par la pointe de ses chaussures et ressortait par le talon… et elle prétendait être une véritable princesse!

— Nous allons bien voir ça, pensait la vieille reine, mais elle ne dit rien. Elle alla dans la chambre à coucher, retira toute la literie et mit un petit pois au fond du lit; elle prit ensuite vingt matelas qu'elle empila sur le petit pois et, par-dessus, elle

mit encore vingt édredons en plumes d'eider. C'est là-dessus que la princesse devait coucher cette nuit-là.

Au matin, on lui demanda comment elle avait dormi.

— Affreusement mal, répondit-elle, je n'ai presque pas fermé l'œil de la nuit. Dieu sait ce qu'il y avait dans ce lit. J'étais couchée sur quelque chose de si dur que j'en ai des bleus et des noirs sur tout le corps ! C'est terrible !

Alors ils reconnurent que c'était une vraie princesse puisque, à travers les vingt matelas et les vingt édredons en plumes d'eider, elle avait senti le petit pois. Une peau aussi sensible ne pouvait être que celle d'une authentique princesse.

Le prince la prit donc pour femme, sûr maintenant d'avoir une vraie princesse et le petit pois fut exposé dans le cabinet des trésors d'art, où on peut encore le voir si personne ne l'a emporté.

Et ceci est une vraie histoire.

LE VILAIN PETIT CANARD

Comme il faisait bon dans la campagne! C'était l'été. Les blés étaient dorés, l'avoine verte, les foins coupés embaumaient, ramassés en tas dans les prairies, et une cigogne marchait sur ses jambes rouges, si fines et si longues et claquait du bec en égyptien (sa mère lui avait appris cette langue-là).

Au-delà, des champs et des prairies s'étendaient, puis la forêt aux grands arbres, aux lacs profonds.

En plein soleil, un vieux château s'élevait entouré de fossés et au pied des murs poussaient des bardanes aux larges feuilles, si hautes, que les petits enfants pouvaient se tenir tout debout sous elles. L'endroit était aussi sauvage qu'une épaisse forêt, et c'est là qu'une cane s'était installée pour couver. Elle commençait à s'ennuyer beaucoup. C'était bien long et les visites étaient rares; les autres canards préféraient nager dans les fossés plutôt que de s'installer sous les feuilles pour caqueter avec elle.

230

Enfin, un œuf après l'autre craqua. «Pip, pip», tous les jaunes d'œuf étaient vivants et sortaient la tête.

— Coin, coin, dit la cane, et les petits se dégageaient de la coquille et regardaient de tous côtés sous les feuilles vertes. La mère les laissait ouvrir leurs yeux très grands, car le vert est bon pour les yeux.

— Comme le monde est grand, disaient les petits, ils avaient bien sûr beaucoup plus de place que dans l'œuf.

— Croyez-vous que c'est là tout le grand monde, dit leur mère, il s'étend bien loin, de l'autre côté du jardin, jusqu'au champ du pasteur — mais je n'y suis jamais allée.

— Etes-vous bien là, tous? Elle se dressa. Non, le plus grand œuf est encore tout entier. Combien de temps va-t-il encore falloir couver? J'en ai par-dessus la tête.

Et elle se recoucha dessus.

— Eh bien! comment ça va? demanda une vieille cane qui venait enfin rendre visite.

— Ça dure et ça dure, avec ce dernier œuf qui ne veut pas se briser. Mais regardez les autres, je n'ai jamais vu des canetons plus ravissants. Ils ressemblent tous à leur père, ce coquin, qui ne vient même pas me voir.

— Montre-moi cet œuf qui ne veut pas craquer, dit la vieille. C'est, sans doute, un œuf de dinde, j'y ai été prise moi aussi une fois, et j'ai eu bien du mal avec celui-là. Il avait peur de l'eau et je ne pouvais pas obtenir qu'il y aille. J'avais beau courir et crier. Fais-moi voir. Oui, c'est un œuf de dinde, sûrement. Laisse-le et apprends aux autres enfants à nager.

— Je veux tout de même le couver encore un peu, dit la mère. Maintenant que j'y suis depuis si longtemps.

— Fais comme tu veux, dit la vieille, et elle s'en alla.

Enfin, l'œuf se brisa.

— Pip, pip, dit le petit en roulant dehors. Il était si grand et si laid que la cane étonnée, le regarda.

— En voilà un énorme caneton, dit-elle, aucun des autres ne lui ressemble. Et si c'était un dindonneau, eh bien, nous allons savoir ça au plus vite.

Le lendemain, il faisait un temps splendide. La cane avec toute sa famille s'approcha du fossé. Plouf! elle sauta dans l'eau. Coin! coin! commanda-t-elle, et les canetons plongèrent l'un après l'autre, même l'affreux gros gris.

— Non, ce n'est pas un dindonneau, s'exclama la mère. Voyez comme il sait se servir de ses pattes et comme il se tient droit. C'est mon petit à moi. Il est même beau quand on le regarde bien. Coin! coin : venez avec moi, je vous conduirai dans le monde et vous présenterai à la cour des canards. Mais tenez-vous toujours près de moi pour qu'on ne vous marche pas dessus, et méfiez-vous du chat.

Ils arrivèrent à l'étang des canards où régnait un effroyable vacarme. Deux familles se disputaient une tête d'anguille. Ce fut le chat qui l'attrapa.

— Ainsi va le monde! dit la cane en se pourléchant le bec. Elle aussi aurait volontiers mangé la tête d'anguille. Jouez des pattes et tâchez de vous dépêcher et courbez le cou devant la vieille cane, là-bas, elle est la plus importante de nous tous. Elle est de sang espagnol, c'est pourquoi elle est si grosse. Vous voyez qu'elle a un chiffon rouge à la patte, c'est la plus haute distinction pour un canard. Cela signifie qu'on ne veut pas la manger et que chacun doit y prendre garde. Ne mettez pas les pattes en dedans, un caneton bien élevé nage les pattes en dehors comme père et mère. Maintenant, courbez le cou et faites coin!

Les petits obéissaient, mais les canards autour d'eux les regardaient et s'exclamaient à haute voix:

— Encore une famille de plus, comme si nous n'étions pas déjà assez. Et il y en a un vraiment affreux, celui-là nous n'en voulons pas. Une cane se précipita sur lui et le mordit au cou.

— Laissez le tranquille, dit la mère. Il ne fait de mal à personne.

— Non, mais il est par trop grand et mal venu. Il a besoin d'être rossé.

— Elle a de beaux enfants, cette mère! dit la vieille cane au chiffon rouge, tous beaux, à part celui-là: il n'est guère réussi. Si on pouvait seulement recommencer les enfants ratés!

— Ce n'est pas possible, Votre Grâce, dit la mère des canetons; il n'est pas beau mais il est très intelligent et il nage bien, aussi bien que les autres, mieux même. J'espère qu'en grandissant il embellira et qu'avec le temps il sera très présentable.

Elle lui arracha quelques plumes du cou, puis le lissa: «Du reste, c'est un mâle, alors la beauté n'a pas tant d'importance».

— Les autres sont adorables, dit la vieille. Vous êtes chez vous, et si vous trouvez une tête d'anguille, vous pourrez me l'apporter.

Cependant, le pauvre caneton, trop grand, trop laid, était la risée de tous. Les canards et même les poules le bousculaient. Le dindon — né avec des éperons — et qui se croyait un empereur, gonflait ses plumes comme des voiles. Il se précipitait sur lui en poussant des glouglous de colère. Le pauvre caneton ne savait où se fourrer. La fille de basse-cour lui donnait des coups de pied. Ses frères et sœurs, eux-mêmes, lui criaient:

— Si seulement le chat pouvait te prendre, phénomène!

Et sa mère: si seulement tu étais bien loin d'ici.

C'en était trop! Le malheureux, d'un grand effort s'envola par-dessus la haie, les petits oiseaux dans les buissons se sauvaient à tire-d'aile.

— Je suis si laid que je leur fais peur, pensa-t-il en fermant les yeux.

Il courut tout de même jusqu'au grand marais où vivaient les canards sauvages. Il tombait de fatigue et de chagrin et resta là toute la nuit.

Au matin, les canards en voyant ce nouveau camarade s'écrièrent : Qu'est-ce que c'est que celui-là!

Notre ami se tournait de droite et de gauche, et saluait tant qu'il pouvait.

— Tu es affreux, lui dirent les canards sauvages, mais cela nous est bien égal pourvu que tu n'épouses personne de notre famille.

Il ne songeait guère à se marier, le pauvre! Si seulement on lui permettait de coucher dans les roseaux et de boire un peu d'eau du marais.

Il resta là deux jours. Vinrent deux oies sauvages, deux jars plutôt, car c'étaient des mâles, il n'y avait pas longtemps qu'ils étaient sortis de l'œuf et ils étaient très désinvoltes.

— Ecoute, camarade, dirent-ils, tu es laid, mais tu nous plais. Veux-tu venir avec nous et devenir oiseau migrateur? Dans un marais à côté il y a quelques charmantes oiselles sauvages, toutes demoiselles bien capables de dire coin, coin (oui, oui), et laid comme tu es, je parie que tu leur plairas.

Au même instant, il entendit Pif! Paf!, les deux jars tombèrent raides morts dans les roseaux, l'eau devint rouge de leur sang. Toute la troupe s'égailla et les fusils claquèrent de nouveau.

Des chasseurs passaient, ils cernèrent le marais, il y en avait même grimpés dans les arbres. Les chiens de chasse couraient dans la vase. Platch! Platch! Les roseaux volaient de tous côtés; le pauvre caneton, épouvanté, essayait de cacher sa tête sous son aile quand il vit un immense chien terrifiant, la langue pendante, les yeux étincelants. Son museau, ses dents pointues étaient déjà prêts à le saisir quand — Klap! il partit sans le toucher.

— Oh! Dieu merci! je suis si laid que même le chien ne veut pas me mordre.

Il se tint tout tranquille pendant que les plombs sifflaient et que les coups de fusils claquaient.

Le calme ne revint qu'au milieu du jour, mais le pauvre n'osait pas se lever, il attendit encore de longues heures, puis quittant le marais il courut à travers les champs et les prés, malgré le vent qui l'empêchait presque d'avancer.

Vers le soir, il atteignit une pauvre masure paysanne, si misérable qu'elle ne savait pas elle-même de quel côté elle avait envie de tomber, alors elle restait debout provisoirement. Le vent sifflait si fort qu'il fallait au caneton s'asseoir sur sa queue pour lui résister. Il s'aperçut tout à coup que l'un des gonds de la porte était arraché ce qui laissait un petit espace au travers duquel il était possible de se glisser dans la cabane. C'est ce qu'il fit.

Une vieille paysanne habitait là, avec son chat et sa poule. Le chat pouvait faire le gros dos et ronronner. Il jetait même des étincelles si on le caressait à rebrousse-poil. La poule avait les pattes toutes courtes, elle pondait bien et la femme les aimait tous les deux comme ses enfants.

Au matin, ils remarquèrent l'inconnu.

Le chat fit «chum» et la poule fit «cotcotcot».

— Qu'est-ce que c'est que ça! dit la femme. Elle n'y voyait pas très clair et crut que c'était une grosse cane égarée.

— Bonne affaire, pensa-t-elle, je vais avoir des œufs de cane. Pourvu que ce ne soit pas un mâle. Nous verrons bien.

Le caneton resta à l'essai, mais on s'aperçut très vite qu'il ne pondait aucun œuf. Le chat était le maître de la maison et la poule la maîtresse. Ils disaient : «Nous et le monde», ils pensaient bien en être la moitié, du monde, et la meilleure. Le caneton était d'un autre avis, mais la poule ne supportait pas la contradiction.

— Sais-tu pondre? demandait-elle.

— Non.

— Alors, tais-toi.

Et le chat disait :

— Sais-tu faire le gros dos, ronronner?

— Non.

— Alors, n'émets pas des opinions absurdes quand les gens raisonnables parlent.

Le caneton, dans son coin, était de mauvaise humeur; il avait une telle nostalgie d'air frais, de soleil, une telle envie de glisser sur l'eau. Il ne put s'empêcher d'en parler à la poule.

— Qu'est-ce qui te prend, répondit-elle. Tu n'as rien à faire, alors tu te montes la tête. Tu n'as qu'à pondre ou à ronronner, et cela te passera.

— C'est si délicieux de glisser sur l'eau, dit le caneton, si exquis quand elle vous passe par-dessus la tête et de plonger jusqu'au fond!

— En voilà un plaisir, dit la poule. Tu es complètement fou. Demande au chat, qui est l'être le plus intelligent que je connaisse, s'il aime glisser sur l'eau ou plonger la tête dedans. Je ne parle même pas de moi. Demande à notre hôtesse, la vieille paysanne. Il n'y a pas plus intelligent. Crois-tu qu'elle a envie de nager et d'avoir de l'eau par-dessus la tête?

— Vous ne me comprenez pas, soupirait le caneton.

— Alors, si nous ne te comprenons pas, qui est-ce qui te comprendra ! Tu ne vas tout de même pas croire que tu es plus malin que le chat ou la femme... ou moi-même ! Remercie plutôt le ciel de ce qu'on a fait pour toi. N'es-tu pas là dans une chambre bien chaude avec des gens capables de t'apprendre quelque chose. Mais tu n'es qu'un vaurien, et il n'y a aucun plaisir à te fréquenter. Remarque que je te veux du bien et si je te dis des choses désagréables, c'est que je suis ton amie. Essaie un peu de pondre ou de ronronner !

— Je crois que je vais me sauver dans le vaste monde, avoua le caneton.

— Eh bien ! vas-y donc.

Il s'en alla.

L'automne vint, les feuilles dans la forêt passèrent du jaune au brun, le vent les faisait voler de tous côtés. L'air était froid, les nuages lourds de grêle et de neige, dans les haies nues les corbeaux croassaient kré ! kru ! krà ! oui, il y avait de quoi grelotter. Le pauvre caneton n'était guère heureux.

Un soir, au soleil couchant, un grand vol d'oiseaux sortit des buissons. Jamais le caneton n'en avait vu de si beaux, d'une blancheur si immaculée, avec de longs cous ondulants. Ils ouvraient leurs larges ailes et s'envolaient loin des contrées glacées vers le midi, vers les pays plus chauds, vers la mer ouverte. Ils volaient si haut, si haut, que le caneton en fut impressionné ; il tournait sur l'eau comme une roue, tendait le cou vers le ciel... il poussa un cri si étrange et si puissant que lui-même en fut effrayé.

Jamais il ne pourrait oublier ces oiseaux merveilleux ! Lorsqu'ils furent hors de sa vue, il plongea jusqu'au fond de l'eau et quand il remonta à la surface, il était comme hors de lui-même. Il ne savait pas le nom de ces oiseaux ni où ils s'envolaient, mais il les aimait comme il n'avait jamais aimé personne. Il ne les enviait pas, comment aurait-il rêvé de leur ressembler...

L'hiver fut froid, terriblement froid. Il lui fallait nager constamment pour empêcher l'eau de geler autour de lui. Mais, chaque nuit, le trou où il nageait devenait de plus en plus petit. La glace craquait, il avait beau remuer ses pattes, à la fin, épuisé, il resta pris dans la glace.

Au matin, un paysan qui passait le vit, il brisa la glace de son sabot et porta le caneton à la maison à sa femme qui le ranima.

Les enfants voulaient jouer avec lui, mais lui croyait qu'ils voulaient lui faire du mal, il s'élança droit dans la terrine de lait éclaboussant toute la pièce ; la femme criait et levait les bras au ciel. Alors, il vola dans la baratte où était le beurre et, de là, dans le tonneau à farine. La paysanne le poursuivait avec des pincettes ; les enfants se bousculaient pour l'attraper... et ils riaient... et ils criaient. Heureusement, la porte était ouverte! Il se précipita sous les buissons, dans la neige molle, et il y resta anéanti.

Il serait trop triste de raconter tous les malheurs et les peines qu'il dut endurer en ce long hiver. Pourtant, un jour enfin, le soleil se leva, déjà chaud, et se mit à briller. C'était le printemps.

Alors, soudain, il éleva ses ailes qui bruirent et le soulevèrent, et avant qu'il pût s'en rendre compte, il se trouva dans un grand jardin plein de pommiers en fleurs. Là, les lilas embaumaient et leurs longues branches vertes tombaient jusqu'aux fossés.

Comme il faisait bon et printanier! Et voilà que, devant lui, sortant des fourrés trois superbes cygnes blancs s'avançaient. Ils ébouriffaient leurs plumes et nageaient si légèrement et il reconnaissait les beaux oiseaux blancs. Une étrange mélancolie s'empara de lui.

— Je vais voler jusqu'à eux et ils me battront à mort, moi si laid, d'avoir l'audace, de les approcher! Mais tant pis, plutôt mourir par eux que pincé par les canards, piqué par les poules ou par les coups de pied des filles de basse-cour!

Il s'élança dans l'eau et nagea vers ces cygnes pleins de noblesse. A son étonnement, ceux-ci, en le voyant, se dirigèrent vers lui.

— Tuez-moi, dit le pauvre caneton en inclinant la tête vers la surface des eaux. Et il attendit la mort.

Mais alors, qu'est-ce qu'il vit, se reflétant sous lui, dans l'eau claire? C'était sa propre image, non plus comme un vilain gros oiseau gris et lourdaud... il était devenu un cygne!!!

Car il n'y a aucune importance à être né parmi les canards si on a été couvé dans un œuf de cygne!

Il ne regrettait pas le temps des misères et des épreuves puisqu'elles devaient le conduire vers un tel bonheur! Les grands cygnes blancs nageaient autour de lui et le caressaient de leur bec.

Quelques enfants approchaient, jetant du pain et des graines. Le plus petit s'écria :

— Oh! il y en a un nouveau.

Et tous les enfants de s'exclamer et de battre des mains et de danser en appelant père et mère.

On lança du pain et des gâteaux dans l'eau. Tous disaient : Le nouveau est le plus beau, si jeune et si gracieux. Les vieux cygnes s'inclinaient devant lui.

Il était tout confus, notre petit canard, et cachait sa tête sous l'aile, il ne savait lui-même pourquoi. Il était trop heureux, pas du tout orgueilleux pourtant, car un grand cœur ne connaît pas l'orgueil. Il pensait combien il avait été pourchassé et haï alors qu'il était le même qu'aujourd'hui où on le déclarait le plus beau de tous!

Les lilas embaumaient dans la verdure, le chaud soleil étincelait. Alors il gonfla ses plumes, leva vers le ciel son col flexible et de tout son cœur comblé il cria : «Aurai-je pu rêver semblable félicité quand je n'étais que le vilain petit canard!»

LA TIRELIRE

Il y avait une quantité de jouets dans la chambre d'enfants. Tout en haut de l'armoire trônait la tirelire sous la forme d'un cochon en terre cuite; il avait naturellement une fente dans le dos, et cette fente avait été élargie à l'aide d'un couteau pour pouvoir y glisser aussi de grosses pièces, On en avait déjà glissé deux dedans, en plus de nombreuses menues monnaies.

Le cochon était si bourré que l'argent ne pouvait plus tinter dans son ventre et c'est bien le maximum de ce que peut espérer un cochon-tirelire. Il se tenait tout en haut de l'armoire et regardait les jouets en bas, dans la chambre; il savait bien qu'avec ce qu'il avait dans le ventre il aurait pu les acheter tous et cela lui donnait quelque orgueil.

Les autres le savaient aussi même s'ils n'en parlaient pas, ils avaient d'autres sujets de conversation. Le tiroir de la commode était entrouvert et une poupée un peu vieille et le cou raccommodé regardait au-dehors. Elle dit :

— Je propose de jouer aux grandes personnes, ce sera une occupation !

Alors, il y eut tout un remue-ménage, les tableaux eux-mêmes se retournèrent contre le mur — ils savaient pourtant qu'ils avaient un envers — mais ce n'était pas pour protester.

On était au milieu de la nuit; la lune, dont les rayons entraient par la fenêtre, offrait un éclairage gratuit. Le jeu allait commencer et tous étaient invités, même la voiture de poupée bien qu'elle appartînt aux jouets dits vulgaires.

— Chacun est utile à sa manière, disait-elle; tout le monde ne peut pas appartenir à la noblesse, il faut bien qu'il y en ait qui travaillent.

Le cochon-tirelire seul reçut une invitation écrite. On craignait que, placé si haut, il ne pût entendre une invitation orale. Il se jugea trop important pour donner une réponse et ne vint pas. S'il voulait prendre part au jeu, ce serait de là-haut, chez lui; les autres s'arrangeraient en conséquence. C'est ce qu'ils firent.

Le petit théâtre de marionnettes fut monté de sorte qu'il pût le voir juste de face. Il devait y avoir d'abord une comédie, puis le thé, ensuite des exercices intellectuels. Mais c'est par ceux-ci qu'on commença tout de suite.

Le cheval à bascule parla d'entraînement et de pur-sang, la voiture de poupée de chemins de fer et de traction à vapeur : cela se rapportait toujours à leur spécialité. La pendule parla politique — tic, tac — elle savait quelle heure elle avait sonné, mais les mauvaises langues disaient qu'elle ne marchait pas bien.

La canne se tenait droite, fière de son pied ferré et de son pommeau d'argent; sur le sofa s'étalaient deux coussins brodés, ravissants mais stupides. La comédie pouvait commencer.

Tous étaient assis et regardaient. On les pria d'applaudir, de claquer ou de gronder suivant qu'ils seraient satisfaits ou non. La cravache déclara qu'elle ne claquait jamais pour les vieux, mais seulement pour les jeunes non encore fiancés.

— Moi, j'éclate pour tout le monde, dit le pétard.

— Être là ou ailleurs... déclarait le crachoir. Et c'était bien l'opinion de tous sur cette idée de jouer la comédie.

La pièce ne valait rien, mais elle était bien jouée. Les acteurs présentaient toujours au public leur côté peint, ils étaient faits pour être vue de face, pas de dos. Tous jouaient admirablement, tout à fait en avant et même hors du théâtre, car leurs fils étaient trop longs, mais ils n'en étaient que plus remarquables.

La poupée raccommodée était si émue qu'elle se décolla et le cochon-tirelire, bouleversé à sa façon, décida de faire quelque chose pour l'un des acteurs, par exemple : le mettre sur son testament pour qu'il soit couché près de lui dans un monument funéraire quand le moment serait venu.

Tous étaient enchantés, de sorte qu'on renonça au thé et on s'en tint à l'intellectualité. On appelait cela jouer aux grandes personnes et c'était sans méchanceté puisque ce n'était qu'un jeu. Chacun ne pensait qu'à soi-même et aussi à ce que pensait le cochon-tirelire et lui pensait plus loin que les autres : à son testament et à son enterrement. Quand en viendrait l'heure? Toujours plus tôt qu'on ne s'y attend...

Patatras! Le voilà tombé de l'armoire. Le voilà gisant par terre en mille morceaux; les pièces dansent et sautent à travers la pièce, les plus petites ronflent, les plus grandes roulent, surtout le daler d'argent qui avait tant envie de voir le monde. Il y alla, bien sûr; toutes les pièces y allèrent, mais les restes du cochon allèrent dans la poubelle.

Le lendemain, sur l'armoire, se tenait un nouveau cochon-tirelire en terre vernie. Il ne contenait encore pas la moindre monnaie, et rien ne tintait en lui. En cela, il ressemblait à son prédécesseur. Il n'était qu'un commencement — et, pour nous, ce sera la fin du conte.

LE CONCOURS DE SAUT

La puce, la sauterelle et l'oie sauteuse[1] voulurent une fois voir laquelle savait sauter le plus haut. Elles invitèrent à cette compétition le monde entier et tous les autres qui avaient envie de venir, et ce furent trois sauteurs de premier ordre qui se présentèrent ensemble dans la salle.

— Je donnerai ma fille à celui qui sautera le plus haut, dit le roi, il serait mesquin de faire sauter ces personnes pour rien.

La puce s'avança la première; elle se présentait bien et saluait à la ronde, car elle avait en elle du sang de demoiselle et l'habitude de ne fréquenter que des humains, ce qui donne de l'aisance.

Ensuite vint la sauterelle, sensiblement plus lourde, mais qui avait tout de même de l'allure et portait un uniforme vert qu'elle avait de naissance. Elle disait de plus qu'elle était d'une très ancienne famille d'Egypte et qu'elle était fort considérée ici. On l'avait prise dans les champs et déposée directement dans un château de cartes à trois étages, tous les trois bâtis de cartes à figures, l'envers tourné vers l'intérieur, on y avait découpé des portes et des fenêtres, même dans le corps de la dame de cœur.

— Je chante si bien, dit-elle, que seize grillons du pays qui crient depuis l'en-

[1] L'oie sauteuse n'est pas un animal, c'est un jouet. Les enfants danois, à l'époque d'Andersen, s'amusaient à prendre la carcasse d'une oie que l'on avait mangée en famille. Ils reliaient les deux côtés du sternum par une ficelle double dans laquelle ils inséraient un bâtonnet. Plus ils tournaient le bâtonnet, plus les deux ficelles se tordaient, et, lorsqu'au bout d'un moment, ils lâchaient le bâtonnet, les ficelles, en se détordant subitement, faisaient sauter la carcasse plus ou moins haut.

fance et qui n'ont même pas eu de châteaux de cartes, en m'entendant, en ont encore maigri de dépit.

Toutes les deux, aussi bien la puce que la sauterelle, se faisaient valoir de leur mieux et pensaient bien pouvoir épouser une princesse.

L'oie sauteuse ne dit rien, mais on assurait qu'elle n'en pensait pas moins, et quand le chien de la cour l'eut seulement flairée, il se porta garant qu'elle était de bonne famille. Le vieux conseiller qui avait reçu trois décorations uniquement pour se taire affirma que l'oie sauteuse avait un don divinatoire, que l'on pouvait voir sur son dos si l'hiver serait doux ou rigoureux, ce que l'on ne peut même pas voir sur le dos du rédacteur de l'almanach qui prédit l'avenir.

— Bon, bon, je ne dis rien, dit le vieux roi, mais j'ai quand même ma petite idée.

Maintenant, c'était le moment de sauter...

La puce sauta si haut que personne ne put la voir ; le public soutint qu'elle n'avait pas sauté du tout, ce qui était une calomnie.

La sauterelle sauta moitié moins haut, mais en plein dans la figure du roi qui dit que c'était dégoûtant.

L'oie sauteuse resta longtemps immobile, elle hésitait. Chacun pensait qu'elle ne savait pas sauter du tout.

— Pourvu qu'elle n'ait pas pris mal, dit le chien de cour, et il la flaira encore un peu. Alors, paf ! elle fit un petit saut maladroit, droit sur les genoux de la princesse, laquelle était assise sur un tabouret bas en or.

Alors le roi déclara :

— Le saut le plus élevé, c'est de sauter sur les genoux de ma fille car cela dénote une certaine finesse et il faut de la tête pour en avoir eu l'idée. L'oie sauteuse a montré qu'elle avait de la tête et du ressort sous le front.

Et elle eut la princesse.

— C'est pourtant moi qui ai sauté le plus haut, dit la puce. Mais peu importe ! Qu'elle garde sa carcasse d'oie avec sa baguette et sa boulette de poix. J'ai sauté le plus haut, mais il faut en ce monde un corps énorme pour que les gens puissent vous voir.

Et la puce alla prendre du service dans une armée étrangère en guerre où l'on dit qu'elle fut tuée.

La sauterelle alla se poser dans le fossé et médita sur la façon dont vont les choses en ce monde. Elle aussi se disait :

— Il faut du corps, il faut du corps...

Elle reprit sa chanson si particulière et si triste où nous avons puisé cette histoire, qui n'est peut-être que mensonge, même si elle est imprimée dans un livre.

CINQ DANS UNE COSSE DE POIS

Il y avait cinq petits pois dans une cosse, ils étaient verts, la cosse était verte, ils croyaient que le monde entier était vert et c'était bien vrai pour eux!

La cosse poussait, les pois grandissaient, se conformant à la taille de leur appartement, ils se tenaient droit dans le rang...

Le soleil brillait et chauffait la cosse, la pluie l'éclaircissant, il y faisait tiède et agréable, clair le jour, sombre la nuit comme il sied, les pois devenaient toujours plus grands et plus réfléchis, assis là en rang, il fallait bien qu'ils s'occupent.

— Me faudra-t-il toujours rester fixé ici? disaient-ils tous, pourvu que ce ne soit pas trop long, que je ne durcisse pas. N'y a-t-il pas au-dehors quelque chose, j'en ai comme un pressentiment.

Les semaines passèrent, les pois jaunirent, les cosses jaunirent.

— Le monde entier jaunit, disaient-ils.

Et ça, ils pouvaient le dire.

Soudain, il y eut une secousse sur la cosse, quelqu'un l'arrachait et la mettait dans une poche de veste avec plusieurs autres cosses pleines.

— On va ouvrir bientôt, pensaient-ils, et ils attendaient...

— Je voudrais bien savoir lequel de nous arrivera le plus loin, dit le plus petit pois. Nous serons bientôt fixés.

— A la grâce de Dieu! dit le plus gros.

Crac! voilà la cosse déchirée et tous les cinq roulèrent dehors au gai soleil dans la main d'un petit garçon qui les déclara bons pour son fusil de sureau, et il en mit un tout de suite dans son fusil... et tira.

— Me voilà parti dans le vaste monde cria le pois. M'attrape qui pourra... Et le voilà parti.

— Moi, dit le second, je vole jusqu'au soleil. Voilà un pois qui me convient... et le voilà parti.

— Je m'endors où je tombe, dirent les deux suivants, mais je roulerai sûrement encore. Ils roulèrent d'abord sur le parquet avant d'être placés dans le fusil.

— C'est nous qui irons le plus loin.

— Arrive que pourra, dit le dernier lorsqu'il fut tiré dans l'espace.

Il partit jusqu'à la vieille planche au-dessous de la fenêtre de la mansarde, juste dans une fente où il y avait de la mousse et de la terre molle — la mousse se referma sur lui et il resta là caché... mais Notre-Seigneur ne l'oubliait pas.

— Arrive que pourra, répétait-il.

Dans la mansarde habitait une pauvre femme qui le jour sortait pour nettoyer des poêles et même pour scier du bois à brûler et faire de gros ouvrages, car elle était forte et travailleuse, mais cela ne l'enrichissait guère. Dans la chambre sa fillette restait couchée, toute mince et maigriotte, elle gardait le lit depuis un an et semblait ne pouvoir ni vivre, ni mourir.

— Elle va rejoindre sa petite sœur, disait la femme. J'avais deux filles et bien du mal à pourvoir à leurs besoins alors le Bon Dieu a partagé avec moi, il en a pris une auprès de lui et maintenant je voudrais bien conserver l'autre, mais il ne veut peut-être pas qu'elles restent séparées, alors celle-ci va sans doute monter auprès de sa sœur.

Cependant la petite fille malade restait là, elle restait couchée, patiente et silencieuse tout le jour tandis que sa mère était dehors pour gagner un peu d'argent.

Un matin de bonne heure, au printemps, au moment où la mère allait partir à son travail, le soleil brillait gaiement à la petite fenêtre et sur le parquet, la petite fille malade regardait la vitre d'en bas.

— Qu'est-ce donc que cette verdure qui pointe vers le carreau? Ça remue au vent.

La mère alla vers la fenêtre et l'entrouvrit.

— Tiens, dit-elle, c'est un petit pois qui a poussé là avec ses feuilles vertes. Comment est-il arrivé dans cette fente? Te voilà avec un petit jardin à regarder.

Le lit de la malade fut traîné plus près de la fenêtre pour qu'elle puisse voir le petit pois qui germait et la mère partit à son travail.

— Maman, je crois que je vais guérir, dit la petite fille le soir à sa mère. Le petit pois vient si bien, et moi je vais sans doute me porter bien aussi, me lever et sortir au soleil.

— Je le voudrais bien, dit la mère, mais elle ne le croyait pas.

Cependant, elle mit un petit tuteur près du germe qui avait donné de joyeuses pensées à son enfant afin qu'il ne soit pas brisé par le vent et elle attacha une ficelle à la planche d'un côté et en haut du chambranle de la fenêtre de l'autre, pour que la tige eût un support pour s'appuyer et s'enrouler à mesure qu'elle pousserait. Et c'est ce qu'elle fit, on la voyait s'allonger tous les jours.

— Non, voilà qu'elle fleurit! s'écria la femme un matin.

Et elle-même se prit à espérer et même à croire que sa petite fille malade allait guérir. Il lui vint à l'esprit que dans les derniers temps la petite lui avait parlé avec plus d'animation, que ces derniers matins elle s'était assise dans son lit et avait regardé, les yeux rayonnants de plaisir, son petit potager d'un seul pois. La semaine suivante, elle put lever la malade pour la première fois et pendant plus d'une heure.

Elle était assise au soleil, la fenêtre ouverte, et là, dehors, une fleur de pois rose était éclose.

La petite fille pencha sa tête en avant et posa un baiser tout doucement sur les fins pétales. Ce jour-là, fut un jour de fête.

— C'est le Bon Dieu qui a lui-même planté ce pois et l'a fait pousser afin de te donner de l'espoir et de la joie, mon enfant bénie. Et à moi aussi, dit la mère tout heureuse.

Elle sourit à la fleur comme à un ange de Dieu.

Mais les autres pois? direz-vous, oui, ceux qui se sont envolés dans le vaste monde.

«Attrape-moi si tu peux» est tombé dans la gouttière et de là dans le jabot d'un pigeon, comme Jonas dans la baleine. Les deux paresseux arrivèrent aussi loin puisqu'ils furent aussi mangés par un pigeon, ils se rendirent donc bien utiles. Mais le quatrième qui voulait monter jusqu'au soleil, il tomba dans le ruisseau et il resta là des jours et des semaines dans l'eau rance où il gonfla terriblement.

— Je deviens gros délicieusement, disait-il. J'en éclaterai et je crois qu'aucun pois ne peut aller, ou n'ira jamais plus loin. Je suis le plus remarquable des cinq de la cosse.

Le ruisseau lui donna raison. Là-haut, à la fenêtre sous le toit, la petite fille les yeux brillants, la rose de la santé aux joues, joignait les mains au-dessus de la fleur de pois et remerciait Dieu.

— Moi, je tiens pour mon pois, disait cependant le ruisseau.

LES FLEURS DE LA PETITE IDA

Mes pauvres fleurs sont tout à fait mortes! dit la petite Ida, elles étaient si belles hier soir, et maintenant toutes les feuilles pendent! Pourquoi? demanda-t-elle à l'étudiant assis sur le sofa.

Elle l'aimait beaucoup, l'étudiant, il savait les plus délicieuses histoires et découpait des images si amusantes: des cœurs avec des petites dames au milieu qui dansaient; des fleurs et de grands châteaux dont on pouvait ouvrir les portes, c'était un étudiant plein d'entrain.

— Pourquoi les fleurs ont-elles si mauvaise mine aujourd'hui? demanda-t-elle encore en lui montrant tout un bouquet complètement fané.

— Eh bien! sais-tu ce qu'elles ont? dit l'étudiant. Elles sont allées au bal cette nuit, c'est pourquoi elles sont fatiguées.

— Mais les fleurs ne savent pas danser! dit la petite Ida.

— Si, quand vient la nuit et que nous autres nous dormons, elles sautent joyeusement de tous les côtés. Elles font un bal presque tous les soirs.

— Est-ce que les enfants ne peuvent pas y aller?

— Si, dit l'étudiant. Les enfants de fleurs, les petites anthémis et les petits muguets.

— Où dansent les plus jolies fleurs? demanda la petite Ida.

— N'es-tu pas allée souvent devant le grand château que le roi habite l'été, où il y a un parc délicieux tout plein de fleurs? Tu as vu les cygnes qui nagent vers toi quand tu leur donnes des miettes de pain, c'est là qu'il y a un vrai bal, je t'assure!

— J'ai été dans le parc hier avec maman, dit Ida, mais toutes les feuilles étaient tombées des arbres et il n'y avait pas une seule fleur! Où sont-elles donc? L'été, j'en avais vu des quantités.

— Elles sont à l'intérieur du château, dit l'étudiant. Dès que le roi et les gens de la cour s'installent à la ville, les fleurs montent du parc au château et elles sont d'une gaieté folle. Il faut voir ça. Les deux plus belles roses s'assoient sur le trône, elles sont le roi et la reine. Toutes les «crêtes de coq» rouges se tiennent des deux côtés et s'inclinent: ce sont les chambellans. Viennent ensuite les plus ravissantes fleurs et il y a un grand bal. Les violettes bleues représentent les cadets de la marine, elles dansent avec les jacinthes et les crocus et les appellent «mademoiselle». Les tulipes et les grands lis jaunes sont des vieilles dames, qui surveillent les danseurs.

— Mais, demanda Ida, est-ce que personne ne punit les fleurs parce qu'elles dansent au château du roi?

— Personne ne s'en doute. Parfois, la nuit, le vieux gardien fait sa ronde. Il a un grand trousseau de clés. Dès que les fleurs entendent leur cliquetis, elles restent tout à fait tranquilles, cachées derrière les grands rideaux et elles passent un peu la tête seulement. «Je sens qu'il y a des fleurs ici», dit le vieux gardien, mais il ne peut les voir.

— Que c'est amusant! dit la petite Ida en battant des mains, est-ce que je ne pourrai pas non plus les voir?

— Si, souviens-toi lorsque tu iras là-bas de jeter un coup d'œil à travers la fenêtre, tu les verras bien. Je l'ai fait aujourd'hui, il y avait une grande jonquille jaune étendue sur le divan, elle croyait être une dame d'honneur!

— Est-ce que les fleurs du jardin botanique peuvent aussi aller là-bas? Peuvent-elles faire ce long chemin?

— Oui, bien sûr, car si elles veulent, elles peuvent voler. N'as-tu pas vu les beaux papillons rouges, jaunes et blancs, ils ont presque l'air de fleurs, ils l'ont été du reste. Ils se sont arrachés de leur tige et ont sauté très haut en l'air en battant de leurs feuilles comme si c'étaient des ailes et ils se sont envolés. Et comme ils se conduisaient fort bien, ils ont obtenu le droit de voler aussi dans la journée, de ne pas rentrer chez eux pour s'asseoir immobiles sur leur tige. Les pétales, à la fin, sont devenus de vraies ailes.

— Il se peut du reste que les fleurs du jardin botanique n'aient jamais été au château du roi, ni même qu'elles sachent combien les fêtes y sont gaies.

— Et je vais te dire quelque chose qui étonnerait bien le professeur de botanique qui habite à côté (tu le connais). Quand tu iras dans son jardin, tu raconteras à une des fleurs qu'il y a grand bal au château la nuit, elle le répétera à toutes les autres et elles s'envoleront. Si le professeur descend ensuite dans son jardin, il ne trouvera plus une fleur et il ne pourra comprendre ce qu'elles sont devenues!

— Mais comment une fleur peut-elle le dire aux autres fleurs? Elles ne savent pas parler.

— Evidemment, dit l'étudiant, mais elles font de la pantomime! N'as-tu pas remarqué quand le vent souffle un peu comme les fleurs inclinent la tête et agitent leurs feuilles vertes? C'est aussi expressif que si elles parlaient.

— Est-ce que le professeur comprend la pantomime? demanda Ida.

— Bien sûr. Un matin, comme il descendait dans son jardin, il vit une ortie qui faisait de la pantomime avec ses feuilles à un ravissant œillet rouge. Elle disait : «Tu es si joli, et je t'aime tant!» Mais le professeur n'aime pas cela du tout, il donna aussitôt une grande tape à l'ortie sur les feuilles qui sont ses doigts, mais ça l'a terriblement brûlé et depuis il n'ose plus jamais toucher à l'ortie.

— C'est amusant, dit la petite Ida en riant.

— Comment peut-on raconter de telles balivernes, dit le conseiller de chancellerie venu en visite et qui était assis sur le sofa.

Il n'aimait pas du tout l'étudiant et grognait tout le temps quand il le voyait découper des images si amusantes : un homme pendu à une potence et tenant un cœur à la main, car il avait volé bien des cœurs, ou bien une vieille sorcière à cheval sur un balai portant son mari sur son nez.

Le conseiller n'appréciait pas du tout cela et il disait comme maintenant : «Comment peut-on mettre des balivernes pareilles dans la tête d'un enfant, quelles inventions stupides!»

Mais la petite Ida trouvait très amusant ce que l'étudiant racontait et elle y pensait beaucoup.

La tête des fleurs pendait parce qu'elles étaient fatiguées d'avoir dansé toute la nuit, elles étaient certainement malades. Elle les apporta près de ses autres jouets étalés sur une jolie table, dont le tiroir était plein de trésors. Dans le petit lit était couchée sa poupée Sophie qui dormait, mais Ida lui dit : «Il faut absolument te lever, Sophie, et te contenter du tiroir pour cette nuit; ces pauvres fleurs sont malades, et si elles couchent dans ton lit, peut-être qu'elles guériront!» Elle fit lever la poupée qui avait un air revêche et ne dit pas un mot, elle était fâchée de prêter son lit.

Ida coucha les fleurs dans le lit de poupée, tira la petite couverture sur elles jusqu'en haut et leur dit de rester bien sagement tranquilles, qu'elle allait leur faire du thé afin qu'elles guérissent et puissent se lever le lendemain. Elle tira les rideaux autour du petit lit pour que le soleil ne leur vienne pas dans les yeux.

Toute la soirée, elle ne put s'empêcher de penser à ce que l'étudiant lui avait raconté et quand vint l'heure d'aller elle-même au lit, elle courut d'abord derrière les rideaux des fenêtres dans l'embrasure desquelles se trouvaient, sur une planche, les ravissantes fleurs de sa mère, des jacinthes et des tulipes, et elle murmura tout bas : «Je sais bien que vous devez aller au bal!»

Les fleurs firent semblant de ne rien entendre.

La petite Ida savait pourtant ce qu'elle savait...

Lorsqu'elle fut dans son lit, elle resta longtemps à penser. Comme ce serait plaisant de voir danser ces jolies fleurs là-bas, dans le château du roi.

— Est-ce que vraiment mes fleurs y sont allées?

Là-dessus, elle s'endormit.

Elle se réveilla au milieu de la nuit; elle avait rêvé de fleurs et de l'étudiant que le conseiller grondait et accusait de lui mettre des idées stupides et folles dans la tête.

Le silence était complet dans la chambre d'Ida, la veilleuse brûlait sur la table, son père et sa mère dormaient.

— Mes fleurs sont-elles encore couchées dans le lit de Sophie? se dit-elle. Je voudrais bien le savoir!

Elle se souleva un peu et jeta un coup d'œil vers la porte entrebâillée. Elle tendit l'oreille et il lui sembla entendre que l'on jouait du piano dans la pièce à côté, mais tout doucement. Jamais elle n'avait entendu une musique aussi délicate.

— Toutes les fleurs doivent danser maintenant! dit-elle. Mon Dieu! que je voudrais les voir! Mais elle n'osait se lever, de peur d'éveiller son père et sa mère.

— Si seulement elles voulaient entrer ici, se dit-elle.

Mais les fleurs ne venaient pas et la musique continuait à jouer, si légèrement.

A la fin, elle n'y tint plus, c'était trop délicieux, elle se glissa hors de son petit lit et alla tout doucement jusqu'à la porte jeter un coup d'œil dans la pièce voisine : comme c'était amusant ce qu'elle aperçut!

Il n'y avait pas du tout de veilleuse dans cette pièce, mais il y faisait tout à fait clair, la lune brillait à travers la fenêtre et éclairait juste le milieu du parquet, on se serait presque cru en plein jour.

Toutes les jacinthes et les tulipes se tenaient debout en deux rangs, il n'y en avait plus du tout dans l'embrasure de la fenêtre où ne restaient que les pots vides. Sur le parquet, les fleurs dansaient gracieusement, elles faisaient des rondes et se tenaient par leurs longues feuilles en tourbillonnant.

Un grand lis rouge était assis au piano. Ida était sûre de l'avoir vu cet été car elle se rappelait que l'étudiant avait dit : «Oh! comme il ressemble à Mademoiselle Line!» et tout le monde s'était moqué de lui. Maintenant Ida trouvait que la longue fleur ressemblait vraiment à cette demoiselle, et elle jouait tout à fait de la même façon qu'elle : elle penchait son visage rouge tantôt d'un côté, tantôt de l'autre et elle battait avec sa tête la mesure de cette musique. Personne ne remarquait la petite Ida.

Puis elle vit un grand crocus bleu sauter juste au milieu de la table où se trouvaient les jouets. Il alla droit vers le lit des poupées et en tira les rideaux. Les fleurs malades y étaient couchées mais elles se levèrent immédiatement et firent signe aux autres en bas qu'elles aussi voulaient danser.

Ida eut l'impression que quelque chose était tombé de la table. Elle regarda de ce côté et vit que c'était la verge de la Mi-Carême[1] qui avait sauté par terre. Ne croyait-elle pas être aussi une fleur?

[1] Une vieille coutume populaire du Danemark permet aux enfants, au matin de la Mi-Carême, de venir tout doucement, une verge à la main, dans la chambre de leurs parents, et de les réveiller en les frappant.

Il était très joli, après tout, ce martinet. A son sommet était une petite poupée de cire qui avait sur la tête un large chapeau tout pareil à celui du vieux conseiller.

La verge de la Mi-Carême sauta sur ses trois jambes de bois rouge, en plein milieu des fleurs. Elle se mit à taper très fort des pieds car elle dansait la mazurka, et cette danse-là, les autres fleurs ne la connaissaient pas, elles étaient si légères qu'elles ne pouvaient pas taper des pieds.

Tout à coup, la poupée de cire du petit fouet de la Mi-Carême devint grande et longue, elle tourbillonna autour des fleurs de papier et cria très haut : «Peut-on mettre des bêtises pareilles dans la tête d'un enfant! Ce sont des inventions stupides! »Et alors, elle ressemblait exactement au conseiller de la chancellerie, avec son large chapeau, elle était aussi jaune et aussi grognon. Les fleurs en papier lui donnèrent des coups sur ses maigres jambes et elle se ratatina de nouveau et redevint une petite poupée de cire.

C'était très drôle à voir! La petite Ida ne pouvait s'empêcher de rire.

Le fouet de la Mi-Carême continuait à danser et le conseiller était obligé de danser avec. Il n'y avait rien à faire : il se faisait grand et long et tout d'un coup redevenait la petite poupée de cire jaune au grand chapeau noir.

Les fleurs prièrent alors le martinet de s'arrêter, surtout celles qui avaient couché dans le lit de poupée, et cette danse cessa.

Mais voilà qu'on entendit des coups violents frappés à l'intérieur du tiroir où gisait Sophie, la poupée d'Ida, au milieu de tant d'autres jouets. Le casse-noix courut jusqu'au bord de la table, s'allongea de tout son long sur le ventre et réussit à tirer un petit peu le tiroir. Alors Sophie se leva et regarda autour d'elle d'un air étonné.

— Il y a donc bal ici, dit-elle. Pourquoi ne me l'a-t-on pas dit?

— Veux-tu danser avec moi? dit le casse-noix.

— Ah! bien oui! tu serais un beau danseur! et elle lui tourna le dos. Elle s'assit sur le tiroir et se dit que l'une des fleurs viendrait l'inviter, mais il n'en fut rien : alors elle toussa, hm, hm, hm, mais personne ne vint.

Comme aucune des fleurs n'avait l'air de voir Sophie elle se laissa tomber du tiroir sur le parquet dans un grand bruit. Toutes les fleurs accoururent pour l'entourer et lui demander si elle ne s'était pas fait mal, et elles étaient toutes si aimables avec elle, surtout celles qui avaient couché dans son lit.

Elle ne s'était pas du tout fait mal, affirmait-elle, et les fleurs d'Ida la remercièrent pour le lit douillet. Tout le monde l'aimait et l'attirait juste au milieu du parquet, là où scintillait la lune, on dansait avec elle et toutes les fleurs faisaient cercle autour. Sophie était bien contente, elle les pria de conserver son lit, cela lui était tout à fait égal de coucher dans le tiroir.

Mais les fleurs répondirent :

— Nous te remercions mille fois, mais nous ne pouvons pas vivre si longtemps. Demain nous serons tout à fait mortes. Mais dis à la petite Ida qu'elle nous enterre dans le jardin, près de la tombe de son canari, alors nous refleurirons l'été prochain et nous serons encore plus belles.

— Non, ne mourez pas, dit Sophie en embrassant les fleurs.

Au même instant la porte de la salle s'ouvrit et une foule de jolies fleurs entrèrent en dansant. Ida ne comprenait pas d'où elles pouvaient venir, c'étaient sûrement toutes les fleurs du château du roi. En tête s'avançaient deux roses magnifiques portant de petites couronnes d'or : c'étaient un roi et une reine. Puis venaient les plus ravissantes giroflées et des œillets qui saluaient de tous côtés. Ils étaient accompagnés de musique : des coquelicots et des pivoines soufflaient dans des cosses de pois à en être cramoisies. Les campanules bleues et les petites nivéoles blanches sonnaient comme si elles avaient eu des clochettes. Venaient ensuite quantité d'autres fleurs, elles dansaient toutes ensemble, les violettes bleues et les pâquerettes rouges, les marguerites et les muguets. Et toutes s'embrassaient, c'était ravissant à voir.

A la fin, les fleurs se souhaitèrent bonne nuit, la petite Ida se glissa aussi dans son lit et elle rêva de tout ce qu'elle avait vu.

Quand elle se leva le lendemain matin, elle courut aussitôt à la table pour voir si les fleurs étaient encore là, et elle tira les rideaux du petit lit; oui, elles y étaient mais tout à fait fanées, beaucoup plus que la veille.

Sophie était couchée dans le tiroir, elle avait l'air d'avoir très sommeil.

— Te rappelles-tu ce que tu devais me dire? demanda Ida.

Sophie avait l'air stupide et ne répondit pas un mot.

— Tu n'es pas du tout gentille, dit Ida et pourtant elles ont toutes dansé avec toi.

Elle prit une petite boîte en papier sur laquelle étaient dessinés de jolis oiseaux, l'ouvrit et y déposa les fleurs mortes.

— Ce sera votre cercueil, dit-elle, et quand mes cousins norvégiens viendront, ils assisteront à votre enterrement dans le jardin afin que l'été prochain vous repoussiez encore plus belles.

Les cousins norvégiens étaient deux garçons pleins de santé s'appelant Jonas et Adolphe. Leur père leur avait fait cadeau de deux arcs, et ils les avaient apportés pour les montrer à Ida. Elle leur raconta l'histoire des pauvres fleurs qui étaient mortes et ils durent les enterrer.

Les deux cousins marchaient devant, leur arc sur l'épaule et la petite Ida derrière portait les fleurs dans la jolie boîte. Ils creusèrent une fosse dans le jardin, Ida embrassa d'abord les fleurs, puis mit la boîte en terre et Adolphe et Jonas tirèrent avec leurs arcs au-dessus de la tombe car ils n'avaient ni fusils ni canons.

TABLE DES MATIÈRES